Más allá de las palabras

Third Edition

GALLEGO SMITH • GODEV • KELLEY

University of Michigan Ann Arbor
Intermediate Spanish
SPA 231

Wiley Custom Learning Solutions

To order books or for customer service, please call 1(800)-CALL-WILEY (225-5945).

Printed in the United States of America.

ISBN 978-1-118-96145-2
Printed and bound by Strategic Content Imaging.

Contents

Capítulo 1 Nuestra Identidad 1

Capítulo 2 Las Relaciones de Nuestra Gente 43

Capítulo 3 Nuestra Comunidad Bicultural 83

Capítulo 4 La Diversidad de Nuestras Costumbres y Creencias 125

Capítulo 5 Nuestra Herencia Indígena, Africana y Española 165

Appendices 399

Glossary 441

Index 463

PAÍSES DE HABLA HISPANA

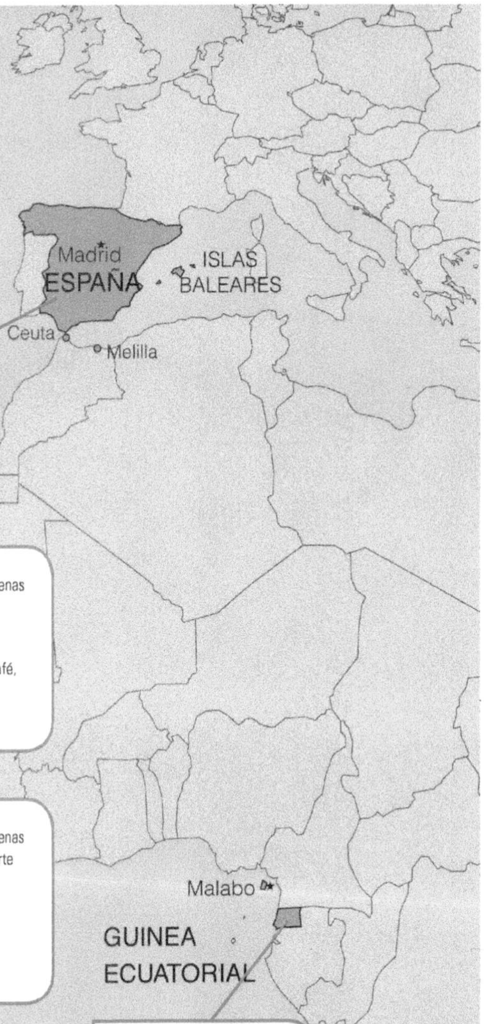

CUBA
- **Gentilicio:** cubano/a
- **Tamaño:** 44.218 millas cuadradas
- **Número de habitantes:** 11.061.886
- **Etnia(s):** blancos 37%, mulatos 51%, negros 11%
- **Lenguas habladas:** el español
- **Moneda:** el peso cubano, el peso convertible
- **Alfabetización:** 99.8%
- **Economía:** azúcar, tabaco, turismo

REPÚBLICA DOMINICANA
- **Gentilicio:** dominicano/a
- **Tamaño:** 18.816 millas cuadradas
- **Número de habitantes:** 10.219.630
- **Etnia(s):** mulatos 73%, blancos 16%, negros 11%
- **Lenguas habladas:** el español
- **Moneda:** el peso dominicano
- **Alfabetización:** 90.2%
- **Economía:** azúcar, café, cacao, tabaco, cemento

ESPAÑA
- **Gentilicio:** español/a
- **Tamaño:** 194.896 millas cuadradas
- **Número de habitantes:** 47.370.542
- **Etnia(s):** blancos
- **Lenguas habladas:** el castellano (español), el catalán, el gallego, el euskera
- **Moneda:** el euro
- **Alfabetización:** 97.7%
- **Economía:** maquinaria, textiles, metales, farmacéutica, aceituna, vino, turismo, textiles, metales

PUERTO RICO
- **Gentilicio:** puertorriqueño/a
- **Tamaño:** 3.435 millas cuadradas
- **Número de habitantes:** 3.674.209
- **Etnia(s):** blancos 76%, negros 7%, otros 17%
- **Lenguas habladas:** el español y el inglés
- **Moneda:** el dólar americano
- **Alfabetización:** 90.3%
- **Economía:** manufactura (farmacéuticos), turismo

HONDURAS
- **Gentilicio:** hondureño/a
- **Tamaño:** 43.277 millas cuadradas
- **Número de habitantes:** 8.448.465
- **Etnia(s):** mestizos 90%, indígenas 7%, negros 2%, blancos 1%
- **Lenguas habladas:** el español y lenguas indígenas amerindias
- **Moneda:** el lempira
- **Alfabetización:** 85.1%
- **Economía:** bananas, café, azúcar, madera, textiles

NICARAGUA
- **Gentilicio:** nicaragüense
- **Tamaño:** 50.193 millas cuadradas
- **Número de habitantes:** 5.788.531
- **Etnia(s):** mestizos 69%, blancos 17%, negros 9%, indígenas 5%
- **Lenguas habladas:** el español y lengua indígena (miskito)
- **Moneda:** el córdoba
- **Alfabetización:** 78%
- **Economía:** procesamiento de alimentos, químicos, metales, petróleo, calzado, tabaco

VENEZUELA
- **Gentilicio:** venezolano/a
- **Tamaño:** 362.143 millas cuadradas
- **Número de habitantes:** 28.459.085
- **Etnia(s):** mestizos 69%, blancos 20%, negros 9%, indígenas 2%
- **Lenguas habladas:** el español y lenguas indígenas
- **Moneda:** el bolívar fuerte
- **Alfabetización:** 95.5%
- **Economía:** petróleo, metales, materiales de construcción

COLOMBIA
- **Gentilicio:** colombiano/a
- **Tamaño:** 439.735 millas cuadradas
- **Número de habitantes:** 47.745.783
- **Etnia(s):** mestizos 58%, blancos 20%, mulatos 14%, negros 4%, indígenas 4%
- **Lenguas habladas:** el español
- **Moneda:** el peso colombiano
- **Alfabetización:** 93.6%
- **Economía:** procesamiento de alimentos, petróleo, calzado, oro, esmeraldas, café, cacao, flores, textiles

BOLIVIA
- **Gentilicio:** boliviano/a
- **Tamaño:** 424.165 millas cuadradas
- **Número de habitantes:** 10.461.053
- **Etnia(s):** mestizos 30%, indígenas 55%, blancos 15%
- **Lenguas habladas:** el español y lenguas indígenas (quechua, aimara)
- **Moneda:** el boliviano
- **Alfabetización:** 91.2%
- **Economía:** gas, petróleo, minerales, tabaco, textiles

GUINEA ECUATORIAL
- **Gentilicio:** guineano/a, ecuatoguineano/a
- **Tamaño:** 10.830 millas cuadradas
- **Número de habitantes:** 701.001
- **Etnia(s):** fang 86%, otras etnias africanas 14%
- **Lenguas habladas:** el español, el francés y lenguas indígenas (fang, bubi)
- **Moneda:** el franco CFA
- **Alfabetización:** 94.2%
- **Economía:** petróleo, madera, cacao, café

PARAGUAY
- **Gentilicio:** paraguayo/a
- **Tamaño:** 157.047 millas cuadradas
- **Número de habitantes:** 6.623.252
- **Etnia(s):** mestizos 95%
- **Lenguas habladas:** el español y lengua indígena (guaraní)
- **Moneda:** el guaraní
- **Alfabetización:** 93.9%
- **Economía:** azúcar, carne, textiles, cemento, madera, minerales

CHILE
- **Gentilicio:** chileno/a
- **Tamaño:** 292.257 millas cuadradas
- **Número de habitantes:** 17.216.945
- **Etnia(s):** mestizos 65%, blancos 25%, indígenas 5%
- **Lenguas habladas:** el español y lengua indígena (mapudungun)
- **Moneda:** el peso chileno
- **Alfabetización:** 98.6%
- **Economía:** minerales (cobre), agricultura, pesca, vino

URUGUAY
- **Gentilicio:** uruguayo/a
- **Tamaño:** 68.037 millas cuadradas
- **Número de habitantes:** 3.324.460
- **Etnia(s):** blancos 88%, mestizos 8%, negros 4%
- **Lenguas habladas:** el español
- **Moneda:** el peso uruguayo
- **Alfabetización:** 98.7%
- **Economía:** carne, metales, textiles, productos agrícolas

ARGENTINA
- **Gentilicio:** argentino/a
- **Tamaño:** 1.065.000 millas cuadradas
- **Número de habitantes:** 42.610.981
- **Etnia(s):** blanco 97%
- **Lenguas habladas:** el español y lenguas indígenas (mapudungun, quechua)
- **Moneda oficial:** el peso argentino
- **Alfabetización:** 97.9%
- **Economía:** carne, trigo, lana, petróleo

MÁS ALLÁ DE LAS PALABRAS

Intermediate Spanish

Third Edition

Olga Gallego Smith
University of Michigan

Concepción B. Godev
University of North Carolina, Charlotte

Mary Jane Kelley
Ohio University

WILEY

VICE PRESIDENT AND PUBLISHER Laurie Rosatone
SPONSORING EDITOR Elena Herrero
ASSOCIATE EDITOR Maruja Malavé
EXECUTIVE MARKETING MANAGER Jeffrey Rucker
MARKETING MANAGER Kimberly Kanakes
MARKET SPECIALIST Glenn Wilson
SENIOR CONTENT MANAGER Micheline Frederick
SENIOR PRODUCT DESIGNER Tom Kulesa
SENIOR PRODUCTION EDITOR Sandra Rigby
SENIOR DESIGNER Thomas Nery
PHOTO EDITOR Felicia Ruocco
COVER PHOTOS Door Image: Nattavut Luechai / 123rf.com
Beach Image: Dougal Waters / The Image Bank / Getty Images

This book was set in Adobe Garamond by Pre-Press PMG and printed and bound by R.R. Donnelley.
This book is printed on acid free paper.

To order books or for customer service please call 1-800-CALL WILEY (225-5945).

Wiley is a global provider of content-enabled solutions that improve outcomes in research, education, and professional practice. Our core businesses produce scientific, technical, medical, and scholarly journals, reference works, books, database services, and advertising; professional books, subscription products, certification and training services and online applications; and education content and services including integrated online teaching and learning resources for undergraduate and graduate students and lifelong learners.

Founded in 1807, John Wiley & Sons, Inc. (NYSE: JWa, Jwb), has been a valued source of information and understanding for more than 200 years, helping people around the world meet their needs and fulfill their aspirations. Wiley and its acquired companies have published the works of more than 450 Nobel laureates in all categories: Literature, Economics, Physiology or Medicine, Physics, Chemistry, and Peace. Wiley's global headquarters are located in Hoboken, New Jersey, with operations in the U.S., Europe, Asia, Canada, and Australia. The Company's website can be accessed at http://www.wiley.com.

ISBN: 978-1-118-51234-0
BRV ISBN: 978-1-118-89554-2

Printed in the United States of America

About the Authors

I was born in Spain and raised in Venezuela. After graduating with a B.A. in English from the Universidad Complutense de Madrid, I came to the United States to attend graduate school at Penn State University, where I earned a Ph.D. in Applied Linguistics. I have been a teacher for more than 30 years, and I can´t think of a better profession in which to work.

I dedicate my work in this third edition to the memory of Carmeli and Juan José.

Olga Gallego Smith

I became interested in the field of second language teaching and learning when I was hired as a language teaching assistant at Dickinson College. Later on, I went to graduate school at Penn State University, where I earned my Ph.D. in the field of Applied Linguistics. My research in this field as well as the hundreds of language students that I have taught have inspired my current approach to teaching, an approach that prompts the following comments from my students: "She makes her students feel comfortable speaking in class (even if we make tons of mistakes)."

I dedicate this work to my family and my students.

Concepción B. Godev

As a faculty member in the Department of Modern Languages at Ohio University, I teach a wide range of Spanish language and literature classes at the undergraduate and graduate levels. Although my research focuses on medieval Spain, some of my more rewarding classroom experiences derive from helping beginning and intermediate students advance in linguistic and cultural proficiency. I directed OU's second-year Spanish language program from 2004-2012, during which time hundreds of OU students studied Spanish in the context of high-interest cultural material from *Más allá de las palabras*. I am confident that instructors and intermediate students will continue to profit from the new features in this third edition.

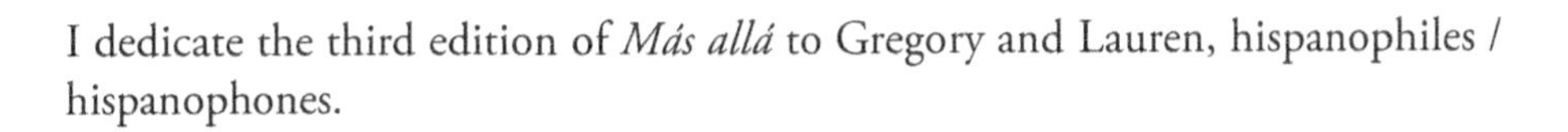

I dedicate the third edition of *Más allá* to Gregory and Lauren, hispanophiles / hispanophones.

Mary Jane Kelley

Preface

Más allá de las palabras is a culture-based intermediate Spanish program, designed for use at the third and fourth semesters of college study that integrates language skills with subject matter. The title ***Más allá de las palabras***, or Beyond Words, reflects the primary goal of this program: to ensure a smooth transition from the practical knowledge of the Spanish language necessary for daily tasks to a deeper understanding of the cultures of the Hispanic world, taking students beyond the classroom. Fully supported with technology, this program addresses the five Cs of ACTFL's Standards for Foreign Language Learning. **Culture** and language are carefully balanced and tightly integrated so that students accomplish meaningful **communication** in Spanish, and make **connections** to other disciplines such as history, geography, politics, music and literature. ***Más allá de las palabras*** systematically prompts students to make **comparisons** between Hispanic cultures and their own, and to use their knowledge of English grammar to support their learning of Spanish. The integrated, comparative approach to culture equips learners to explore Spanish-speaking **communities** in the real world and to become actual or virtual members of those communities. The new *En vivo* option further extends the opportunity to participate authentically in a Spanish-speaking community.

Here's how *Más allá de las palabras* works

Graduated learning and a smooth transition to the second year of language study

Instructors of second-year Spanish face a variety of preparation levels among students in their classes, and an intermediate textbook cannot assume that all students have retained and assimilated first-year structures and skills. ***Más allá de las palabras*** helps all students succeed in second year by first reviewing familiar themes and communicative functions in chapters 1–5 and then introducing increasingly sophisticated functions in chapters 6–10.

Rich and effective integration of culture and language

Each chapter in ***Más allá de las palabras*** focuses on a broad cultural theme fully integrated with language. Students complete grammar activities and practice the four skills in the context of relevant information about the Hispanic world. In addition, both the text and the *Activities Manual* frequently require students to compare what they have learned about Hispanic cultures with their own culture and to express their thoughts orally or in writing.

Thorough recycling of communicative functions and grammar

In addition to recycling first-year grammar and functions early in the program, ***Más allá de las palabras*** recycles essential functions and grammar structures throughout the book. Description; narration in the present, past, and future; comparison; expression of opinion; summarizing and hypothesizing all recur in a variety of formats that sustain the students' interest. Through systematic reinforcement, students increase their proficiency in each of these important communicative functions.

Graduated complexity of grammar activities

To facilitate the learning process, ***Más allá de las palabras*** begins each set of grammar activities with mechanical practice: identification of forms, conjugation of verbs, fill-in-the-blank, etc.

Subsequent activities gradually build to more open-ended practice in which students create with the language. As a result, students are able to perform complex speaking and writing tasks without feeling overwhelmed.

Ample practice of all four skills

Más allá de las palabras reinforces **reading** skills with four passages per chapter, including one literary selection. Pre- and post-reading activities support and guide students. In addition, *Momento de reflexión* questions encourage students to pause during the reading process to reflect on what they have read. Students practice **listening** comprehension in one *Miniconferencia* per chapter, four listening activities per chapter in the *Activities Manual*, and two video segments available in *WileyPLUS*. *WileyPLUS* also contains a recorded version of each *Ven a conocer* reading and each chapter vocabulary list. The program features **speaking** practice in each subsection of each tema: students speak in pairs or small groups about readings and *Miniconferencias*, and they apply grammar points in numerous oral activities. *En vivo* live language coaching sessions lower anxiety about speaking and develop confidence and conversation skills. The *Activities Manual* contains a section titled *Para pronunciar mejor* targeting Spanish sounds that typically challenge native English speakers. Informal **writing** practice appears in the context of each reading, *Miniconferencia*, and grammar section of the textbook as well as throughout the *Activities Manual*. The *Más allá de las palabras* section of each chapter features one structured composition, which integrates themes, vocabulary, and grammar covered in the chapter's three *temas*. This assignment is process-based and offers students detailed support for each step.

High interest literary selections

Más allá de las palabras treats literature as both a cultural and an artistic expression. The literary selection in each chapter reflects one of the chapter's cultural themes, and activities in both the textbook and the *Activities Manual* require students to interact personally with the text and reflect on the author's literary art.

Humor and light material

Más allá de las palabras features cultural and linguistic details that appeal to students' sense of humor and creativity. Role-play activities allow students to put their own spin on history by impersonating fictional characters or historical figures. Many of the *Vocabulario para conversar* activities present humorous situations and provide students the linguistic strategies to engage fully. A *Curiosidades* section of each chapter offers a game, joke or amusing feature.

NEW FEATURES OF THE THIRD EDITION

- Parallel chapter structure throughout with one reading or *Miniconferencia* in each of three *temas* followed by *Más allá de las palabras* section
- Cultural content updated
- Revised grammar explanations with additional examples of usage
- New mechanical grammar activities in each *tema*; revised grammar activities throughout. Increased focus on mechanical grammar activities in *Activities Manual*
- New feature (*Vocabulario esencial*) that integrates practical, every-day vocabulary in each set of grammar activities

- *Ven a conocer*, including *Viaje virtual*, featured in *Más allá de las palabras* section
- End-of-chapter vocabulary lists refocused on readings, *Miniconferencias*, and *Vocabulario esencial*
- Revised *Miniconferencias* for Chapters 2, 6, and 7
- New feature (*Videoteca*) available in *WileyPLUS* that includes new video footage relevant to chapter themes
- Historical readings (*Perfiles*) from second edition easily accessible to students and instructors in *WileyPLUS*

CHAPTER ORGANIZATION

Más allá de las palabras is theme-based in chapters 1 through 5, and chapters 6 through 10 develop a theme in the context of a region of the Spanish-speaking world. The chapters, subdivided into three *Temas*, contain the following sections:

Lectura or Miniconferencia

Temas 1 and 3 begin with a photo-illustrated text that introduces and develops a theme related to life in the Spanish-speaking world. Pre-reading activities emphasize the activation of background knowledge and the development of reading strategies with an emphasis on vocabulary building. Post-reading activities integrate the theme into written and oral communicative practice and reinforce vocabulary. Some activities call for individual completion while others require working in pairs or groups. Tema 2 begins with a mini-lecture (*Miniconferencia*) that features pre- and post-listening activities.

Gramática

This section provides concise and user-friendly grammatical explanations in English with examples in Spanish drawn from the readings or the chapter's cultural theme. The explanation is followed by activities designed to move students gradually from controlled to more open-ended and creative practice. At least one grammar activity is supported by a list of *Vocabulario esencial* containing words and phrases students need to complete the designated task. The *Grammar Reference* section at the end of the book provides support for students to review first-year grammar topics, and grammatical information that goes beyond the material presented in the chapter. *WileyPLUS* features animated grammar tutorials that offer students a clear, step-by-step review of all grammar points.

Vocabulario para conversar

In each *Tema*, this section focuses and builds on the communicative functions and strategies learned in first-year Spanish and exposes students to new ones. Students acquire relevant vocabulary as they practice each function in open-ended dialogues in specific contexts.

Curiosidades

In *Temas* 1 and 2, this enjoyable section includes music, jokes, recipes, games, fun activities, and tests integrated with the chapter's themes. *Curiosidades* provides continuing opportunities for language use in the context of lighter material.

Color y forma

In *Tema* 3 students observe a work of art and, through speaking or writing activities, express their reactions. Each work reflects a thematic connection to the chapter.

END OF CHAPTER MATERIAL

Each chapter ends with a section called *Más allá de las palabras* subdivided as follows:

Redacción

This section takes a process-oriented approach to the development of writing skills. Writing assignments include a variety of text types from description and narration to exposition and argumentation. Each step in the process assists the intermediate writer in generating a clear writing plan and organizing and expressing ideas in a coherent manner.

Ven a conocer

This section presents a site of interest in the Spanish-speaking world. *Ven a conocer* offers interactive pre- and post-reading activities and stimulates students' interest in traveling to the area and/or exploring it in more depth on the Internet through a suggested *Viaje virtual.*

El escritor tiene la palabra

Excerpts by major literary figures illustrate a theme from each chapter. Post-reading activities emphasize comprehension and prompt students to analyze the text critically. The *Activities Manual* includes additional exercises that introduce students to systematic literary analysis and literary terminology.

Videoteca

The textbook briefly describes the themes of two video segments available in *WileyPLUS.* Instructors or students can download the accompanying activity, which contains pre-viewing, while viewing, and post-viewing exercises. Video segments and accompanying activities provide additional cultural content and listening practice.

Vocabulario

Every chapter ends with a complete list of vocabulary from readings, the miniconferencia, and *Vocabulario esencial.* All items also appear in the Glossary at the end of the book.

LESSON PLANNING

Más allá de las palabras as a menu of options

Selection and distribution of materials will depend on the curricular goals of each Spanish language program and on each university's class schedule. *Más allá de las palabras* offers sufficient flexibility to accommodate a variety of schedules and student learning outcomes through targeted selection. For example, if oral production is a primary goal of your language program, you would want to cover the *Vocabulario para conversar,* the last several activities from *Gramática,* the pre-reading and pre-listening activities, and *Color y forma.* Perhaps you would omit the writing assignment in *Redacción* and the readings in *Ven a conocer* and/or *El escritor tiene la palabra.* If grammar is an important focus in your program, you could supplement the explanations and activities in the textbook *Gramática* with the Grammar Reference in the appendix and the animated Grammar Tutorials in *WileyPLUS* in addition to assigning most or all of the *Gramática* exercises in the *Activities Manual.*

Activities in the textbook and *Activities Manual*

Textbook activities are designed for in-class use, although some mechanical grammar and reading comprehension exercises would make appropriate homework assignments. The *Entrando en materia* section in each *Tema* is designed to activate background knowledge, encourage students to anticipate the *Tema*'s topic, and acquire necessary vocabulary before reading or listening. Post-reading or listening activities scaffold from simple comprehension to more complex interactive pair and group tasks. Textbook grammar activities begin with recognition and identification and move to interaction as students use the grammar to communicate ideas related to the theme of each *Tema*. The *Activities Manual* provides homework practice in reading, writing and listening for the individual student; various mechanical exercises reinforce vocabulary and grammar, and open-ended activities require reflective writing and cultural comparison.

Más allá de las palabras **in two semesters or three quarters**

The following table illustrates how the material in each chapter of *Más allá de las palabras* could be covered and tested in three weeks. By following this schedule, 5 chapters of the book may be covered over a fifteen-week semester with classes meeting 2/3/4 days per week for a total of 150-200 minutes. Instructors with more class time may devote additional days to assessment or make more extensive use of the resources in *WileyPLUS*. Conversely, instructors with less time can choose to omit certain features, depending on the curricular goals of their program. Instructors on the quarter system might cover four chapters in the third quarter or omit one of the chapters during the course of the academic year.

An asterisk means the section, or a part of it, can be completed out of class.

Week 1	**Tema 1** Lectura* Gramática* Vocabulario para conversar Curiosidades * **Tema 2** Miniconferencia
Week 2	**Tema 2** Gramática* Vocabulario para conversar Curiosidades* **Tema 3** Lectura*
Week 3	**Tema 3** Gramática* Vocabulario para conversar Color y forma* **Más allá de las palabras** Redacción* Ven a conocer* El escritor tiene la palabra* **Chapter test**

Más allá de las palabras **in one semester**

Programs with limited contact hours and universities with a one-semester intermediate Spanish program should consider a **custom-published version** of the text. Covered in one semester, Chapters 1–5 treat topics related to daily life and reinforce skills addressed in most intermediate programs: description; narration in the present, past, and future; comparison; and expression of doubt, emotion, and advice in the present and the past. The customized version of the text would include the Grammar Reference, Glossary Spanish-English and English-Spanish, Verb Tables, and all textbook resources and *WileyPLUS* materials. (Speak to your Wiley sales representative to arrange for a custom-published version of *Más allá de las palabras*.)

The Complete Program

For a desk copy or electronic access to any of these program components, please contact your local Wiley sales representative, call our Sales Office at 1-800-CALL-WILEY (1-800-225-5945), or contact us online at www.wiley.com/college/gallego.

Student Textbook

978-1-118-51234-0

The textbook is organized into ten chapters, each of which is divided into three thematically complementary *Temas*, and culminates in the *Más allá de las palabras* section.

Annotated Instructor's Edition

978-1-118-51237-1

The Annotated Instructor's Edition includes a variety of marginal annotations with teaching tips, expansion activities and answers to discrete point exercises.

Activities Manual

978-1-118-51235-7

The *Activities Manual*, available both printed and online through ***WileyPlus***, includes vocabulary, grammar, listening, writing and pronunciation activities designed to provide additional individual practice. Each chapter in the *Activities Manual* follows the structure and content presented in each corresponding chapter in the textbook. The Answer Key to the written responses in the Lab Manual appears at the end of the book. Electronic files for the Answer Key as well as for the audio scripts are available on the ***Más allá de las palabras*** Instructor Companion Site at www.wiley.com/college/gallego and in *WileyPLUS* as an Instructor Resource.

***Más allá de las palabras* Video**

Más allá de las palabras has two videos per chapter featuring short documentaries and interviews with native speakers designed to expand on the cultural topics presented in the textbook. Pre-viewing, viewing and post-viewing activities are available in *WileyPLUS*. Video segments are available digitally in *WileyPLUS* and on the Instructor and Student Companion Sites.

Explore Your Ordering Options

The textbook is available in various formats. Consider an eBook, loose-leaf binder version or a custom publication. Learn more about our flexible pricing, flexible formats and flexible content at http://www.wiley.com//college/sc/masalla/options.html.

WileyPLUS
www.wileyplus.com

WileyPLUS is an innovative, online teaching and learning environment, built on a foundation of cognitive research, that integrates relevant resources, including the entire digital textbook, in an easy-to-navigate framework that helps students study effectively. Online *Activities Manual* available in *WileyPLUS* builds students' confidence because it takes the guesswork out of studying by providing a clear roadmap to academic success. With *WileyPLUS*, instructors and students receive 24/7 access to resources that promote positive learning outcomes. Throughout each study session, students can assess their progress and gain immediate feedback on their strengths and weaknesses so they can be confident they are spending their time effectively.

WHAT DO STUDENTS RECEIVE WITH *WILEYPLUS*?

- An easy-to-navigate, interactive online version of the textbook, organized by sections.
- Related supplemental material that reinforces learning objectives.
- Innovative features such as self-evaluation tools improve time management and strengthen areas of weakness.

One-on-one Engagement. With *WileyPLUS* for ***Más allá de las palabras*** students receive 24/7 access to resources that promote positive learning outcomes. Students engage with related activities in various media including:

- **Blackboard IM functionality:** Student collaboration tool with IM, whiteboard, and desktop sharing capabilities.
- **Audio Program:** The Audio Program includes recordings of the textbook (*Miniconferencia, Ven a conocer, Vocabulario esencial,* and vocabulary list at the end of the chapters) and the listening and pronunciation activities in the *Activities Manual.* The Audio Program is available in *WileyPLUS* and on the Book Companion Site at www.wiley.com/college/gallego.
- **Wimba Voice Response Questions and Wimba VoiceBoards:** Recording functionality that allows instructors to test students' speaking skills.
- **Electronic Activities Manual:** Allows instructors to assign Workbook and Lab Manual activities which are then sent straight to the gradebook for automatic and manual grading options. Available in the assignment section of *WileyPLUS.*
- **In-text activities:** Assignable electronic versions of select textbook activities that test students' understanding of grammar and vocabulary.
- **Animated Grammar Tutorials:** Animation series that reinforces key grammatical lessons.
- **Map Quizzes:** Interactive study tool that tests students' geographical knowledge of Spanish-speaking countries and cities.
- **Audio Flashcards:** Offers pronunciation, English/Spanish translations, and chapter quizzes.
- **Verb Conjugator:** Supplemental guides and practice for conjugating verbs.
- **English Grammar Checkpoints:** Alphabetical listing of the major grammar points from the textbook that allows students to review their use in the English language.
- ***La pronunciación:*** Guide that offers basic rules and practice for pronouncing the alphabet, diphthongs, accent marks and more.

Measurable Outcomes. Throughout each study session, students can assess their progress and gain immediate feedback. *WileyPLUS* provides precise reporting of strengths and weaknesses, as well as individualized quizzes, so that students are confident they are spending their time on the right things. With *WileyPLUS*, students always know the exact outcome of their efforts.

WHAT DO INSTRUCTORS RECEIVE WITH *WILEYPLUS*?

WileyPLUS provides reliable, customizable resources that reinforce course goals inside and outside of the classroom as well as tracking of individual student progress. Pre-created materials and activities help instructors optimize their time:

- **Sample Syllabi:** 2-semester/2-times per week; 15-week/3-times per week/100 minutes per class
- **Miniconferencias PowerPoint Presentations:** The PowerPoint presentations are an audiovisual complement to the *Miniconferencias* of Tema 2 of each textbook chapter.
- **Image Gallery:** Collection of the photographs, illustrations and artwork from each chapter of the textbook.
- **Pre-built, Quick Start Question Assignments:** Available in a variety of options, these pre-built electronic quizzes allow instructors to test students' understanding of vocabulary, grammar, and culture, as well as their reading, writing, listening and speaking skills.
- **Test bank:** Collection of assignable questions that allow instructors to build custom exams; select Test bank questions are also available in Word documents.
- **Printable exams with answer keys, audio files, and scripts:** All of the components that instructors need to distribute printed exams in class. There are three different exam versions per chapter.
- **Lab Manual audio script:** Script for each of the seven listening activities per chapter.
- **Gradebook:** *WileyPLUS* provides access to reports on trends in class performance, student use of course materials, and progress towards learning objectives, helping inform decisions and drive classroom discussions.

EN VIVO LANGUAGE COACHING SESSIONS

With the *En vivo* option, regularly scheduled, live, online coaching sessions reinforce language skills and further explore cultural notions. A special set of activities per each chapter provides a framework for conversation, and a native-speaking language coach encourages students practice the Spanish they're learning in weekly coaching sessions. For more information, contact your Wiley representative, or visit http://www.wiley.com/college/sc/envivo.

SPANISH READER

You can create your own cultural Spanish Reader to accompany ***Más allá de las palabras*** choosing from wide variety of authentic articles written by journalists and writers from the 21 Spanish-speaking countries. Visit http://mywiley.info/puntoycoma for more information.

STUDENT COMPANION SITE
www.wiley.com/college/gallego

The Student Companion Site contains complimentary self-tests, audio flashcards, the Verb Conjugator or System with practice handouts, accompanying audio for the textbook and Lab Manual, map quizzes, and videos.

INSTRUCTOR COMPANION SITE
www.wiley.com/college/gallego

The Instructor Companion Site includes the student resources mentioned above, plus handouts, answer keys, scripts, and audio files to accompany chapter level, mid-term, and final exams. It also includes a Word version of the Test Bank, an image gallery, answer keys for the Lab Manual, and audio and video scripts.

Acknowledgments

The authors of *Más allá de las palabras* third edition would like to thank our families for their patience and support; the Wiley World Languages team for their belief in and attention to our project; our colleagues, from whom we have learned so much; and especially our students, who have challenged and inspired us over the years.

We are indebted to the loyal users of *Más allá de las palabras,* who over the years have continued to give us valuable insights and suggestions. For their candid commentary, mindful scrutiny, and creative ideas, we wish to thank the following reviewers and contributors for this edition:

Linda Ables, *Gadsen State Community College*, Ana Afzali, *Citrus College*, Geraldine Ameriks, *University of Notre Dame,* Youngmin Bae, *Los Angeles City College,* Marta Bermúdez, *Mercer County Community College,* Jane Bethune, *Salve Regina University,* Ruth Bradner, *Virginia Commonwealth University,* Nancy Broughton, *Wright State University,* Karen W. Burdette, *Tennessee Technological University,* Dwayne Carpenter, *Boston College,* Nancy Joe Dyer, *Texas A&M University,* Héctor Enríquez, *University of Texas,* Antonia García Rodríguez, *Pace University,* Martin Gibbs, *Texas A&M University,* Lydia Gil-Keff, *University of Denver,* Marilyn Harper, *Pellissippi State Technical Community College,* Josef Hellebrandt, *Santa Clara University,* Amarilis Hildalgo-DeJesús, *Bloomsburg University,* Ann M. Hilberry, *University of Michigan,* Laurie Huffman, *Los Medanos College,* Nieves Knapp, *Brigham Young University,* Jorge Koochoi, *Central Piedmont Community College,* Amalia Llombart, *Fairfield University,* Gillian Lord, *University of Florida,* Deanna Mihaly, *Eastern Michigan University,* Rosa-María Moreno, *Cincinnati State Technical &Community College,* Lucy Morris, *James Madison University,* Andy Noverr, *University of Michigan,* Gayle Nunley, *University of Vermont,* Michelle R. Orecchio, *University of Michigan,* Lucía Osa-Melero, *University of Texas,* Yelgy Parada, *Los Angeles City College,* Federico Pérez Pineda, *University of South Alabama,* Stacey Powell, *Auburn University*, Anne Marie Prucha, *University of Central Florida,* María Luisa Ruiz, *Medgar Evers College,* Núria Sabaté-Llobera, *Centre College,* Nori Sogomonian, *San Bernardino Valley College,* Cristóbal Trillo, *Joliet Junior College*, Lara Wallace, *University of Ohio,* Ari Zighelboim, *Tulane University,* Eduardo Acuna Zumbado, *Missouri State University,* Ester Suarez Felipe, *UW-Milwaukee* , Gregory Thompson, *University of Central Florida,* Karen Berg, *College of Charleston,* Kathleen Wheatley, *University of Wisconsin-Milwaukee,* Laura Sanchez, *Bethel University,* Luis Silva Villar, *Mesa State College* , Michael Vrooman, *Grand Valley State University,* Pedro Koo, *Missouri State University,* Robert Parsons, *University of Scranton,* Tim Mollet, *Ohio University Southern,* Victoria Rivera Cordero, *Seton Hall University,* Yasmin Diaz, *Kansas State University,* Isabel Larrotiz, *University of Michigan,* Juan Carlos de los Santos, *University of Michigan,* Kathleen Ann Forrester, *University of Michigan,* Patricia Silvia Peker, *University of Michigan,* Beatriz Cobeta, *George Washington University,* Benjamin Schmeiser, *Illinois State University,* Carla Maria Iglesias, *University of Michigan,* Cristina Pardo Ballester, *Iowa State University,* David G. Anderson, *John Carroll University,* Kit Decker, *Paradise Valley Community College,* Mary Frances Castro, *University of North Carolina at Charlotte,* Oscar Flores, *SUNY University-Plattsburgh,* Shannon Hahn, *Durham Technical Community College,* Sharon knight, *Presbyterian College,* Tatiana M.Calixto, *University of Michigan,* Vanessa Lago Barros, *SUNY Rockland Community College,* William Lee Mc Alister, *University of Michigan Ann Arbor,* An Chung Cheng, *University of Toledo,* Bethany Sanio, *University of Nebraska–Lincoln,* Isabel Dominguez, *State University of New York at Buffalo,* Laura Ruiz Scott, *Scottsdale Community College,* Agnieszka Gutthy, *Southeastern Louisiana University,* Alfonso Illingworth Rico, *Eastern Michigan University,* Alicia Munoz Sanchez, *University of California, San Diego,* Amos Kasparek, *Bob Jones University,* Barbara Avila Shah, *University at Buffalo* , *SUNY,* Carina Graf, *University of Michigan,* Carolina Purdy, *University of Michigan Ann Arbor,* Juan Martin, *University of Toledo,* Leyre Alegre, *University of Michigan, Ann Arbor,* Mai Nazif, *Santa Rosa Junior College,* Vanessa Valdez, *The City College of New York,* Marcela Baez, *Florida Atlantic University,* Marianne Verlinden, *College of Charleston,* Michael Kistner, *University of Toledo,* Sandra Watts, *University of North Carolina at Charlotte,* Shannah Steel, *Bob Jones University,* Silvana Hrepic, *Cuyahoga Community College*

Olga Gallego Smith, Concepción B. Godev, and Mary Jane Kelley

Acknowledgments

[illegible] ... thank ... support ... [illegible] ... have learned ... from students ... [illegible]

[illegible]

[illegible]

Olga [illegible] Smith, Concepción B. Godev, and Mary Jane Kelley

Contenido

CAPÍTULO 1 NUESTRA IDENTIDAD

TEMA 1 QUIÉNES SOMOS

LECTURA MisPáginas.com: Charla con amigos 4
GRAMÁTICA Uses of **ser/estar** and Direct Object Pronouns 7; 10
(Vocabulario esencial: Hablar de los rasgos físicos, la personalidad, los estados de ánimo y las tareas domésticas) 9; 11
VOCABULARIO PARA CONVERSAR Circunloquio 12
CURIOSIDADES Juego de antónimos 13

TEMA 2 CÓMO SOMOS, CÓMO VIVIMOS

A ESCUCHAR MINICONFERENCIA Actividades asociadas con las plazas de ciudades y pueblos hispanos 16
GRAMÁTICA Present Indicative of Stem-Changing and Irregular Verbs 17
(Vocabulario esencial: Hablar de la vida diaria) 20
VOCABULARIO PARA CONVERSAR Control del ritmo de la conversación 20
CURIOSIDADES Juego de famosos 22

TEMA 3 POR QUÉ NOS CONOCEN

LECTURA El deporte, la literatura, el arte y la música 24
GRAMÁTICA Preterit Tense
Imperfect Tense 27; 30
(Vocabulario esencial: Hablar de los accidentes) 29
VOCABULARIO PARA CONVERSAR Una conversación telefónica 33
COLOR Y FORMA *La calle*, de Fernando Botero 34
MÁS ALLÁ DE LAS PALABRAS
REDACCIÓN Una descripción 35
VEN A CONOCER Puerto Rico: La isla de Vieques 36
EL ESCRITOR TIENE LA PALABRA Paula (fragmento), de Isabel Allende 38
VIDEOTECA La plaza: El corazón de la ciudad
¡Bienvenido al mundo hispano! 40

CAPÍTULO 2 LAS RELACIONES DE NUESTRA GENTE

TEMA 1 EN FAMILIA

LECTURA Cuestión de familias 45
GRAMÁTICA Impersonal/Passive *se* to Express a Nonspecific Agent of an Action 48
(Vocabulario esencial: Hablar de las celebraciones familiares) 50
VOCABULARIO PARA CONVERSAR Pedir y dar información 51
CURIOSIDADES Crucigrama 53

TEMA 2 ENTRE AMIGOS

A ESCUCHAR MINICONFERENCIA El papel de los amigos en la vida 56
GRAMÁTICA Preterit and Imperfect in Contrast; Comparatives 57; 60
(Vocabulario esencial: Hablar de las relaciones románticas) 60
VOCABULARIO PARA CONVERSAR Contar anécdotas 62
CURIOSIDADES ¿Seleccionaste bien a tu pareja? 64

TEMA 3 ASÍ NOS DIVERTIMOS

LECTURA Pasando el rato 66
GRAMÁTICA Direct- and Indirect-Object Pronouns to Talk
About Previously Mentioned Ideas 68
(Vocabulario esencial: Expresar afecto) 70
VOCABULARIO PARA CONVERSAR Comparar experiencias 73
COLOR Y FORMA *Naranjas atadas,* de Diana Paredes 75

MÁS ALLÁ DE LAS PALABRAS

REDACCIÓN Una autobiografía 76
VEN A CONOCER Tabasco, México: La ruta del cacao 78
EL ESCRITOR TIENE LA PALABRA *Oda al plato,* de Pablo Neruda 79
VIDEOTECA Los fines de semana… ¡familia y amigos!
La tecnología une a las familias 81

CAPÍTULO 3 NUESTRA COMUNIDAD BICULTURAL

TEMA 1 SER BICULTURAL

LECTURA Ser hispano en Estados Unidos 87
GRAMÁTICA Introduction to the Subjunctive 89
(Vocabulario esencial: Expresar duda y certeza) 92
VOCABULARIO PARA CONVERSAR Expresar tus opiniones 95
CURIOSIDADES "México Americano", de Rumel Fuentes, interpretada por Los
Lobos 97

TEMA 2 SER BILINGÜE

A ESCUCHAR MINICONFERENCIA Mitos sobre el bilingüismo 100
GRAMÁTICA Second Use of the Subjunctive: After Expressions of Emotion ... 101
(Vocabulario esencial: Expresar emoción) 102
VOCABULARIO PARA CONVERSAR Expresar tus sentimientos 103
CURIOSIDADES El préstamo léxico 105

TEMA 3 LENGUAS EN CONTACTO

LECTURA ¿Qué es el espanglish? 107
GRAMÁTICA Third Use of the Subjunctive: After Expressions of
Advice and Recommendation 111
(Vocabulario esencial: Recomendar y pedir) 112
VOCABULARIO PARA CONVERSAR Pedir y dar consejos 114
COLOR Y FORMA *Cielo/Tierra/Esperanza,* de Juan Sánchez 115

MÁS ALLÁ DE LAS PALABRAS
REDACCIÓN Una carta al editor 116
VEN A CONOCER San Antonio, Texas: El Álamo 117
EL ESCRITOR TIENE LA PALABRA *La ignorancia como causa de los prejuicios raciales*, de Alonso S. Perales 120
VIDEOTECA Un muralista en defensa de Miami
Conexiones con inmigrantes 123

CAPÍTULO 4 LA DIVERSIDAD DE NUESTRAS COSTUMBRES Y CREENCIAS

TEMA 1 NUESTRAS COSTUMBRES
LECTURA Costumbres de todos los días 127
GRAMÁTICA Using Relative Pronouns to Avoid Redundancy 129
(Vocabulario esencial: Hablar de tradiciones) 131
VOCABULARIO PARA CONVERSAR Dar explicaciones 132
CURIOSIDADES La costumbre de invitar 134

TEMA 2 NUESTRAS CREENCIAS
A ESCUCHAR MINICONFERENCIA Perspectivas sobre la muerte 138
GRAMÁTICA The Imperfect Subjunctive in Noun Clauses 139
(Vocabulario esencial: Hablar de creencias y supersticiones) 142
VOCABULARIO PARA CONVERSAR Expresar acuerdo y desacuerdo enfáticamente 143
CURIOSIDADES Numerología 144

TEMA 3 NUESTRAS CELEBRACIONES
LECTURA Fiestas patronales 149
GRAMÁTICA Formal and Informal Commands to Get People to Do Things for You or Others 151
(Vocabluario esencial: Escribir recetas y hablar de celebraciones) 153
VOCABULARIO PARA CONVERSAR Expresar compasión, sorpresa y alegría 154
COLOR Y FORMA *La Sagrada Familia con Santa Ana y el niño Juan Bautista*, de El Greco 156

MÁS ALLÁ DE LAS PALABRAS
REDACCIÓN Un artículo sobre turismo 157
VEN A CONOCER 7 de julio, San Fermín 158
EL ESCRITOR TIENE LA PALABRA *En perseguirme, Mundo, ¿qué interesas?*, de Sor Juana Inés de la Cruz 162
VIDEOTECA La Feria de San Isidro en Madrid
Un paseo por Madrid 163

CAPÍTULO 5 NUESTRA HERENCIA INDÍGENA, AFRICANA Y ESPAÑOLA

TEMA 1 ANTES DE 1492: LA GENTE DE AMÉRICA

LECTURA América no fue descubierta en 1492 167
GRAMÁTICA The Future to Talk About Plans 169
(Vocabulario esencial: Hablar de descubrimientos) 171
VOCABULARIO PARA CONVERSAR Convencer o persuadir 172
CURIOSIDADES Los números mayas 173

TEMA 2 1492: EL ENCUENTRO DE DOS MUNDOS

A ESCUCHAR MINICONFERENCIA Los instrumentos de exploración, el viaje al continente desconocido y el nombre de América 176
GRAMÁTICA Future and Present with *si* Clauses to Talk About Possibilities or Potential Events 177
(Vocabulario esencial: Hablar de guerras e invasiones) 178
VOCABULARIO PARA CONVERSAR Acusar y defender 179
CURIOSIDADES Menú de a bordo 181

TEMA 3 EL CRISOL DE TRES PUEBLOS

LECTURA Hispanoamérica y su triple herencia 183
GRAMÁTICA The Conditional and Conditional Sentences to Talk About Hypothetical Events 185
(Vocabulario esencial: Hablar de fenómenos sociales) 187
VOCABULARIO PARA CONVERSAR Iniciar y mantener una discusión 188
COLOR Y FORMA *La conquista de México,* de Diego Rivera 190

MÁS ALLÁ DE LAS PALABRAS

REDACCIÓN Diario de a bordo 191
VEN A CONOCER México. D.F.: El Zócalo 192
EL ESCRITOR TIENE LA PALABRA *"Carta de Don Cristóbal Colón a su hijo Don Diego Colón",* de Cristóbal Colón 194
VIDEOTECA De la conquista a la independencia Identidad y nombres 196

CAPÍTULO 6 TRADICIÓN Y MODERNIDAD (MÉXICO Y ESPAÑA)

TEMA 1 PRIMERAS ALIANZAS

LECTURA Malinche, la indígena que ayudó a Cortés 202
GRAMÁTICA Preterit and Imperfect Tenses in Contrast 204
(Vocabulario esencial: Narrar en el pasado) 207
VOCABULARIO PARA CONVERSAR Recordar viejos tiempos 208
CURIOSIDADES Refranero 210

TEMA 2 GASTRONOMÍA SIN FRONTERAS

A ESCUCHAR MINICONFERENCIA EL chocolate: de México a España y al mundo 213
GRAMÁTICA Present Perfect Tense 214
(Vocabulario esencial: Hablar de gastronomía) 216
VOCABULARIO PARA CONVERSAR Hablar de lo que acaba de pasar 217
CURIOSIDADES Crucigrama 219

TEMA 3 CINE MEXICANO DE HOY SOBRE LA ESPAÑA DE AYER

LECTURA Cine mexicano sobre España 222
GRAMÁTICA Prepositions **por, para, de, a, en** 224
(Vocabulario esencial: Expresiones comunes con **por** y **para**) 227
VOCABULARIO PARA CONVERSAR Coloquialismos de México y España 228
COLOR Y FORMA *El padre Miguel Hidalgo y la independencia nacional,* de José Clemente Orozco 230

MÁS ALLÁ DE LAS PALABRAS

REDACCIÓN Un resumen de una película 231
VEN A CONOCER Qué ver en Oaxaca
El Camino de Santiago: Turismo espiritual 231
EL ESCRITOR TIENE LA PALABRA *Los novios* (leyenda anónima) 234
VIDEOTECA México y España: Cruce de culturas
México: Una luz entre la contaminación 236

CAPÍTULO 7 IDEOLOGÍAS DE NUESTRA SOCIEDAD (PAÍSES DEL CARIBE)

TEMA 1 NUESTRAS IDEOLOGÍAS

LECTURA Cuba: Dos visiones, una isla 241
GRAMÁTICA Another Look at the Subjunctive in Noun Clauses 244
(Vocabulario esencial: Hablar de problemas sociales y soluciones) 248
VOCABULARIO PARA CONVERSAR Tener una discusión acalorada 249
CURIOSIDADES Quiero saber 250

TEMA 2 MÚSICA Y SOCIEDAD

A ESCUCHAR MINICONFERENCIA Política y merengue 255
GRAMÁTICA The Subjunctive in Adjective Clauses 256
(Vocabulario esencial: Hablar de la música) 258
VOCABULARIO PARA CONVERSAR Usar gestos y palabras para comunicarse 259
CURIOSIDADES "El costo de la vida", de Juan Luis Guerra 261

TEMA 3 NUESTRA IDENTIDAD POLÍTICA

LECTURA Foro sobre Puerto Rico 266
GRAMÁTICA One More Look at the Indicative and Subjunctive Moods 269
(Vocabulario esencial: Hablar de política) 271

VOCABULARIO PARA CONVERSAR Aclarar un malentendido y reaccionar . . . 271
COLOR Y FORMA José Alicea en su estudio . . . 273
MÁS ALLÁ DE LAS PALABRAS
REDACCIÓN Tomar partido . . . 274
VEN A CONOCER Canaima: Un paraíso terrenal . . . 275
EL ESCRITOR TIENE LA PALABRA *Barcarola,* de Nicolás Guillén . . . 278
VIDEOTECA Descubre el Viejo San Juan
¿Existe una verdad objetiva? . . . 279

CAPÍTULO 8 EXPLORAR NUESTRO MUNDO (CENTROAMÉRICA)

TEMA 1 QUÉ LLEVAR PARA VIAJAR

LECTURA Ponte a la moda al estilo maya del período clásico . . . 285
GRAMÁTICA The Future Tense to Talk About What Will Happen and May Happen . . . 288
(Vocabulario esencial: Hablar de ropa y de artículos de viaje) . . . 290
VOCABULARIO PARA CONVERSAR Hablar de la moda . . . 293
CURIOSIDADES Crucigrama . . . 294

TEMA 2 VIAJAR Y RESPETAR EL MEDIO AMBIENTE

A ESCUCHAR MINICONFERENCIA Una alternativa al turismo convencional: El ecoturismo . . . 298
GRAMÁTICA The Conditional to Express Probability, Future Within a Past Perspective, and Politeness . . . 298
(Vocabulario esencial: Hablar de viajes y del medio ambiente) . . . 301
VOCABULARIO PARA CONVERSAR Planear vacaciones . . . 302
CURIOSIDADES Humor político . . . 303

TEMA 3 VIAJAR PARA SERVIR A LA COMUNIDAD

LECTURA Dos voluntarios en Costa Rica: Diario de un viaje . . . 306
GRAMÁTICA Conditions With *si* (if): Possible Future vs. Contrary-to-Fact . . . 308
(Vocabulario esencial: Hablar de reacciones y del servicio a la comunidad) . . . 310
VOCABULARIO PARA CONVERSAR Una entrevista de trabajo . . . 312
COLOR Y FORMA *Las molas* . . . 313
MÁS ALLÁ DE LAS PALABRAS
REDACCIÓN Una carta de solicitud . . . 314
VEN A CONOCER Panamá: Lugares de interés histórico y recreativo . . . 315
EL ESCRITOR TIENE LA PALABRA *El eclipse,* de Augusto Monterroso . . . 317
VIDEOTECA Esperanza para niños abandonados
Mercado al estilo maya . . . 319

CAPÍTULO 9 NUESTRA HERENCIA PRECOLOMBINA (PAÍSES ANDINOS)

TEMA 1 EL ORIGEN DE LA LEYENDA DE EL DORADO

LECTURA Oro, El Dorado y el Museo del Oro de Bogotá 324
GRAMÁTICA Adverbial Clauses With the Present Tense....................... 326
(Vocabulario esencial: Negociar una compra) 330
VOCABULARIO PARA CONVERSAR Hablar sobre dinero y negocios 331
CURIOSIDADES ¡Así es Colombia!.. 332

TEMA 2 NUESTRA CULTURA MESTIZA

A ESCUCHAR MINICONFERENCIA La música popular de Ecuador 336
GRAMÁTICA Adverbial Clauses With Past Tenses............................ 337
(Vocabulario esencial: Hablar de espectáculos)............................. 340
VOCABULARIO PARA CONVERSAR Romper el hielo......................... 341
CURIOSIDADES La influencia del quechua en el español..................... 342

TEMA 3 COSTUMBRES DE LOS INCAS

LECTURA El matrimonio inca... 345
GRAMÁTICA Passive Voice 347
(Vocabulario esencial: Hablar de la organización de eventos) 349
VOCABULARIO PARA CONVERSAR Comunicarse formal e informalmente ... 350
COLOR Y FORMA *Las misteriosas líneas de Nazca* 352

MÁS ALLÁ DE LAS PALABRAS

REDACCIÓN Un ensayo informativo 353
VEN A CONOCER El lago Titicaca 355
EL ESCRITOR TIENE LA PALABRA *Comentarios reales,* del Inca
Garcilaso de la Vega.. 357
VIDEOTECA Ollantaytambo: parque nacional en peligro
El chocolate de Ecuador... 361

CAPÍTULO 10 NUESTRA PRESENCIA EN EL MUNDO (PAÍSES DEL CONO SUR)

TEMA 1 LA REALIDAD DEL EXILIO

LECTURA Testimonio de Francisco Ruiz, un exiliado chileno.................. 366
GRAMÁTICA The Present Perfect
The Past Perfect 368
(Vocabulario esencial: Hablar de situaciones pasadas)........................ 370
VOCABULARIO PARA CONVERSAR Hablar de los pros y los contras
de una situación 371
CURIOSIDADES Trabalenguas 373

TEMA 2 LA INMIGRACIÓN FORJA UNA CULTURA

A ESCUCHAR MINICONFERENCIA Lunfardo y tango: Dos creaciones de los inmigrantes 376
GRAMÁTICA Prepositional Pronouns and Prepositional Verbs 377
(Vocabulario esencial: Hablar de la inmigración) 379
VOCABULARIO PARA CONVERSAR Interrumpir para pedir una aclaración ... 380
CURIOSIDADES *"Volver"*, de Carlos Gardel 382

TEMA 3 LA EMIGRACIÓN DE LAS NUEVAS GENERACIONES

LECTURA Los jóvenes uruguayos se van del país........ 385
GRAMÁTICA Progressive Tenses........ 387
(Vocabulario esencial: Hablar del trabajo)........ 389
VOCABULARIO PARA CONVERSAR Corregir a otras personas 390
COLOR Y FORMA *Being with (Être Avec)*, de Roberto Matta-Echaurren........ 391
MÁS ALLÁ DE LAS PALABRAS
REDACCIÓN Responder a un cuestionario 393
VEN A CONOCER Paraguay: Bienvenido *Eguahé porá* 394
EL ESCRITOR TIENE LA PALABRA *La muerte*, de Enrique Anderson Imbert ... 396
VIDEOTECA Las muchas caras del inmigrante
Barrio Mataderos: Centro de tradiciones y artesanías del campo argentino.... 397

APPENDICES........ 399

GLOSSARY 441

INDEX 463

WileyPLUS ADDITIONAL ACTIVITIES FOR EACH TEMA AND ANIMATED GRAMMAR TUTORIALS AVAILABLE ONLINE.

NUESTRA IDENTIDAD

Objetivos del capítulo

En este capítulo vas a...

- ampliar tus conocimientos generales sobre la identidad hispana.
- describir y narrar en el presente y en el pasado.
- usar el circunloquio, controlar el ritmo de una conversación y conversar por teléfono.
- escribir una descripción.

TEMA

1 Quiénes somos 2

LECTURA: MisPáginas.com: Charla con amigos 4

GRAMÁTICA: Uses of **ser/estar** and Direct-Object Pronouns 7; 10

(Vocabulario esencial: Hablar de los rasgos físicos, la personalidad, los estados de ánimo y las tareas domésticas) 9; 11

VOCABULARIO PARA CONVERSAR: Circunloquio 12

CURIOSIDADES: Juego de antónimos 13

2 Cómo somos, cómo vivimos 14

A ESCUCHAR

MINICONFERENCIA: Actividades asociadas con las plazas de ciudades y pueblos hispanos 16

GRAMÁTICA: Present Indicative of Stem-Changing and Irregular Verbs 17

(Vocabulario esencial: Hablar de la vida diaria) 20

VOCABULARIO PARA CONVERSAR: Control del ritmo de la conversación 20

CURIOSIDADES: Juego de famosos 22

3 Por qué nos conocen 23

LECTURA: El deporte, la literatura, el arte y la música 24

GRAMÁTICA: Preterit Tense 27; 30

Imperfect Tense

(Vocabulario esencial: Hablar de los accidentes) 29

VOCABULARIO PARA CONVERSAR: Una conversación telefónica 33

©Robert Fried/Alamy

Los jóvenes hispanos en Latinoamérica y en España tenemos muchas cosas en común con ustedes, pero muchos aspectos de nuestra vida son muy diferentes. Por ejemplo, en España muchos estudiantes universitarios viven con sus padres mientras asisten a la universidad. ¿Es igual en tu caso?

COLOR Y FORMA: *La calle,* de Fernando Botero 34

Más allá de las palabras 35

REDACCIÓN: Una descripción 35

VEN A CONOCER: Puerto Rico: La isla de Vieques 36

EL ESCRITOR TIENE LA PALABRA: Paula (fragmento), de Isabel Allende 38

VIDEOTECA: La plaza: El corazón de la ciudad; ¡Bienvenido al mundo hispano! 40

TEMA 1

Quiénes somos

Doug Menuez/Photodisc/Getty Images

Bienvenido a ***Más allá de las palabras*** y a tu clase de español. Este libro te va a ayudar a continuar tus estudios del español por medio de la exploración de una variedad de temas. Para empezar, vas a conocer un poco más a tus compañeros de clase y a tu instructor/a de español. En un papel, anota tus respuestas a las siguientes preguntas. Las respuestas deben ser breves.

- ¿Qué palabra define mejor tu apariencia física?
- ¿Qué palabra o palabras define(n) mejor tu personalidad?
- ¿Qué es lo más interesante de ti?
- ¿Qué es lo más interesante de tu familia?
- ¿Qué palabras definen mejor tu cultura?

Ahora, intercambia tu papel con un compañero o compañera. Lee sus respuestas y circula por la clase intentando encontrar a un/a estudiante que tenga algo en común con tu compañero/a. Usa las respuestas como guía. Después, presenta a tu compañero/a a esa persona. Cuando tu instructor/a diga "YA", tú, tu compañero/a y su nuevo/a amigo/a deben regresar a sus pupitres correspondientes. Tienes cinco minutos: ¡Adelante!

Por si acaso

Expresiones útiles para comparar respuestas con otro estudiante

¿Qué tienes/ pusiste en el número 1/ 2/ 3?
Yo tengo/ puse a/ b.
Yo tengo algo diferente.
No sé la respuesta./ No tengo ni idea.
Creo que la respuesta es a/ b, pero no estoy seguro/a.
Creo que es cierto./ Creo que es falso.

Lectura

Entrando en materia

1–1. Las redes sociales. Hoy en día, los jóvenes de todas partes del mundo se conocen y se comunican en las redes sociales cibernéticas como Facebook y MySpace. ¿Son miembros de una red social? En parejas, comenten su experiencia en las redes sociales.

- con qué frecuencia visitan la red social
- quiénes son sus amigos; de dónde son; ¿los conoces bien?
- su opinión sobre el valor de las redes sociales; ¿creen que son un buen método de comunicación?, ¿qué problemas pueden presentar?, ¿son peligrosas?

1–2. Vocabulario: Antes de leer. La lectura de esta sección reproduce unas páginas de la red social MisPáginas.com. Antes de conocer a los participantes, busca las siguientes palabras y expresiones en la lectura (están marcadas en negrita) para ver si puedes deducir su significado. Selecciona la opción correcta para cada una. Después, compara tus respuestas con las de un/a compañero/a.

1. **taínos**
   a. grupo indígena de Puerto Rico
   b. el nombre que Cristóbal Colón le dio a la isla de Puerto Rico cuando llegó a sus costas por primera vez
2. **padrísimo**
   a. una expresión del español de México sinónima de *fantástico*
   b. una expresión común para referirse a un padre
3. **platicando**
   a. sinónimo de *plata*
   b. sinónimo de *hablando*
4. **compaginar**
   a. pasar las páginas de un libro
   b. sinónimo de *combinar*
5. **ocio**
   a. un tipo de animal muy común en Latinoamérica
   b. el tiempo libre
6. **tiro con arco**
   a. un deporte que requiere el uso de una flecha (*arrow*) y un arco
   b. un deporte que requiere el uso de una pistola
7. **malabarismo**
   a. una actividad de entretenimiento con malas consecuencias
   b. una actividad de circo
8. **cortar el rollo**
   a. una forma coloquial de expresar que se va a dejar de hacer algo
   b. una expresión de enfado o agresividad

MisPáginas.com: Charla con amigos

Hola, soy María Ángeles, una muchacha simpática (aunque quede mal que yo lo diga) y alegre. Soy de Tuxpan. ¿Hay alguien más de México por aquí?

Hola María Ángeles, soy Patricia. No soy de México, soy de la "isla del encanto". ¿Sabes dónde está?

Sí, sí lo sé, la isla del encanto es Puerto Rico, ¿no?

Sí, es Puerto Rico. Yo soy de Guaynabo, un lindo pueblo cerca de San Juan, la capital.

Guaynabo... qué palabra tan extraña. ¿Eso es español?

No, es un término de los indios **taínos** que significa "lugar de muchas aguas".

Hola chicas, pido perdón por interrumpir la conversación pero me parece que alguien dijo que es de Tuxpan... Yo he escuchado muchas cosas interesantes sobre ese lugar. ¿Cómo es? Ah, por cierto, me llamo José.

Hola José, sí, escuchaste bien. Yo soy de Tuxpan. Tuxpan es un pueblito de unos 150,000 habitantes, en la costa norte del estado de Veracruz, en México. Es un lugar **padrísimo** para pasar las vacaciones.

José, bienvenido al chat. ¿No es maravilloso esto de poder comunicarse con gente de todas partes en un solo sitio? Creo que es una experiencia maravillosa.

Sí, Patricia, tienes razón, es increíble esto del ciberespacio. Yo soy español, nacido en el 69, y trabajo como profesor de español.

José, me parece que eres el más viejo de los tres. Yo nací en el 75, el 7 de diciembre exactamente.

Oye, ¿el 7 de diciembre no hay una celebración en México?

Sí, es el Día del Niño Perdido, una celebración católica que recuerda cuando Jesús se perdió a los siete años de edad después de visitar el templo con sus padres.

¿Y cómo celebráis eso?

Pues ese día, a las 7 de la tarde se colocan velitas encendidas en las banquetas del pueblo.

¿En dónde? ¿En unas banquetas? ¡No lo entiendo!

Claro, María Ángeles, es que José es español y para él una banqueta es como una silla. José, en México le llaman banqueta a lo que tú llamas acera, el sendero por donde caminas por la calle.

Ah, no lo sabía, bueno, perdón por la interrupción...

¡Qué cómico resulta esto de hablar con gente de otros sitios! Bueno, como decía, las luces eléctricas se apagan para que la luz de las velitas brille más, y todo el mundo sale a la calle, y pasa la tarde **platicando** con amigos y vecinos, y los niños juegan con carritos de cartón que llevan una velita encendida. Así ayudan a la Virgen María a buscar al niño perdido. Patricia, yo voy a Puerto Rico el mes que viene. ¿Quieres quedar para tomar un café?

María Ángeles: ©Jacom Stephens/iStockphoto; Patricia: PhotoAlto/Eric Audras/Getty Images; and José: Fuse/Getty Images

No sabes cuánto me gustaría, pero ya no vivo en Puerto Rico. Ahora vivo en California, porque estoy estudiando epidemiología y mi esposo está aquí trabajando como ingeniero civil en una constructora. ¡Cuánto me gustaría volver a mi isla!

Sí, es difícil vivir lejos de la familia... Por eso yo me quedé en España, y aún así tengo problemas para **compaginar** el trabajo, el **ocio** y las visitas a la familia.

José, ¿qué hace un muchacho como tú en su tiempo libre?

Todo depende del tiempo y del dinero, ya sabes, pero... me gusta hacer cosas aventureras, como el **tiro con arco** y el **malabarismo**. También me encantaría tener un caballo, pero... volvemos al tema del dinero...

Sí, por eso yo me dedico a cocinar en mis ratos libres, así por lo menos puedo comerme lo que hago.

Yo también cocino pero prefiero que me cocinen. También me gusta decorar interiores; creo que sería bueno como decorador, aunque a veces me paso con las plantas...

¿Cómo que te pasas?

Quiero decir que a veces pongo demasiadas plantas en las habitaciones que decoro, porque me gustan mucho y no sé controlarme... ¡Mi apartamento parece una jungla!

Yo no sirvo para cuidar plantas, todas se mueren enseguida en mi casa. Mi esposo, Carlos, es alérgico a muchas plantas también, por eso no tenemos ninguna.

Patricia, ¿en qué piensas trabajar cuando termines los estudios?

No estoy totalmente segura, pero en algo relacionado con las ciencias de la salud. Me gustaría ser profesora, como tú.

Sí, es una gran profesión. A mí me encanta mi trabajo porque me permite conocer a gente nueva continuamente. Es como una pequeña creación artística, como una obra de teatro en la que todos participan. Algún día creo que voy a escribir una novela sobre mis experiencias.

Bueno, ha sido un placer platicar con ustedes pero ahora me tengo que marchar. ¡A ver si nos vemos por el ciberespacio un día de estos!

Sí, déjame un mensaje cuando regreses de Puerto Rico y así me cuentas cómo fue el viaje.

Sí, te dejaré un mensaje en el tablón de anuncios. Bueno, José, ha sido un placer. ¡Hasta lueguito!

Sí, yo también tengo que **cortar el rollo** porque tengo una clase dentro de una hora. ¡Cuidaos mucho y hasta la próxima!

¡Chao a todos!

María Ángeles: ©Jacom Stephens/iStockphoto; Patricia: PhotoAlto/Eric Audras/Getty Images; and José: Fuse/Getty Images

1–3. ¿Te identificas? Estas son afirmaciones que hicieron los participantes de la red social. Escribe *sí* junto a las afirmaciones con las que tú te identificas y *no* junto a las demás.

1. ____ Es maravilloso poder comunicarse con gente de todas partes en un solo sitio.
2. ____ Soy una persona simpática y divertida.
3. ____ Tengo problemas para compaginar el trabajo, el ocio y las visitas a la familia.
4. ____ Me encanta mi trabajo porque me permite conocer a gente nueva continuamente.
5. ____ A mí me gusta cocinar, pero prefiero que me cocinen.
6. ____ Yo no sirvo para cuidar plantas, se me mueren todas enseguida.

1–4. Detalles. En parejas, respondan a las siguientes preguntas oralmente. Pídanle a su compañero/a que aclare la información que no entiendan.

Estudiante A:
¿Qué sabes de Tuxpan?
¿Qué me puedes decir sobre María?
¿Qué pasa el 7 de diciembre?

Estudiante B:
¿Qué sabes de Guaynabo?
¿Qué me puedes decir sobre Patricia?
Dime tres cosas interesantes sobre José.

1–5. Vocabulario: Después de leer. Aquí tienes la oportunidad de demostrar tus conocimientos del vocabulario nuevo. Rellena los espacios en blanco con la palabra adecuada de la red social.

ocio   malabarismo   taínos   padrísimo   platicar   compaginar

1. En las fiestas y las reuniones familiares, divierto a los niños con mis demostraciones de ________________.
2. Mi vida en la universidad es muy ocupada. Es difícil ________________ los estudios, el trabajo y mis actividades en el tiempo libre.
3. Los ________________ habitaban las islas del Caribe.
4. En México, se usa la expresión ________________ para indicar que algo es muy bueno o divertido y el verbo ________________ para decir "charlar."
5. Mi actividad favorita de ________________ es el tiro con arco y flecha.

1–6. ¿Quién es más interesante? En grupos de tres, seleccionen a la persona de la red que les parezca más interesante. Con la información que tienen y su imaginación, creen una minibiografía de esa persona. Anoten todos los datos y después, compartan su historia oralmente con los demás grupos. ¡Sean tan creativos como puedan!

MODELO

Bueno, nosotros creemos que José es el más interesante porque quiere escribir una novela sobre su vida.

Gramática

Uses of ser and estar (to be)

ser		estar	
soy	somos	estoy	estamos
eres	sois	estás	estáis
es	son	está	están

Ser is used to:

1. establish the essence or identity of a person or thing.
   Patricia **es** estudiante de epidemiología. — *Patricia **is** an epidemiology student.*
2. express origin.
   José **es** de España. — *José **is** from Spain.*
3. express time.
   Son las 3:00 de la tarde. — *It **is** 3:00 in the afternoon.*
4. express possession.
   La computadora **es** de María Ángeles. — *The computer **is** María Ángeles'.*
5. express when and where an event takes place.
   La fiesta del niño perdido **es** en diciembre. — *The feast of the lost child **is** in December.*
   ¿Dónde **es** la fiesta? La fiesta **es** en Tuxpan. — *Where **is** the party? The party **is** in Tuxpan.*

Estar is used to:

1. express the location of a person or object.
   La casa de María Ángeles **está** en Tuxpan. — *María Ángeles' house **is** in Tuxpan.*
2. form the progressive tenses.
   José **está** practicando artes marciales. — *José **is** practicing martial arts.*

Ser and estar with Adjectives

Use **ser** with adjectives:

1. to express an essential characteristic of a person or object.
   María Ángeles **es** espontánea. — *María Ángeles **is** spontaneous.*
2. to classify the person or object.
   José **es** español. — *José **is** Spanish.*

Use **estar** with adjectives:

1. to express the state or condition of a person or object.
   Patricia **está** triste porque extraña a su familia de Puerto Rico. — *Patricia **is** sad because she misses her family in Puerto Rico.*
2. to express a perceived change or a subjective reaction, often with adjectives that would otherwise describe characteristics.
   Ay, Juanito. ¡Qué alto **estás**! — *Oh, Juanito. How tall you **are** (have become)!*
   Anita **está** muy elegante esta noche. — *Anita **is** (looks) very elegant tonight.*

WileyPLUS Go to *WileyPLUS* to review this grammar point with the help of the **Animated Grammar Tutorial** and **Verb Conjugator.** See also textbook Appendices with Grammar References and verb tables. For more practice, go to the **Activities Manual.**

1–7. Identificación. Tom necesita encontrar compañeros de apartamento y ha decidido escribir el anuncio en español, para atraer a estudiantes hispanos. Como verás, Tom tiene problemas con *ser* y *estar*, y nunca sabe cuál debe usar. Ayúdalo a identificar la opción correcta en cada caso.

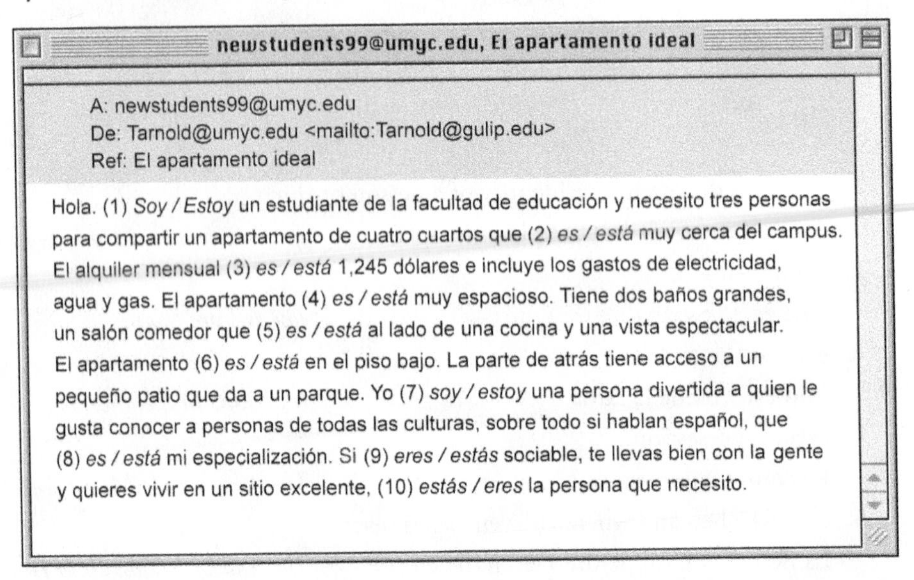
newstudents99@umyc.edu, El apartamento ideal

A: newstudents99@umyc.edu
De: Tarnold@umyc.edu <mailto:Tarnold@gulip.edu>
Ref: El apartamento ideal

Hola. (1) *Soy / Estoy* un estudiante de la facultad de educación y necesito tres personas para compartir un apartamento de cuatro cuartos que (2) *es / está* muy cerca del campus. El alquiler mensual (3) *es / está* 1,245 dólares e incluye los gastos de electricidad, agua y gas. El apartamento (4) *es / está* muy espacioso. Tiene dos baños grandes, un salón comedor que (5) *es / está* al lado de una cocina y una vista espectacular. El apartamento (6) *es / está* en el piso bajo. La parte de atrás tiene acceso a un pequeño patio que da a un parque. Yo (7) *soy / estoy* una persona divertida a quien le gusta conocer a personas de todas las culturas, sobre todo si hablan español, que (8) *es / está* mi especialización. Si (9) *eres / estás* sociable, te llevas bien con la gente y quieres vivir en un sitio excelente, (10) *estás / eres* la persona que necesito.

1–8. Las formas de los adjetivos. Usa la forma correcta de dos adjetivos diferentes con el verbo SER para describir a estas personas.

MODELO

(personalidad) Mi mamá es trabajadora y capaz.
(rasgos físicos) Mis amigas son atléticas y fuertes.

1. (personalidad) Los profesores de mi universidad...
2. (rasgos físicos) Mi actriz favorita...
3. (personalidad) El presidente de Estados Unidos...
4. (rasgos físicos) Mis mejores amigos...
5. (personalidad) Yo...

1–9. Estados de ánimo. Usa la forma correcta de un adjetivo con el verbo ESTAR para describir el estado de ánimo de estas personas en cada situación.

MODELO

yo / a las ocho de la mañana
Estoy cansada a las ocho de la mañana.

1. yo / en la clase de español
2. mi familia / en Navidad
3. los estudiantes / en un examen
4. mis amigos y yo / en una fiesta
5. mi compañero / a de cuarto / el domingo

1–10. Quién es quién en la clase de español. Ahora ustedes van a conocer mejor a los estudiantes de su clase de español. Descubran cuántas características en común tienen con otras personas.

1. Primero, cada estudiante debe escribir una breve descripción de sí mismo/a, incluyendo rasgos físicos y de personalidad. Incluyan también su estado de ánimo en TRES situaciones diferentes: a las 8 de la mañana, en las fiestas, en un examen, etc.
2. Después, usando la información de la descripción, cada estudiante debe escribir cuatro o cinco preguntas para saber algo más sobre sus compañeros/as de clase.
3. Ahora, circulen por la clase y entrevisten a tres personas para intentar encontrar a alguien con quien tengan muchas cosas en común.

1–11. Busco compañero de apartamento. En parejas, imaginen que ustedes necesitan encontrar a una persona para compartir su apartamento. Hablen de las características que, en su opinión, debe tener esta persona y las que no debe tener. Primero, deben ponerse de acuerdo para asegurarse de que buscan el mismo tipo de persona.

1–12. ¿Quieres vivir con nosotros? Ahora que ya se han puesto de acuerdo sobre el tipo de persona que buscan, preparen un texto muy llamativo para anunciarlo en el periódico universitario. Describan:

- las "maravillosas" características que tiene el apartamento: su ubicación, cuántos cuartos tiene, cómo son estos cuartos, los muebles, el precio del alquiler
- las cosas que les gusta hacer y el tipo de personas que son ustedes
- por qué sería fantástico tenerlos a ustedes como compañeros: pueden hablar sobre los rasgos más positivos de su personalidad y su estado de ánimo en varias situaciones.

¡Usen la imaginación y sentido del humor! Después, lean sus anuncios al resto de la clase. ¿Cuál es el anuncio más convincente?

Vocabulario esencial

Hablar de los rasgos físicos, la personalidad y los estados de ánimo

Los rasgos físicos

atlético/a	*athletic*
débil	*weak*
delgado/a	*thin*
frágil	*fragile*
fuerte	*strong*
moreno/a	*dark (skin, hair, eyes)*
musculoso/a	*muscular*
pelirrojo/a	*red haired*
rechoncho/a	*stout*
rubio/a	*light (skin, hair, eyes)*

La personalidad

capaz	*capable*
divertido/a	*fun*
estudioso/a	*studious*
hogareño/a	*home-loving; domestic*
honrado/a	*honest*
ingenioso/a	*witty; clever*
insoportable	*unbearable*
trabajador/a	*hard-working*
tranquilo/a	*calm, mellow*

Los estados de ánimo

aburrido/a	*bored*
animado/a	*in high spirits*
cansado/a	*tired, worn out*
contento/a	*happy*
deprimido/a	*depressed*
impaciente	*impatient*
nervioso/a	*nervous*
relajado/a	*relaxed*
tenso/a	*tense*

Gramática

Direct-Object Pronouns

Before reviewing the direct-object pronouns, let's review the notion of *direct objects.* A direct object is a noun or a pronoun that receives the action of the verb directly; in other words, it is the *what* or *whom* of the action.

José Fernández enseña español. *José Fernández teaches Spanish.*

José Fernández teaches *what*? Spanish.

Spanish is the direct object.

Direct-object pronouns are used to avoid repetitions of nouns that function as direct objects in a sentence.

Patricia está muy ocupada con sus estudios; **los** terminará pronto y regresará a Puerto Rico. *Patricia is very busy with her studies; she will finish* ***them*** *soon and she will return to Puerto Rico.*

The use of **los** avoids the repetition of **sus estudios**.

Singular		**Plural**	
me	*me*	nos	*us*
te	*you (informal)*	os (*Spain*)	*you (informal)*
lo	*you (formal, male)* *him* *it (masculine)*	los	*you (formal/informal, male or mixed gender)* *them (male/masculine or mixed gender)*
la	*you (formal, female)* *her* *it (feminine)*	las	*you (formal/informal, female)* *them (female/feminine)*

Direct-object pronouns are placed immediately before the conjugated verb.

¿Leíste el mensaje de Patricia? Sí, **lo** leí.

Did you read Patricia's message? Yes, I read ***it****.*

When an infinitive or present participle follows the conjugated verb, the direct-object pronoun can be placed before the conjugated verb or attached to the infinitive or present participle.

¿Vas a leer los mensajes de Patricia? Sí, **los** voy a leer. *o* Sí, voy a leer**los**.

Are you going to read Patricia's messages? Yes, I am going to read ***them****.*

¿Quieres leer los mensajes de Patricia? Sí, **los** quiero leer. *o* Sí, quiero leer**los**.

Do you want to read Patricia's messages? Yes, I want to read ***them****.*

¿Estás leyendo los mensajes de Patricia? Sí, **los** estoy leyendo. *o* Sí, estoy leyéndo**los**.

Are you reading Patricia's messages? Yes, I am reading ***them****.*

With affirmative commands, direct objects are attached to the end of the verb. With negative commands, the direct-object pronoun must be placed between **no** and **the verb**.

¿Puedo usar tu computadora? Sí, úsa**la**. *o* No, no **la** uses.

May I use your computer? Yes, use ***it****.* or *No, don't use* ***it****.*

WileyPLUS Go to *WileyPLUS* to review this grammar point with the help of the **Animated Grammar Tutorial** and **Verb Conjugator.** See also textbook Appendices with Grammar References and verb tables. For more practice, go to the **Activities Manual.**

1–13. Identificación. Identifica los pronombres de objeto directo en el párrafo siguiente.

Mis compañeros de apartamento y yo compartimos las tareas domésticas. Las hacemos consistentemente porque preferimos un apartamento limpio y ordenado. José Luis saca la basura los miércoles y yo la saco los sábados. En la cocina, Jorge siempre lava los platos y Lucho los coloca en la despensa. Una de las tareas más importantes es limpiar el baño; lo limpiamos a menudo.

1–14. Mis tareas/tus tareas en la casa de la familia. En parejas, comparen la frecuencia con que hacen las tareas domésticas. Después, informen a la clase de tres diferencias.

MODELO

Amy saca la basura cada semana pero yo nunca la saco.

1–15. ¿Quién lo va a hacer? Tú y tu compañero/a de cuarto tienen que organizar sus cosas en su nuevo apartamento. Túrnense para hacer preguntas y responderlas según el modelo.

MODELO

Sacar / los libros de las cajas
Estudiante A: ¿Quién va a sacar los libros de las cajas?
Estudiante B: Yo los voy a sacar. *o* Voy a sacarlos yo.
Estudiante A: Sí, por favor, sácalos.

1. Encontrar / los platos
2. Colocar / los muebles
3. Organizar / los DVD
4. Guardar / el papel de periódico
5. Sacar / las plantas al balcón
6. Desempacar / las cajas

Vocabulario esencial

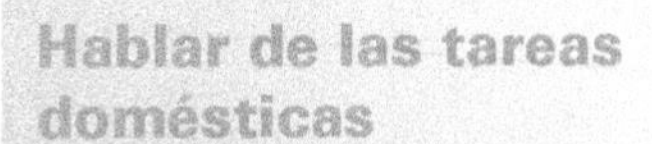

Hablar de las tareas domésticas

Las tareas domésticas

arreglar mi cuarto	*to straighten up my room*
barrer el suelo	*to sweep the floor*
compartir	*to share*
lavar	*to wash*
limpiar	*to clean*
pagar el alquiler/la factura	*to pay the rent/bill*
sacar la basura	*to take out the garbage*
soler (ue) (hacer algo)	*to usually do something*

La frecuencia

a menudo	*often*
cada día	*every day*
cada semana	*each week*
nunca	*never*
raras veces	*infrequently*
siempre	*always*

1-16. ¿Qué van a hacer esta noche? En parejas, túrnense para preguntarse sobre sus actividades para esta noche. Usen las expresiones siguientes u otras similares.

mirar la televisión	lavar la ropa	comer un pedazo de pizza
llamar a tus padres	limpiar el baño	pagar el alquiler

MODELO

Estudiante A: ¿Vas a llamar a tu novia esta noche?
Estudiante B: Sí, la voy a llamar. *o* **Sí, voy a llamarla.**
No, no la voy a llamar. *o* **No, no voy a llamarla.**

Vocabulario para conversar

Circunloquio

When we are speaking, we sometimes temporarily forget words and we have to resort to explaining or describing the concept using the words we know. In other words, we get around our memory lapse by using circumlocution. When we resort to circumlocution, we can refer to an object by its characteristics, color, form, and what it's used for.

Usar el circunloquio

Some phrases that you can use are:

Es una cosa de color...	*The color is . . .*	Es una cosa que se usa para...	*It is a thing used for . . .*
Es una persona que...	*It's a person that . . .*	Sabe a...	*It tastes . . .*
Es un lugar que...	*It is a place that . . .*	Suena a...	*It sounds like . . .*
Es un animal que...	*It's an animal that . . .*	Se parece a...	*It looks like . . .*
Es algo que...	*It is something that . . .*	Huele a...	*It smells . . .*

1-17. Palabras en acción. Nuria, la novia de tu compañero, ha ido a tu apartamento a verlo pero él no está, y ella no habla inglés. Usa la información de los dibujos para explicarle dónde está tu compañero, qué está haciendo, adónde piensa ir y cuándo va a regresar. Describe cada cosa con detalle, para que ella te entienda.

MODELO

Pablo está comprando en un lugar donde hacen pan y dulces.

1-18. ¿Qué es? Tu compañero regresó y trajo sorpresas para todos. Pero primero, tienen que adivinar qué trajo. Uno/a de ustedes debe cerrar el libro. La otra persona debe elegir uno de los dibujos. El/La estudiante que cerró el libro debe hacer preguntas para adivinar qué dibujo eligió su compañero/a. Puede preguntar el color, la forma, el uso, de qué está hecho, etc. Después cambien de papel.

CURIOSIDADES

difícil	nuevo	interesante	aventurero
------------	------------	------------	------------
caro	simpático	tradicional	diferente
------------	------------	------------	------------

1-19. Juego de antónimos. Tu instructor/a va a leer el antónimo de cada palabra a la izquierda. Todas estas palabras están en la lectura de MisPáginas.com (páginas 4-5). Escribe el antónimo debajo de la palabra correspondiente. Los estudiantes que tengan todas las palabras correctas ganan el juego.

TEMA 2 Cómo somos, cómo vivimos

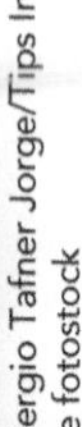

©Sergio Tafner Jorge/Tips Images RM/ age fotostock

©Marco Moretti/Redux

©AP/Wide World Photo

A escuchar

Entrando en materia

1–20. ¿Cómo es tu ciudad? Primero, cada persona debe responder a las preguntas siguientes pensando en su pueblo o ciudad natal. Después, comparen sus respuestas en parejas. ¿Son similares o diferentes sus ciudades natales?

1. ¿Qué áreas consideras mejores y peores?
2. ¿Qué actividades se realizan en las diferentes áreas?
3. ¿Qué áreas prefieren los jóvenes?
4. ¿Qué áreas prefieren los mayores?
5. ¿Cuál es el edificio más antiguo?
6. ¿Cuál es el edificio más moderno?

Por si acaso

Expresiones útiles para comparar respuestas con otro estudiante

¿Qué tienes/ pusiste en el número 1/ 2/ 3?
Yo tengo/ puse a/ b.
Yo tengo algo diferente.
No sé la respuesta./ No tengo ni idea.
Creo que la respuesta es a/ b, pero no estoy seguro/a.
Creo que es cierto./Creo que es falso.

1-21. Vocabulario: Antes de escuchar. En este tema vas a escuchar una miniconferencia sobre los pueblos y las ciudades. Trata de familiarizarte con algunas palabras relacionadas con este tema. ¿Puedes identificar la letra de la definición que corresponde a cada expresión en negrita según su contexto?

Expresiones en contexto

1. El **edificio** más común en las plazas es la iglesia. En las plazas hay otros edificios además de la iglesia.
2. Las ciudades y los pueblos **costeros** generalmente atraen más turismo que los pueblos del interior. La costa del área de Miami es una atracción para los turistas.
3. Una de las actividades más comunes que tiene lugar en una iglesia es **rezar**.
4. Los países llamados "desarrollados" tienen un alto **desarrollo** industrial, mientras que los países llamados "en vías de desarrollo" tienen una industria subdesarrollada.
5. Los rituales religiosos están **ausentes** en las plazas que no tienen iglesia. En las ciudades hay muchas plazas sin iglesia.
6. Los **vendedores ambulantes** son muy populares en las áreas turísticas, generalmente venden en las calles comida y objetos típicos del país.
7. Miami es un lugar muy popular entre los **jubilados**, por eso muchos residentes de esta ciudad tienen más de 65 años.

Definiciones

a. Es un sinónimo de crecimiento, aumento.
b. Son personas que venden productos de sitio en sitio, sin un puesto fijo.
c. Es un espacio que sirve para vivir o para establecer oficinas y negocios.
d. Es lo opuesto de estar presente.
e. Son personas mayores que ya no trabajan.
f. Hablarle a Dios.
g. Es un adjetivo que se aplica a lugares que están cerca del océano o el mar.

1-22. Clasificación semántica. Abajo tienen otras palabras del texto que van a escuchar. En parejas, clasifiquen estas expresiones en una de las categorías que aparecen abajo.

área rural	plaza	rezar	metrópoli	ciudad	pueblo	edificio
asistir a misa	iglesia	vender	espacio urbano	jugar	pasear	fiesta patronal

Arquitectura, campo y ciudad:
Actividades religiosas:
Actividades no religiosas:

Estrategia: Reconocer el tipo de texto, el título y el tono

La primera vez que escuches un texto en español, no debes intentar entender toda la información, ya que esto solo causa frustración. Sin embargo, hay otras cosas que puedes determinar al escuchar el texto, incluso si no entiendes parte del vocabulario. Por ejemplo, la primera vez que lo escuches presta atención al tipo de texto: ¿Es un diálogo? ¿Es una narración? ¿Un cuento? ¿Un anuncio comercial? Después, presta atención al tono. La voz que escuchas: ¿Tiene un tono feliz? ¿Triste? ¿Serio? ¿Preocupado? ¿Formal? ¿Informal? Escucha el título del texto y trata de determinar cuál es el objetivo del narrador: ¿Informar? ¿Educar? ¿Persuadir? ¿Entretener? Anota tus observaciones a medida que escuchas.

MINICONFERENCIA Actividades asociadas con las plazas de ciudades y pueblos hispanos

Ahora su instructor/a va a presentar una miniconferencia.

1–23. Tus notas. Después de escuchar la miniconferencia, comparen sus notas con las de sus compañeros/as. ¿Entendieron lo mismo? ¿Anotaron información diferente? Si hay diferencias, coméntenlas.

1–24. El mejor título. Seleccionen el mejor título para cada una de las partes de la miniconferencia.

1. Títulos para la parte 1:
   a. El significado de la palabra *plaza* en inglés y en español
   b. La relación entre las plazas y los centros comerciales
   c. Las plazas auténticas están en los pueblos
2. Títulos para la parte 2:
   a. Las iglesias y sus estilos arquitectónicos
   b. La Plaza Mayor y la Plaza Real
   c. Características de las plazas y actividades asociadas con ellas
3. Títulos para la parte 3:
   a. Las Madres de la Plaza de Mayo
   b. Actividades en las plazas de las ciudades
   c. Las protestas sociales y las plazas

1–25. Vocabulario: Después de escuchar. Hazle estas preguntas personales a tu compañero/a prestando atención al vocabulario nuevo. El estudiante que responde debe intentar usar el vocabulario en las respuestas.

1. ¿Cuál es el **edificio** que más te gusta de esta universidad? ¿Y qué **edificio** te gusta menos?
2. ¿Cuál es la ciudad **costera** más cercana a tu casa? ¿Cuándo vas a esa ciudad? ¿Qué haces allí?
3. ¿Tienes la costumbre de **rezar**? ¿Cuándo **rezas**? ¿Por qué **rezas** (o **no rezas**)?
4. ¿Cuántas veces has estado **ausente** de tus clases desde el comienzo del curso?
5. ¿En qué lugares de los Estados Unidos se suelen ver **vendedores ambulantes**? ¿Hay **vendedores ambulantes** en tu pueblo o ciudad?
6. ¿Hay alguna persona **jubilada** en tu familia? ¿Cuántos años tiene? ¿Hace cuánto tiempo que está **jubilado/a**?

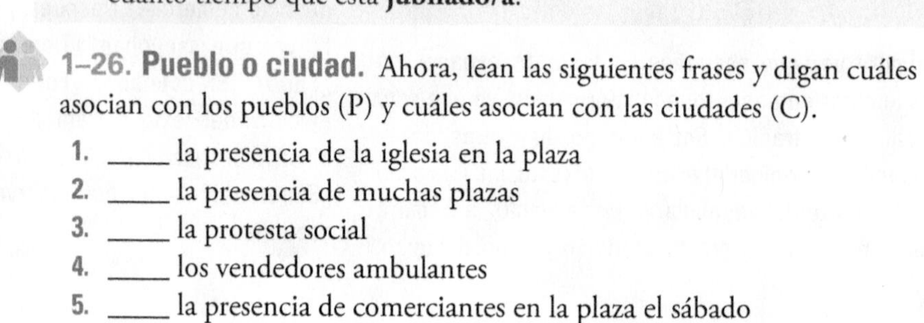

1–26. Pueblo o ciudad. Ahora, lean las siguientes frases y digan cuáles asocian con los pueblos (P) y cuáles asocian con las ciudades (C).

1. _____ la presencia de la iglesia en la plaza
2. _____ la presencia de muchas plazas
3. _____ la protesta social
4. _____ los vendedores ambulantes
5. _____ la presencia de comerciantes en la plaza el sábado

 **1-27. Una pequeña investigación.** En parejas, van a realizar una investigación sobre la plaza de un pueblo y la plaza de una ciudad. Una persona debe investigar sobre la plaza principal de un pueblo de la columna A. La otra debe investigar la plaza principal de una ciudad de la columna B. Usen Internet o la biblioteca para encontrar información, incluyendo al menos tres semejanzas y tres diferencias entre los dos lugares. Después, preparen un informe escrito para su instructor/a, explicando qué plaza prefieren. Fíjense en las columnas A y B de la página siguiente.

A	B
Plaza del pueblo (Buñol, España)	Plaza de Mayo (Buenos Aires, Argentina)
Plaza José A. Busigó (Sabana Grande, Puerto Rico)	Plaza Nueva de Tlaxcala (Ciudad de Saltillo, Estado de Cohauila, México)
El Zócalo (Ojinaga, México)	Plaza de la Revolución (La Habana, Cuba)

Gramática

Present Indicative of Stem-Changing and Irregular Verbs

Some verbs undergo a stem-vowel change when conjugated.

pens-ar → p**ie**nso — stem vowel changes from **e** to **ie**

d**o**rm-ir → d**ue**rmo — stem vowel changes from **o** to **ue**

p**e**d-ir → p**i**do — stem vowel changes from **e** to **i**

pensar

pienso	pensamos
piensas	pensáis
piensa	piensan

dormir

duermo	dormimos
duermes	dormís
duerme	duermen

pedir

pido	pedimos
pides	pedís
pide	piden

Here is the rule:

When the **e** or the **o** is the last stem vowel in the infinitive and is stressed:

the **e** changes to **ie** or **i** — qu**e**r-er → qu**ie**r-o — s**e**rv-ir → s**i**rv-o

the **o** changes to **ue** — d**o**rm-ir → d**ue**rm-o

However, there is no vowel change in the **nosotros** and **vosotros** forms because the stem vowel is not stressed.

querer → qu**e**remos, qu**e**réis — servir → s**e**rvimos, s**e**rvís

dormir → d**o**rmimos, d**o**rmís

Other stem-changing verbs:

e → ie	**o → ue**	**e → i**
preferir	morir(se)	vestir(se)
comenzar	almorzar	repetir
entender	poder	seguir
cerrar	recordar	conseguir
sentir(se)	soler	
despertar	encontrar	
mentir	jugar*	

*undergoes a stem-change similar to the verbs in this list, even though its stem does not have an *o*.

Present Tense of Irregular Verbs

As you know, some verbs in Spanish have irregular conjugations.

ser	soy, eres, es, somos, sois, son
ir	voy, vas, va, vamos, vais, van
oír	oigo, oyes, oye, oímos, oís, oyen
tener	tengo, tienes, tiene, tenemos, tenéis, tienen
venir	vengo, vienes, viene, venimos, venís, vienen
decir	digo, dices, dice, decimos, decís, dicen

The following are only irregular in the first person.

saber	sé, sabes, sabe, sabemos, sabéis, saben
salir	salgo, sales, sale, salimos, salís, salen
caer	caigo, caes, cae, caemos, caéis, caen
dar	doy, das, da, damos, dais, dan
estar	estoy, estás, está, estamos, estáis, están
hacer	hago, haces, hace, hacemos, hacéis, hacen
poner	pongo, pones, pone, ponemos, ponéis, ponen
traer	traigo, traes, trae, traemos, traéis, traen

WileyPLUS Go to *WileyPLUS* to review this grammar point with the help of the **Animated Grammar Tutorial** and **Verb Conjugator.** See also textbook Appendices with Grammar References and verb tables. For more practice, go to the **Activities Manual.**

1–28. Mi vida en Chilapa. Marta, una mexicana de 19 años, vive en Chilapa de Juárez, un pequeño pueblito a solo tres horas de Acapulco. Aquí tienes un pequeño relato que Marta escribió sobre su rutina diaria. Ayúdala a completarlo con la forma correcta de los verbos en paréntesis en el presente, para saber un poco más sobre ella.

Mi rutina diaria es bastante constante. De lunes a viernes, me (despertar) muy temprano. El día (comenzar) a las cinco de la mañana para mi familia. Mi mamá y yo (servir) el desayuno para todos a las seis. Después, me (vestir) y me preparo para ir al trabajo; mi mamá se queda en la casa para cuidar de mis hermanitos. Yo (preferir) salir temprano de la casa para llegar al mercado antes de que salga el sol. Mi familia tiene un puesto de artesanías en un mercado al aire libre. Mi familia hace objetos de barro y productos de palma, que son muy famosos aquí. Los turistas (soler) comprar muchas cosas típicas de Chilapa. Chilapa es un pueblo precioso, todos los visitantes (decir) que es único.

1–29. La dura vida de los estudiantes. Lee este diálogo de dos estudiantes que hablan sobre su rutina diaria. Indica la forma apropiada de los verbos entre paréntesis.

1. CARLOS: No sé qué pasa, no (**conseguir**) sacar buenas notas.
2. PAULA: ¿Tú (**ir**) a clase todos los días?
3. CARLOS: Sí, yo (**ir**) a clase todos los días.
4. PAULA: Bueno, creo que tienes uno de estos problemas: no (**seguir**) las instrucciones del profesor, no (**entender**) la materia o no (**recordar**) la información en los exámenes.
5. CARLOS: Yo creo que el profesor no es justo conmigo.
6. PAULA: Vamos a ver, dices que tú (**venir**) a clase todos los días. Pero, ¿a qué hora (**llegar**) a la universidad tú y tus amigos?
7. CARLOS: Muchas veces nosotros (**llegar**) tarde, después de las diez.

1–30. ¿Son estudiantes aplicados/as?

A. Usando la lista de hábitos de los estudiantes aplicados, pregúntense sobre sus hábitos de estudio y escriban "sí" o "no" para cada hábito. Usen pronombres de objecto directo para responder a las preguntas.

MODELO

¿Consigues sacar buenas notas?
Sí, las consigo sacar. (No, no las consigo sacar.)

_________ entender la materia
_________ recordar la información
_________ seguir las instrucciones
_________ venir a clase todos los días
_________ ir a la biblioteca todos los días
_________ despertarse para desayunar
_________ repetir el vocabulario de español
_________ soler estudiar los fines de semana

B. Informen a la clase: ¿es su compañero/a un/a estudiante aplicado/a y por qué? (¿Qué hábitos tiene o no tiene?)

Vocabulario esencial

Hablar de la vida diaria

La rutina

almorzar (ue)	*to have lunch*
comenzar (ie) / empezar (ie) a trabajar	*to start work*
despertarse (ie)	*to wake up*
dormirse (ue)	*to fall asleep*
hacer las tareas domésticas	*to do housework*
ir al mercado	*to go to the market*
jugar(ue) al fútbol, billar, etc.	*to play soccer, pool, etc.*
salir del trabajo	*to leave work*
(no) soler (ue) desayunar	*to usually (not) have breakfast*
tener una cita	*to have a date / appointment*
vestirse (i)	*to get dressed*

La hora del día

a la una	*at one o'clock*
a las dos, tres, cuatro, etc.	*at two, three, four, etc. o'clock*
a la medianoche	*at midnight*
al mediodía	*at noon*
por la mañana	*in the morning*
por la tarde	*in the afternoon*
por la noche	*at night*

1-31. ¿Qué hacen estas personas? Uno/a de ustedes va a describir la rutina diaria de una persona de la lista A, sin revelar su identidad. Su pareja va a describir la rutina de una persona de la lista B, y tampoco va a decir quién es. Cada uno/a debe adivinar a quién está describiendo su compañero/a. Pueden hacer preguntas simples para obtener más datos. ¡Incluyan algún detalle creativo y divertido en sus descripciones!

A	B
Javier Bardem	Raúl Castro
Enrique Iglesias	Jennifer López
Lionel Messi	Penélope Cruz

1-32. Imaginar rutinas. En parejas, imaginen la rutina de personas que tienen las profesiones que aparecen en la lista. ¿En qué se diferencian las rutinas de estas personas?

1. un jugador de fútbol americano
2. un astronauta
3. una ejecutiva
4. un piloto de avión
5. una escritora

Vocabulario para conversar

Control del ritmo de la conversación

Aclarar

Several situations may call for clarification while interacting with other speakers. Speakers don't always enunciate clearly, or they may use words that are unfamiliar or the listener may get distracted and miss part of the message.

The following phrases are useful in asking for clarification.

No comprendo. Repite/a, por favor.	*I don't understand. Please repeat.*
¿Puede(s) repetirlo, por favor?	*Can you repeat, please?*
Más despacio, por favor.	*Slower, please.*
¿Puede(s) escribirlo, por favor?	*Could you write it out, please?*
¿Qué significa la palabra *terapeuta*?	*What does* terapeuta *mean?*

Pedir tiempo para contestar

Sometimes, when we are engaged in a conversation, it is difficult to answer a question right away without thinking first what words we want to use; we may need to buy some time because the words we are searching for or the information we need to provide are not readily available.

A ver, déjame/déjeme pensar un minuto...	*Let's see, let me think for a minute . . .*
Dame/deme un minuto...	*Give me a minute . . .*
Pues.../ Bueno...	*Well . . .*
Pues/ Bueno, no puedo responderte/le ahora mismo.	*Well, I can't give you an answer right now.*
Pues/ Bueno, necesito más tiempo para pensar.	*Well, I need more time to think.*

1–33. Palabras en acción. Carlos, tu compañero, trabaja como asistente en el departamento de español de la universidad. El problema es que Carlos consiguió el trabajo diciendo que hablaba español perfectamente y... Bueno, ahora los instructores le hablan siempre en español y a veces él no entiende. Usa las expresiones de las listas de arriba para ayudarlo a completar los diálogos correctamente, ¡y a no perder su trabajo!

1. — Carlos, por favor, llama al Dr. Sánchez al cuatro, ocho, dos, siete, cero, cinco, seis.
   — No entendí los dos últimos números; _____________.
2. — Carlos, ¿puedes mandar esta carta a la oficina del decano Goicoechea?
   — Sí, claro, pero... no sé cómo se escribe ese apellido, _____________.
3. — Carlos, soy Juliana Echevarría, una profesora de alemán y necesito tu ayuda.
   — Señora, usted habla muy rápido; _____________.
4. — Carlos, dame el teléfono del profesor de literatura colonial, por favor.
   — Sí, es el tres, cinco... _____________, lo tengo que buscar, ahora no me acuerdo.

5. — Carlos, ¿me vas a ayudar a organizar las composiciones de mis estudiantes de español?
— _____________, tengo que mirar mi horario de clases; te contesto más tarde.
6. — Carlos, ¿vas a venir a la fiesta del departamento el sábado por la tarde?
— _____________ no lo sé, Dr. Muñoz, mi novia viene a visitarme este fin de semana.
7. — Carlos, ¿sabes cuántas personas van a venir a nuestra sesión para nuevos estudiantes?
— _____________ ... sí, aquí tengo la lista, van a venir entre veinte y veinticinco personas.

1-34. La vida del presidente. En parejas, hablen de la vida del presidente de Estados Unidos. Usen las expresiones para aclarar y para ganar tiempo (*buy time*) cuando sea necesario. Aquí tienen algunas ideas sobre los datos que pueden incluir.

Rutina diaria:	a qué hora se levanta el presidente, a qué hora desayuna, qué desayuna y con quién
Cuáles son sus gustos:	comida, vida social, países, ropa, música, deportes, etc.
Su oficina:	dónde está, cómo está decorada, qué personas lo visitan allí, etc.
Su trabajo:	qué cosas hace durante el día, qué tipo de reuniones tiene, viajes, etc.
Sus mascotas:	cómo son, cómo se llaman, qué hacen durante el día, etc.

CURIOSIDADES

1-35. Juego de famosos. Su instructor/a va a asumir la identidad de una persona hispana famosa, bien conocida por todos los miembros de la clase. Después, la clase se va a dividir en grupos de cuatro o cinco personas. Cada grupo tiene cinco minutos para escribir seis preguntas y adivinar la identidad de su instructor/a. Después, los grupos se van a turnar para hacer las preguntas. ¡Ojo! Solo pueden ser preguntas que se respondan con *sí* o *no*. El grupo que primero adivine la identidad de su instructor/a, gana.

MODELO

¿Es un hombre?
¿Es joven?
¿Trabaja en política?

Por qué nos conocen

TEMA 3

©Chris Pizzello/Reuters/Corbis

Lectura

Entrando en materia

1–36. **Antes de leer.** Ahora vas a leer sobre algunos personajes importantes en el mundo del deporte, la literatura, el arte y la música. Da una mirada rápida al formato de esta sección. ¿Qué tipo de información crees que hay sobre estos personajes?

- información sobre sus creencias políticas
- información sobre sus experiencias familiares
- información biográfica

Por si acaso

Expresiones útiles para comparar respuestas con otro estudiante

¿Qué tienes/ pusiste en el número 1/ 2/ 3?
Yo tengo/puse a/ b.
Yo tengo algo diferente.
No sé la respuesta./ No tengo ni idea.
Creo que la respuesta es a/ b, pero no estoy seguro/a.
Creo que es cierto./Creo que es falso.

1–37. Vocabulario: Antes de leer. Encuentra en las lecturas las palabras de la lista de la izquierda (están escritas en negrita) y deduce su significado o búscalo en el diccionario. Marca con un círculo las palabras de la derecha que asocias por su significado con las palabras de la lista de la izquierda.

1. **lanzadores**	pelota, lanzar, béisbol, nadar
2. **fuente**	origen, causar, ausente, base
3. **firmó**	nombre, escribir, contrato, mentir
4. **golpe de estado**	democracia, control, cambio, poder
5. **personajes**	personas, ficción, edificio, desarrollo
6. **superan**	ganar, poder, deprimido, éxito
7. **encajaba**	caja, comida, ajustar, cajón
8. **reconocimiento**	fama, conocer, admiración, dinero
9. **cotizadas**	valoradas, tiza, dinero, precio
10. **joya**	ornamento, fruta, oro, mueble
11. **labor**	fiesta, trabajo, libro, esfuerzo

Lectura

El deporte, la literatura, el arte y la música

Por si acaso

La Cuba de Fidel Castro

Fidel Castro se apoderó del gobierno de Cuba en 1959 y estableció un sistema de gobierno basado en la ideología marxista-leninista. Muchos cubanos, desilusionados con el nuevo sistema de gobierno, salieron exiliados de Cuba hacia Estados Unidos. Desde la fecha de la Revolución (1959) hasta el presente, más de un millón de cubanos se han establecido en distintas áreas geográficas de Estados Unidos. Especialmente se concentran en Florida, Nueva Jersey y California.

EL DEPORTE

Orlando "El Duque" Hernández nació en Villa Clara, Cuba, en 1969. En Cuba, llegó a ser uno de los mejores **lanzadores** de la historia de la pelota cubana con el mejor promedio de partidos ganados. Desde la Revolución de 1959, Cuba ha promovido los deportes como **fuente** de identidad y orgullo nacional, y con el béisbol la isla caribeña ha logrado fama internacional. En 1992, Hernández formó parte del equipo nacional cubano, el cual ganó la medalla de oro en los juegos olímpicos de Barcelona.

Paul Spinelli/Major League Baseball/Getty Images

El Duque jugó para el equipo Industriales de La Habana hasta 1996, cuando su equipo ganó la serie nacional y Hernández tuvo contacto ilegal con un agente de EE. UU. Después de ser detenido e interrogado por oficiales de seguridad nacional, Hernández fue expulsado del béisbol cubano. En 1997, salió de Cuba y residió unos meses en Costa Rica, desde donde **firmó** un contrato con los Yankees de Nueva York por 6.6 millones de dólares en cuatro años. El Duque ha ganado cuatro anillos de la serie mundial: tres con los Yankees y uno con los Medias Blancas de Chicago.

LA LITERATURA

Isabel Allende nació en 1942. Comenzó su vida profesional de escritora como periodista en Chile a los 17 años. En 1973, el presidente Salvador Allende, tío de Isabel, fue derrocado en un **golpe de estado** e Isabel y otros miembros de su familia salieron del país. En el exilio en Venezuela, Allende inició su carrera de novelista al escribir su primera obra de ficción narrativa, *La casa de los espíritus* (1981). A pesar de ser ficción, la novela tiene claras conexiones con la historia de la familia de Allende y con el contexto político de los años después del golpe de estado, cuando gobernó en Chile el dictador Augusto Pinochet. El estilo literario de Allende se define por la acción variada y dramática, la temática histórica, una combinación de realismo y fantasía, y **personajes** ricamente caracterizados, especialmente los femeninos.

©AP/Wide World Photo

Las mujeres de las obras de Allende son fuertes, independientes, y **superan** las restricciones de la sociedad patriarcal.

©AP/Wide World Photo

EL ARTE

Fernando Botero nació en Medellín (Colombia) en 1932. Creció entre dificultades económicas y de niño quería ser torero. A los quince años Fernando Botero sorprendió a su familia cuando anunció que quería ser pintor, lo cual no **encajaba** dentro de una familia más bien conservadora y sin intereses en el arte. Se inició como dibujante en el periódico *El Colombiano* y después viajó a Europa donde se formó como artista. Regresó a Colombia en 1951 y realizó su primera exposición. Más tarde se mudó a Nueva York, donde tuvo muchas dificultades económicas; tuvo que sobrevivir vendiendo sus obras por muy poco dinero. Finalmente, Botero ganó fama cuando sus obras se mostraron en la Galería Marlborough en Nueva York. Su arte recibe ahora **reconocimiento** mundial y sus obras están **cotizadas** entre las más costosas del mundo. Su obra *Desayuno en la hierba* se vendió por un millón cincuenta mil dólares.

FilmMagic/Getty Images

LA MÚSICA

Jenni Rivera nació en 1969 en Long Beach (EE. UU.) y murió en un accidente de avión en 2012. Fue estudiante de administración de empresas y por un tiempo trabajó como agente de bienes raíces y ayudó a su padre en sus negocios. Sus canciones están dentro del género musical llamado regional mexicano (rancheras, corridos y baladas), el tipo de música que escuchaban sus padres, que son originalmente de México. Su discografía incluye más de una decena de álbumes. Los dos últimos son ***Joyas** prestadas* y *La misma gran señora*. Además de su carrera como cantante, Jenni Rivera también mostró su faceta empresarial con su línea de perfumes y la **labor** filantrópica de su Love Foundation. Su música tiene una gran cantidad de fanes tanto en EE. UU. como en México.

1-38. ¿Comprendieron? En parejas, respondan a las preguntas siguientes con información de las biografías.

1. ¿Quién creció entre dificultades económicas?
2. ¿En la vida de quiénes ha tenido impacto la política?
3. ¿Quién es de origen mexicano?
4. ¿Quién trabajó como agente de bienes raíces?
5. De todos estos personajes, ¿quién crees que gana más dinero? ¿Por qué?

1-39. Vocabulario: Después de leer. En parejas, deben entrevistarse mutuamente sobre algunos temas relacionados con la información anterior, y hacerse las preguntas indicadas abajo. Si es posible, la persona que responde a las preguntas debe usar las palabras nuevas (en negrita) en sus respuestas.

Estudiante A

1. ¿Cuáles son tres **fuentes** de tu identidad individual? ¿Tu lugar de origen? ¿Tu familia? ¿Tu herencia étnica/cultural? ¿Alguna actividad en que participas?
2. ¿Por qué crees que el **lanzador** Orlando Hernández quería **firmar** un contrato con los Yankees? ¿Crees que tenía un contrato similar en Cuba con los Industriales?
3. Menciona un **personaje** de la televisión o de una película que represente la diversidad cultural. Describe la cultura de él o de ella. ¿Tiene el personaje conflictos con otros a causa de las diferencias culturales? ¿Reciben un tratamiento cómico o serio las diferencias culturales en la película o en el programa?
4. Menciona un conflicto actual *(current)* en alguna parte del mundo. ¿Cuál es la causa del conflicto? ¿Es posible **superar** los problemas y solucionar el conflicto?

Estudiante B

1. Ahora que sabes más cosas sobre la cultura hispana, ¿hay alguna idea que tenías antes sobre los hispanos que ahora no **encaja** con lo que has aprendido?
2. ¿Has hecho algo en tu vida por lo que has recibido **reconocimiento**? Explícalo. ¿Crees que el reconocimiento social es más importante en unas culturas que en otras? ¿Por qué?
3. ¿Has hecho alguna **labor** filantrópica en tu comunidad? Descríbela. ¿Qué causas filantrópicas consideras más importantes?
4. ¿Te gustan las joyas? ¿Te gusta llevar joyas? ¿Qué tipo de joyas te gusta llevar o te gusta que otras personas lleven?

1-40. Recopilar información. En parejas, elijan a uno de los personajes de la sección anterior. Deben buscar información sobre la vida y la herencia cultural de esa persona y tratar de determinar el efecto que su cultura nativa ha tenido en su carrera profesional y en su actitud hacia la sociedad en general. Después, preparen un breve informe oral para presentarlo en clase. Pueden utilizar medios audiovisuales y muestras del trabajo de la persona elegida. Por ejemplo, pueden traer fotos de las obras de Botero, seleccionar algún fragmento importante de un libro de Allende o incluso presentar un videoclip de Jenni Rivera.

Gramática

Preterit Tense

Regular Verbs

	caminar	**comer**	**escribir**
yo	camin**é**	com**í**	escrib**í**
tú	camin**aste**	com**iste**	escrib**iste**
él/ella/Ud.	camin**ó**	com**ió**	escrib**ió**
nosotros/as	camin**amos**	com**imos**	escrib**imos**
vosotros/as	camin**asteis**	com**isteis**	escrib**isteis**
ellos/ellas/Uds.	camin**aron**	com**ieron**	escrib**ieron**

Verbs with Stem Changes

- Stem-changing **-ir** verbs have a stem-vowel change in the **él/ella/Ud.** forms, and in the **ellos/ellas/Uds.** forms. The **e** in the stem changes to **i.** The **o** changes to **u.**

  ped**ir** e ➔ i yo pedí, tú pediste, él/ella/Ud. p**i**dió, nosotros pedimos, vosotros pedisteis, ellos/ellas/Uds. p**i**dieron

  Other verbs that follow this pattern: sentir or sentirse, servir, repetir, reír

  dorm**ir** o ➔ u yo dormí, tú **d**ormiste, él/ella/Ud. d**u**rmió, nosotros dormimos, vosotros dormís, ellos/ellas/Uds. d**u**rmieron

  Another verb that follows this pattern: morir or morirse

Verbs with Spelling Changes

1. Verbs ending in **-car, -gar,** and **-zar** change spelling in the **yo** form of the preterit.

   bus**car** ➔ bus**qu**é (tocar, practicar, colocar, dedicar) llegar ➔ llegué (pagar, jugar, negar, obligar)

   comen**zar** ➔ comen**c**é (rezar, memorizar, analizar, avanzar)

2. When the stem of **-er** and **-ir** verbs end in a vowel, the **i** characterizing the preterit becomes **y** in the third-person singular and plural.

le-**er**	ella leyó, ellas leyeron	ca-**er** se	ella se cayó, ellas se cayeron
o-**ír**	él oyó, ellos oyeron	hu-**ir**	él huyó, ellos huyeron

Irregular Verbs in the Preterit

1. Verbs that have an irregular stem in the preterit all take the same set of preterit endings, regardless of the **-ar, -er,** or **-ir** ending of the infinitive.
2. These preterit endings resemble the endings for **-er** and **-ir** verbs, except that the first- and third-person singular endings are not accented.

Verbs that have an irregular stem **-u**, **-i**:

andar	anduve, anduviste, anduvo, anduvimos, anduvisteis, anduvieron
saber	supe, supiste, supo, supimos, supisteis, supieron

caber *(to fit)*	cupe, cupiste, cupo...	estar	estuve, estuviste, estuvo...
haber	hube, hubiste, hubo...	poder	pude, pudiste, pudo...
tener	tuve, tuviste, tuvo...	venir	vine, viniste, vino
poner	puse, pusiste, puso...		

Verbs that have an irregular stem **-j**:

decir	dije, dijiste, dijo...
producir	produje, produjiste, produjo...
traer	traje, trajiste, trajo...

Other irregular verbs:

dar	di, diste, dio, dimos, disteis, dieron
hacer	hice, hiciste, hizo, hicimos, hicisteis, hicieron
ir/ser	fui, fuiste, fue, fuimos, fuisteis, fueron

Use the preterit tense to express:

1. an action, event, or condition that began or was completed in the past.

   Al llegar a EE. UU., Orlando Hernández **jugó** para los Yankees.
   *Upon arriving in the US, Orlando Hernández **played** for the Yankees.*

   Isabel Allende **publicó** su primera novela en 1981.
   *Isabel Allende **published** her first novel in 1981.*

2. changes of emotional, physical, or mental states in the past.

   La familia de Botero **se sorprendió** cuando él anunció que quería ser pintor.
   *Botero's family **was surprised** when he announced that he wanted to be a painter.*

   Orlando Hernández **se alegró** al ganar la medalla de oro.
   *Orlando Hernández **was happy** (became happy) upon winning the gold medal.*

Preterit Action with Imperfect Action in the Background

The preterit is often used to express a completed action or event that occurs in the context of another on-going, background event, which is expressed in the imperfect tense.

Allende vivía en Chile cuando **ocurrió** el golpe de estado.
*Allende was living in Chile when the coup d'état **happened.***

WileyPLUS Go to *WileyPLUS* to review this grammar point with the help of the **Animated Grammar Tutorial** and **Verb Conjugator.** See also textbook Appendices with Grammar References and verb tables. For more practice, go to the **Activities Manual.**

1–41. Identificación. Identifica los verbos en pretérito de la descripción biográfica de Fernando Botero de la página 25 y determina cuáles son irregulares.

1–42. El accidente de Orlando Hernández.
Conjuga los verbos en el pretérito para completar el párrafo.

La semana pasada, Orlando Hernández (1) *ir* al estadio de béisbol para entrenar. Al llegar, (2) *comenzar* a hacer ejercicios de calentamiento *(warm up)* y (3) *jugar* un rato. Después de media hora, (4) *sentirse* mal pero no (5) *dejar* de jugar. Cuando (6) *tratar* de lanzar la pelota, (7) *caerse* y (8) *hacerse* daño. (9) *Tener* que ir al hospital.

1–43. ¿Qué hicieron ustedes ayer?

A. Pregunta a tu compañero/a si hizo estas actividades ayer. Escribe "sí" o "no" para cada actividad.

MODELO
hacer la tarea
¿Hiciste la tarea?
No, no hice la tarea. (No, no la hice.)

_____ caminar al centro de la ciudad
_____ dormir 8 horas
_____ comer en un restaurante
_____ leer el periódico
_____ ir a clase
_____ pedir ayuda para una tarea
_____ comenzar un proyecto académico
_____ tener muchas dificultades
_____ caerse
_____ rezar

B. Informen a la clase de dos actividades que tienen en común y dos diferencias.

MODELO
Sarah y yo fuimos a clase. Sarah durmió 8 horas y yo no dormí.

Vocabulario esencial

Hablar de los accidentes

Los accidentes

caerle un rayo	*to get struck by lightning*
caerse	*to fall down*
chocar con el carro	*to crash the car*
dejar de + infinitivo	*to stop doing something*
dejar las llaves en el auto	*to leave the keys in the car*
hacerse daño	*to hurt oneself*
huir	*to run away; flee*
perder (ie) cien dólares	*to lose one hundred dollars*
ponerse enfermo/a	*to get/become sick*
quemar la comida	*to burn a meal*
romperse la pierna	*to break a leg*
sentirse (ie) mal	*to feel bad*

1–44. Ayer, a esta hora.

A. Imagina que, por un día, tuviste la oportunidad de vivir la vida de una persona de las páginas 24 y 25. Según la información que tienes, determina qué hizo esta persona ayer, durante los períodos indicados a continuación.

A las siete de la mañana...
A las doce del mediodía...
A las seis de la tarde...
A las diez de la noche...
A la medianoche...

B. Ahora, en parejas, háganse preguntas para determinar qué hizo la otra persona durante ese mismo período. ¿Tienen los dos personajes algo en común? ¿Se encontraron en algún sitio? Usen la imaginación y háganse preguntas asumiendo que son el personaje sobre el que hablan.

 **1-45. Una noticia increíble.** Elijan uno de los accidentes de la lista e inventen un breve artículo para publicar en el periódico *El informador universitario.* Su artículo debe incluir la secuencia de eventos del accidente y una ilustración.

1. Al presidente de la universidad le cayó un rayo.
2. La profesora de español se rompió la pierna.
3. El entrenador de baloncesto huyó de la universidad.
4. Cien estudiantes se pusieron enfermos en la cafetería universitaria.

Después, presenten su artículo a la clase. Los demás estudiantes votarán para decidir qué artículo es el mejor.

Gramática

Imperfect Tense

	caminar	**comer**	**escribir**
yo	camin**aba**	com**ía**	escrib**ía**
tú	camin**abas**	com**ías**	escrib**ías**
él/ella/Ud.	camin**aba**	com**ía**	escrib**ía**
nosotros/as	camin**ábamos**	com**íamos**	escrib**íamos**
vosotros/as	camin**abais**	com**íais**	escrib**íais**
ellos/ellas/Uds.	camin**aban**	com**ían**	escrib**ían**

Ser, ir, and **ver** have irregular forms.

ser	era, eras, era, éramos, erais, eran
ir	iba, ibas, iba, íbamos, ibais, iban
ver	veía, veías, veía, veíamos, veíais, veían

Uses of the Imperfect

The imperfect tense is used to describe actions and states in progress in the past without mentioning the beginning or end.

Use the imperfect to:

1. set the stage, describe or provide background information (time, place, weather) to a story or situation.

   Hacía frío cuando salí para la clase de literatura. — ***It was** cold when I left for my literature class.*

2. express time.

   Eran las tres de la tarde cuando fui a la biblioteca. — ***It was** three in the afternoon when I went to the library.*

3. express age.

   Jenni Rivera **tenía** cuarenta y tres años cuando murió en un accidente de avión. — *Jenni Rivera **was** forty-three years old when she died in an airplane accident.*

(*continued*)

4. describe mental state and feelings, usually expressed by non-action verbs such as **ser, estar, creer, pensar, querer, esperar** (to hope), and **parecer.**

   De niño, Fernando Botero **quería** ser torero. — *As a child, Ferrando Botero **wanted** to be a bullfighter.*

5. express habitual past actions.

   Fernando Botero **vendía** sus obras por muy poco dinero cuando todavía no era famoso. — *Fernando Botero **used to sell** his work for very little money when he wasn't yet famous.*

6. express an ongoing action (background action) that is interrupted by the beginning or the end of another action stated in the preterit.

   Allende **vivía** en Venezuela cuando escribió su primera novela. — *Allende **was living** in Venezuela when she wrote her first novel.*

7. express two ongoing actions that were happening simultaneously.

   Ayer a las tres, yo **lavaba** los platos mientras mi compañera **limpiaba** los baños. — *Yesterday at three o'clock, I **was washing** the dishes while my roommate **was cleaning** the bathroom.*

WileyPLUS Go to *WileyPLUS* to review this grammar point with the help of the **Animated Grammar Tutorial** and **Verb Conjugator.** See also textbook Appendices with Grammar References and verb tables. For more practice, go to the **Activities Manual.**

1-46. Identificación. Identifica los verbos que están en el imperfecto en el párrafo siguiente y subráyalos. Después, comparte con otro/a estudiante información similar sobre tu niñez usando los mismos verbos.

Cuando yo era niña, mi familia y yo vivíamos en Miami, Florida. Me gustaba mucho mi vida allí: nuestra casa era grande y mis hermanos y yo teníamos un perro. Hacía buen tiempo la mayor parte del año, menos cuando los huracanes pasaban por la ciudad. Mis padres eran felices en aquella época, antes de que llegaran los problemas.

1-47. El accidente de esquí. Identifica cada uso del imperfecto en la narración del accidente: a) información de fondo *(background)*, b) la hora *(time)*, c) edad (*age*), d) un estado mental, e) una acción habitual en el pasado *(used to)*, f) una acción continua *(was __________ing)*, g) dos acciones continuas y simultáneas.

Antonio y sus amigos 1) **iban** todos los años a Colorado para esquiar. En el año 2012, Antonio 2) **tenía 19 años**. Ese año 3) **había** mucha nieve y el grupo hizo planes para una semana de esquí. El primer día, Antonio 4) **bajaba** por la montaña a mucha velocidad cuando se cayó y se rompió la pierna. Mientras los paramédicos 5) **lo atendían**, sus amigos **hablaban** con sus padres por teléfono. En el hospital, sus amigos 6) **estaban nerviosos** pero los médicos los calmaron. 7) **Eran las diez** de la mañana del día siguiente cuando dejaron salir del hospital a Antonio.

1-48. En sexto grado. ¿Cómo eran cuando estaban en el sexto grado? Cada persona debe mencionar tres características físicas y tres de su personalidad. Después, compartan con la clase una característica que tenían en común y una diferencia. Pueden usar estos u otros verbos: ser, tener, medir, pesar, llevar, gustar, encantar, detestar, estudiar, jugar, salir, mirar, etc.

1-49. Cosas del pasado. En esta actividad van a comparar algunas de las opiniones que tenían en la escuela primaria con su visión adulta del presente.

A. Cada estudiante debe clasificar los elementos de la lista según la importancia que tenían en la escuela secundaria. 1 significa "sin importancia", 2 "más o menos importante" y 3 "muy importante".

la opinión de los amigos	_____
la opinión de los padres	_____
la imagen física	_____
el éxito académico	_____
la vida espiritual	_____
el éxito profesional	_____
los miembros del sexo opuesto	_____
los deportes	_____
las drogas, el alcohol y el tabaco	_____
la vida social	_____

B. Comparen su clasificación. Informen a la clase sobre dos diferencias y dos semejanzas entre ustedes. Usen las expresiones "ser importante(s)" o "darle(s) importancia".

MODELO

Yo le daba mucha importancia a la opinión de los demás pero Julius no le daba importancia (o **y Julius también le daba importancia).**

C. Cada estudiante debe escribir un párrafo describiendo las diferencias entre su comportamiento (*behavior*) en el pasado y el presente. Den ejemplos específicos.

1-50. Mi instructor/a de español. En esta actividad podrán informarse sobre el pasado de su instructor/a de español.

A. En grupos de tres, preparen preguntas sobre uno de los siguientes aspectos de su historia personal o profesional.

1. vida académica, profesional
2. familia y amistades
3. actividades, pasatiempos

B. Túrnense para hacerle las preguntas a su instructor/a y tomen notas de las respuestas.

C. Cada estudiante debe escribir un párrafo con la información obtenida de la entrevista.

Vocabulario para conversar

Una conversación telefónica

Hablar por teléfono

To have a conversation on the phone you need to know:

- what to say when you pick up the phone.
  ¿Aló? (most countries)
  Bueno. (Mexico)
  Oigo. (Cuba)
  ¿Diga?/ Dígame./ ¿Sí? (Spain)
- what to say to identify yourself.
  Hola, soy María/ habla María.
- how to ask for the person you want to talk to.
  Por favor, ¿está Juan?/ ¿Se encuentra Juan?
- how to end the conversation properly.
  Hasta luego./ Bueno, hasta luego.
  Nos hablamos./ Bueno, nos hablamos.
  Adiós./ Bueno, adiós.

1–51. Palabras en acción. Completa las siguientes oraciones con la expresión adecuada.

1. María Ángeles, que es de México, contesta el teléfono y dice ____________.
2. Llamas a la oficina de tu instructor/a de español y te identificas diciendo ____________.
3. Llamas a un amigo y su madre contesta el teléfono. ¿Qué le dices a su madre? ____________.
4. Terminas de hablar con tu mejor amigo/a y le dices ____________.

1–52. Una llamada telefónica. En esta actividad, van a simular llamadas telefónicas.

A. Objetos perdidos.

Estudiante A: Llama al/a la estudiante B. Identifícate. Explica el motivo de tu llamada: quieres saber si tu amigo/a (el/la estudiante B) se llevó tu cuaderno a su casa por equivocación al salir de clase. Termina la conversación adecuadamente.

Estudiante B: Contesta la llamada. Saluda al/a la estudiante A. Responde a su pregunta. Termina la conversación adecuadamente.

B. La fiesta de anoche.

Estudiante A: Llama al/a la estudiante B. Identifícate. Explica el motivo de tu llamada: quieres contarle a tu amigo/a (el/la estudiante B) cómo estuvo la fiesta de anoche. Describe la fiesta con varios acontecimientos. Termina la conversación adecuadamente.

Estudiante B: Contesta la llamada. Saluda al/a la estudiante A. Responde a su descripción con preguntas y comentarios apropiados. Termina la conversación adecuadamente.

COLOR Y FORMA

La calle, 1987, de Fernando Botero.

La calle, de Fernando Botero

"En todo lo que he hecho es muy importante lo volumétrico, lo plástico, lo sensual, y esto lo asimilé en Italia, al conocer las pinturas del Quattrocento".

1–53. Mirándolo con lupa. En parejas, miren la obra con atención durante un par de minutos. Comenten sus respuestas a las siguientes preguntas.

1. ¿Qué elementos componen el cuadro (escenario, personas y cosas)?
2. ¿Qué tipo de personas muestra la obra? Describan cómo creen que son estas personas.
3. ¿Qué ocurre? Describan la acción en detalle.
4. ¿Les gusta este cuadro? ¿Por qué?

Redacción

1-54. Una descripción. Tus padres van a recibir en su casa a un/a estudiante de Puerto Rico durante el verano. Como sabes español, te han pedido que le escribas una carta dándole información sobre tu lugar de residencia, tu familia y sus costumbres, tus amigos y tus actividades del verano. Sigue los pasos siguientes.

Preparación

Piensa en los siguientes puntos:

1. ¿Cómo es el/la estudiante de intercambio a quien le vas a escribir?
   a. una persona muy activa con muchos intereses
   b. una persona introvertida e intelectual
   c. una persona extrovertida y algo irresponsable
   d. una persona parecida a ti
2. ¿Cómo vas a comenzar la carta?
   a. algo formal: "Estimado Pedro: Soy Alejandro, tu nuevo amigo en (tu ciudad). He decidido escribirte esta carta para darte la información que necesitas antes de hacer tu viaje..."
   b. algo informal: "¡Hola Pedro! Mi familia y yo estamos contando los días que faltan para que vengas. Aquí lo vas a pasar muy bien este verano. Déjame que te cuente sobre las cosas más geniales de mi vida aquí..."
3. ¿Qué temas vas a incluir? Aquí tienes algunas sugerencias:
   a. descripción de tu pueblo/ciudad
   b. descripción de tu familia
   c. descripción de algunas costumbres familiares que podrían sorprender al visitante por ser de otra cultura
   d. descripción de tu grupo de amigos y de lo que hacen en verano
   e. descripción de la escuela de verano a la que va a asistir el estudiante durante su estancia
   f. otros temas
4. ¿Cómo vas a terminar la carta? Piensa en una forma de terminar que sea consistente con el tono que has usado en toda la carta.
   a. Bueno, ya te he contado suficiente. Ahora lo que hace falta es que vengas y lo veas todo con tus propios ojos. ¡Nos vemos en el aeropuerto! Hasta pronto,...
   b. Bueno, ya no te cuento más. Ahora tienes que venir y verlo por ti mismo. Un afectuoso saludo,...

A escribir

1. Escribe un primer borrador teniendo en cuenta las necesidades de tu lector/a (el/la estudiante de intercambio) y sus preferencias.
2. Las expresiones de la lista te servirán para hacer transiciones entre las diferentes ideas o partes de la carta.

a diferencia de, en contraste con	*in contrast to*
igual que	*the same as, equal to*
mientras	*while*
al fin y al cabo	*in the end*
en resumen	*in summary*
después de todo	*after all*
sin embargo	*however*

Revisión

Para revisar tu redacción usa la guía de revisión del Apéndice C. Después de hacer el número de revisiones que te indique tu instructor/a, escribe la versión final y entrega tu redacción.

Ven a conocer

1-55. Anticipación.

1. Miren la foto que acompaña la lectura y descríbanla con tantos detalles como sea posible.
2. Lean el texto abajo y presten atención al vocabulario. Según el contenido, ¿qué párrafo (1, 2, 3, etc.) trata las ideas siguientes?

   —— las primeras impresiones de la isla de Vieques

   —— la experiencia de la bioluminiscencia en la Bahía Mosquito

   —— la preocupación por la conservación ecológica de la bahía

   —— la ciencia de la bioluminiscencia

   —— la geografía, la política y la historia de la ocupación militar de Vieques

Puerto Rico:

La isla de Vieques

Bioluminiscencia. Bahía Mosquito.

Scott Warren/Aurora Photos/Robert Harding World Imagery

La bioluminiscencia acontece en todos los mares del mundo, pero en Puerto Rico el fenómeno ocurre con mayor intensidad. Así lo afirman los visitantes nocturnos de la Bahía Mosquito. Según el doctor Juan González Lagoa, director del Centro de Recursos para Ciencias e Ingeniería del Recinto Universitario de Mayagüez, en las aguas del trópico la bioluminiscencia es mayormente causada por unos organismos microscópicos conocidos como dinoflagelados, específicamente la especie *pyrodinium bahamense*, nombre científico que se deriva de la palabra griega *pyro*, que significa "fuego", y de dino, que quiere decir "mover o girar". Los dinoflagelados producen luz mediante un proceso químico en el que se unen dos sustancias orgánicas conocidas como luciferina y luciferaza. Cuando estas moléculas reaccionan, liberan energía en forma de luz.

La Bahía Mosquito está situada en la isla de Vieques, que forma parte del Estado Libre Asociado de Puerto Rico. Vieques está ubicada aproximadamente a siete millas al sudeste de la isla principal de Puerto Rico. Desde la década de 1940 hasta mayo de 2003, la Marina de EE. UU. fue propietaria de aproximadamente la mitad de la isla y llevaba a cabo ejercicios de entrenamiento militar que incluían bombardeos de combate en una zona de aproximadamente 900 acres conocida como zona de impacto de combate. A partir de 1999, los viequenses organizaron protestas, y, en 2003, las fuerzas armadas estadounidenses se retiraron definitivamente de la isla.

Se llega a Vieques a bordo de unos barcos que parten a diario desde Fajardo, en la isla grande. También se puede tomar una pequeña avioneta que da el salto en apenas 15 minutos de vuelo, que son suficientes para apreciar desde el aire la extensión de selvas verdes y la quietud del paisaje natural. A vista de pájaro, nadie diría que Vieques fue durante 60 años un campo de bombardeo militar.

Al caer la noche, la bahía se convierte en una gigantesca luciérnaga cada vez que algo agita la superficie de sus calmadas aguas, ya sea un pez en busca de comida, el motor de una embarcación o los muchos curiosos que acuden a observar el fenómeno y se bañan en sus aguas. Al agitar los brazos y piernas, estos bañistas nocturnos se convierten en una especie de bombilla viviente.

El doctor González Lagoa admite que el equilibrio entre todas las características especiales necesarias para la subsistencia de los dinoflagelados es delicado y extremadamente frágil. La proliferación de viviendas en el área, el aumento en el tránsito de los botes y la pobre planificación en el uso de los terrenos en las zonas cercanas ponen en peligro la supervivencia de los dinoflagelados. Si se logra controlar todos estos factores, la Bahía Mosquito seguirá ofreciéndoles una experiencia única a sus visitantes por muchos años.

1–56. ¿Viaje a Vieques?

Ustedes están considerando la posibilidad de viajar a Vieques, Puerto Rico. Hablen sobre tres aspectos de la descripción de Vieques que les parecen atractivos y sobre aspectos de la descripción que no les atraen. ¿Qué otra información necesitan antes de decidir si van a viajar a Vieques? Escriban tres preguntas que le harían a un agente de viajes antes de salir de viaje.

Scott Warren/Aurora Photos Inc.

Viaje virtual

Busca información en la red sobre las posibilidades de recreación en Vieques. Escribe una lista de ocho actividades que te gustaría incluir en tu itinerario para una visita a la isla. También puedes encontrar información adicional usando tu buscador preferido.

El escritor tiene la palabra

Isabel Allende (1942)

Evandro Inetti/Zuma Press

En este capítulo, ustedes leyeron sobre la escritora chilena Isabel Allende. Ahora van a leer un fragmento de su obra *Paula*, un testimonio que Allende escribió cuando su hija, Paula, entró en coma a los 28 años y la autora la cuidaba en el hospital. *Paula* narra la historia de la familia de Allende, comenzando con sus abuelos, para contarle a su hija sobre sus antepasados. También narra la historia de la enfermedad y la muerte, en menos de un año, de Paula. En el fragmento, Allende le describe a Paula una fotografía familiar sacada en la década de 1960. El fragmento es un ejemplo del arte de la descripción literaria: detalles multidimensionales y sugestivos que crean una imagen compleja de la persona.

1–57. Entrando en materia. Hay varias personas en la fotografía que Allende describe. Sin embargo, se centra en una persona: el abuelo de la autora (bisabuelo de Paula). Antes de leer, cada estudiante debe pensar en una persona mayor de su familia que respeta mucho y describir a esa persona según estas preguntas:

1. ¿Cuáles son dos rasgos físicos notables de la persona? ¿Hay alguna parte del cuerpo en particular que se destaca *(stands out)*?
2. ¿Cuáles son dos hábitos o costumbres característicos de esta persona?
3. ¿Tiene o tenía opiniones firmes sobre algo? ¿Tiene o tenía una filosofía personal de la vida?
4. ¿Hay objetos, lugares o sucesos que asocias con esta persona?

PAULA (FRAGMENTO)

Mira, Paula, tengo aquí el retrato del Tata. Este hombre de facciones severas, pupila clara, lentes sin **montura**[1] y **boina**[2] negra, es tu bisabuelo. En la fotografía aparece sentado empuñando su **bastón**[3], y junto a él, **apoyada en**[4] su rodilla derecha, hay una niña de tres años vestida de fiesta, graciosa como una bailarina en miniatura, mirando la cámara con ojos lánguidos. Ésa eres tú, detrás estamos mi madre y yo, la silla me oculta la barriga, estaba embarazada de tu hermano Nicolás. Se ve al viejo de frente y se aprecia su gesto **altivo**[5], esa dignidad sin **aspavientos**[6]... Lo recuerdo siempre anciano, aunque casi sin **arrugas**[7], salvo dos surcos profundos en las **comisuras**[8] de la boca, con una blanca **melena**[9] de león y una risa brusca de dientes amarillos. Al final de sus años le costaba moverse, pero se ponía trabajosamente de pie para saludar y despedir a las mujeres y apoyado en su bastón acompañaba a las visitas hasta la puerta del jardín. Me gustaban sus manos, **ramas retorcidas de roble**[10], fuertes y nudosas, su infaltable pañuelo de seda **al cuello**[11] y su olor a jabón inglés de lavanda y desinfectante. Trató con humor desprendido de inculcar a sus descendientes su filosofía estoica; la incomodidad le parecía **sana**[12] y la calefacción **nociva**[13], exigía comida simple - nada de salsas ni revoltijos - y le parecía vulgar divertirse... Fíjate en mi madre, que en este retrato tiene algo más de cuarenta años y se encuentra en el **apogeo**[14] de su esplendor, vestida a la moda con falda corta y el pelo como un **nido de abejas**[15]. Está riéndose y sus grandes ojos verdes se ven como dos rayas enmarcadas por el arco en punta de las **cejas**[16] negras. Ésa era la época más feliz de su vida, cuando había terminado de criar a sus hijos, estaba enamorada y todavía su mundo parecía seguro.

1–58. Los elementos de la descripción. Identifiquen 2 o 3 ejemplos de:

1. Rasgos físicos del Tata
2. Hábitos y costumbres del Tata
3. Olores asociados con el Tata
4. Ropa o pertenencias *(belongings)*
5. Opiniones y filosofía que tenía el Tata

1–59. Nuestra interpretación de la obra. En parejas, comparen sus respuestas a estas preguntas usando el vocabulario.

1. Según la descripción del Tata, ¿cómo es su personalidad? (Mencionen por lo menos cuatro características).
2. Las últimas líneas de la descripción hablan de la madre de Allende (abuela de Paula). ¿Cómo es la madre o cómo está la madre en la foto?
3. Allende describe las manos del Tata con la metáfora de "ramas retorcidas de roble". ¿Qué les sugiere la metáfora?, ¿el aspecto físico de sus manos?, ¿algún aspecto del carácter del Tata?, ¿algo sobre la vida del Tata?
4. Imaginen que van a conocer a esta familia. Escriban dos preguntas para cada persona.

---

1. *frames;* 2. *beret;* 3. *cane;* 4. *leaning against;* 5. *proud;* 6. *fuss;* 7. *wrinkles;* 8. *corners;* 9. *head of hair;* 10. *twisted oak branches;* 11. *around his neck;* 12. *healthy;* 13. *harmful;* 14. *high point;* 15. *bee hive;* 16. *eye brows*

WileyPLUS

Go to *WileyPLUS* to see these **videos,** and to find the **video activities** related to them.

Videoteca

La plaza: El corazón de la ciudad

¿Dónde se encuentra el "corazón" de los pueblos y ciudades del mundo hispanohablante? Si paseas por cualquier parte del mundo hispano, ya sea un pueblo remoto o una ciudad metropolitana, verás que la plaza es un espacio muy importante que desempeña una multitud de funciones en la vida de los habitantes. Es a la vez un centro social, comercial, cultural, geográfico, y a veces religioso. En este video vas a ver qué pasa en las plazas del mundo hispano.

¡Bienvenido al mundo hispano!

¿Qué sabes del mundo hispano? Además de compartir el mismo idioma, ¿qué tienen en común los diferentes países hispanohablantes? ¿en qué se diferencian? En este video vas a explorar estas semejanzas y diferencias culturales.

Vocabulario

Ampliar vocabulario

ausente	*absent*
compaginar	*to fit, combine*
cortar el rollo	*end the conversation (col.)*
costero/a	*on the coast*
cotizado/a	*valued, sought-after*
desarrollo *m*	*development*
edificio *m*	*building*
encajar	*to fit*
firmar	*to sign*
fuente *f*	*source; fountain*
golpe de estado *m*	*coup d'état*
joyas *f*	*jewels; jewelry*
jubilado/a	*retired, retiree*
labor *f*	*work*
lanzador *m*	*pitcher*
malabarismo *m*	*juggling*
ocio *m*	*free time*
padrísimo/a	*fantastic*
personaje *m*	*fictional character*
platicar	*to talk, chat (Mex.)*
reconocimiento *m*	*recognition*
rezar	*to pray*
superar	*to overcome*
taíno *m*	*native group of the Caribbean islands*
tiro con arco *m*	*archery*
vendedor ambulante *m*	*street vendor*

Vocabulario esencial

Hablar de los rasgos físicos, la personalidad y los estados de ánimo

Los rasgos físicos

atlético/a	*athletic*
débil	*weak*
delgado/a	*thin*
frágil	*fragile*
fuerte	*strong*
moreno/a	*dark (skin, hair, eyes)*
musculoso/a	*muscular*
pelirrojo/a	*red haired*
rechoncho/a	*stout*
rubio/a	*light (skin, hair, eyes)*

La personalidad

capaz	*capable*
divertido/a	*fun*
estudioso/a	*studious*
hogareño/a	*home-loving; domestic*
honrado/a	*honest*
ingenioso/a	*witty; clever*
insoportable	*unbearable*
trabajador/a	*hard-working*
tranquilo/a	*calm, mellow*

Los estados de ánimo

aburrido/a	*bored*
animado/a	*in high spirits*
cansado/a	*tired, worn out*
contento/a	*happy*
deprimido/a	*depressed*
impaciente	*impatient*
nervioso/a	*nervous*
relajado/a	*relaxed*
tenso/a	*tense*

Hablar de las tareas domésticas

Las tareas domésticas

arreglar mi cuarto	*to straighten up my room*
barrer el suelo	*to sweep the floor*
compartir	*to share*
lavar	*to wash*
limpiar	*to clean*
pagar el alquiler/la factura	*to pay the rent/bill*
sacar la basura	*to take out the garbage*
soler (ue) (hacer algo)	*to usually do something*

La frecuencia

a menudo	*often*
cada día	*every day*
cada semana	*each week*

Vocabulario

nunca	*never*
raras veces	*infrequently*
siempre	*always*

Hablar de la vida diaria

La rutina

almorzar (ue)	*to have lunch*
comenzar (ie)/empezar (ie) a trabajar	*to start work*
despertarse (ie)	*to wake up*
dormirse (ue)	*to fall asleep*
hacer las tareas domésticas	*to do housework*
ir al mercado	*to go to the market*
jugar (ue) al fútbol, billar, etc.	*to play soccer, pool, etc.*
salir del trabajo	*to leave work*
(no) soler (ue) desayunar	*to usually (not) have breakfast*
tener una cita	*to have a date / appointment*
vestirse (i)	*to get dressed*

La hora del día

a la una	*at one o'clock*
a las dos, tres, cuatro, etc.	*at two, three, four, etc. o'clock*
a la medianoche	*at midnight*
al mediodía	*at noon*
por la mañana	*in the morning*
por la tarde	*in the afternoon*
por la noche	*at night*

Hablar de los accidentes

Los accidentes

caerle un rayo	*to get struck by lightning*
caerse	*to fall down*
chocar con el carro	*to crash the car*
dejar de + infinitive	*to stop doing something*
dejar las llaves en el auto	*to leave the keys in the car*
hacerse daño	*to hurt oneself*
huir	*to run away; flee*
perder (ie) cien dólares	*to lose one hundred dollars*
ponerse enfermo/a	*to get/become sick*
quemar la comida	*to burn a meal*
romperse la pierna	*to break a leg*
sentirse (ie) mal	*to feel bad*

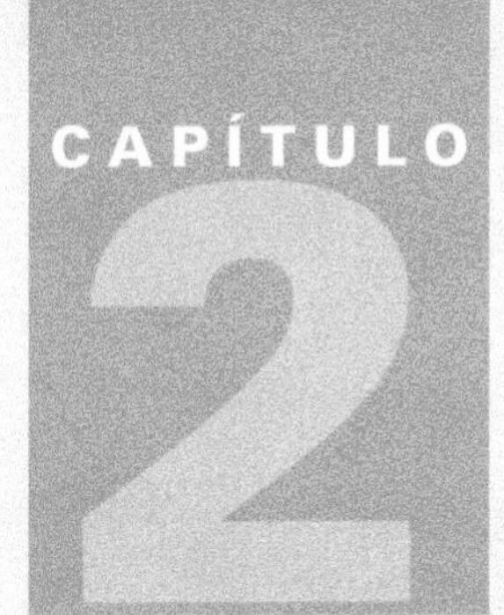

WileyPLUS ADDITIONAL ACTIVITIES FOR EACH TEMA AND ANIMATED GRAMMAR TUTORIALS AVAILABLE ONLINE.

CAPÍTULO 2 LAS RELACIONES DE NUESTRA GENTE

Objetivos del capítulo

En este capítulo vas a...

- explorar algunos temas clave sobre las relaciones humanas.
- expresarte de manera impersonal.
- describir y narrar en el pasado.
- pedir y dar información, contar anécdotas y hacer comparaciones.
- escribir una autobiografía.

TEMA

1 En familia 44

LECTURA: Cuestión de familias 45

GRAMÁTICA: Impersonal/Passive **se** to Express a Nonspecific Agent of an Action 48
(Vocabulario esencial: Hablar de las celebraciones familiares) 50

VOCABULARIO PARA CONVERSAR: Pedir y dar información 51

CURIOSIDADES: Crucigrama 53

2 Entre amigos 54

A ESCUCHAR

MINICONFERENCIA: El papel de los amigos en la vida 56

GRAMÁTICA: Preterit and Imperfect in Contrast; Comparatives 57; 60
(Vocabulario esencial: Hablar de las relaciones románticas) 60

VOCABULARIO PARA CONVERSAR: Contar anécdotas 62

CURIOSIDADES: ¿Seleccionaste bien a tu pareja? 64

3 Así nos divertimos 65

LECTURA: Pasando el rato 66

GRAMÁTICA: Direct- and Indirect-Object Pronouns to Talk About Previously Mentioned Ideas 68
(Vocabulario esencial: Expresar afecto) 70

VOCABULARIO PARA CONVERSAR: Comparar experiencias 73

COLOR Y FORMA: *Naranjas atadas,* de Diana Paredes 75

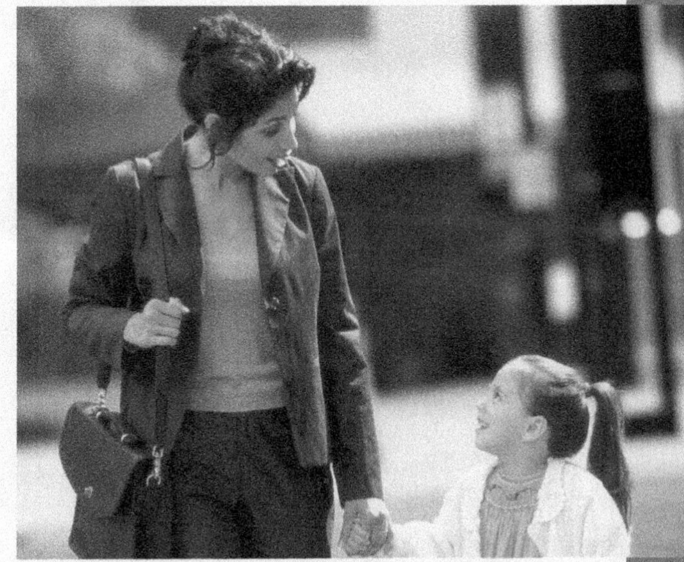

Purestock/Getty Images

En mi papel de madre trabajadora, a menudo tengo que compaginar mis obligaciones profesionales y familiares. ¿Es mi estilo de vida similar al tuyo o al de tu familia?

Más allá de las palabras 76

REDACCIÓN: Una autobiografía 76

VEN A CONOCER: Tabasco, México: La ruta del cacao 78

EL ESCRITOR TIENE LA PALABRA: *Oda al plato,* de Pablo Neruda 79

VIDEOTECA: Los fines de semana... ¡familia y amigos!; La tecnología une a las familias 81

TEMA 1 En familia

©PureStock/age fotostock

Lectura

Entrando en materia

2–1. En Estados Unidos. En grupos de cuatro den las respuestas a las siguientes preguntas. ¿Están todos de acuerdo? ¿En qué áreas hay más diferencias de opinión entre ustedes?

- ¿Cuál creen que es la edad promedio (*average*) de las personas que se casan en EE. UU. por primera vez?
- ¿Es cierto que muchas parejas en EE. UU. prefieren vivir juntas en vez de casarse?
- En su opinión, ¿está aumentando o disminuyendo el divorcio en EE. UU?
- ¿Dónde vive la mayoría de las personas mayores en EE. UU.: en su propia casa, en la casa de sus hijos, en residencias para personas mayores?
- ¿Creen que las mujeres estadounidenses que trabajan reciben mucha ayuda del esposo en el trabajo de la casa y el cuidado de los hijos? Justifiquen sus opiniones.

Por si acaso

Expresiones útiles para comparar respuestas con otro estudiante

¿Qué tienes/ pusiste en el número 1/ 2/ 3?
Yo tengo/ puse a/ b.
Yo tengo algo diferente.
No sé la respuesta./ No tengo ni idea.
Creo que la respuesta es a/ b, pero no estoy seguro/a.
Creo que es cierto./ Creo que es falso.

2-2. Vocabulario: Antes de leer. Antes de leer la siguiente sección, busca las palabras y expresiones siguientes en la lectura. Usando el contexto y la intuición determina si su significado se asocia con la definición de la *a* o la *b*.

1. **en gran medida**	a. mucho	b. poco
2. **al igual que**	a. de la misma manera	b. de forma diferente
3. **índice**	a. número	b. tabla
4. **imponer**	a. quitar	b. mandar
5. **la pareja**	a. tres personas	b. dos personas
6. **retrasar**	a. avanzar	b. ir hacia atrás
7. **jubilado**	a. jubileo	b. retirado
8. **aficiones**	a. pasatiempos	b. oficios
9. **aumento**	a. hacer más grande	b. hacer más pequeño
10. **ama de casa**	a. madre de familia	b. señora de la limpieza
11. **tareas domésticas**	a. trabajo en la oficina	b. trabajo en la casa

Cuestión de familias

En este artículo, van a explorar los efectos que la vida moderna tiene en las relaciones familiares, con especial atención al matrimonio, la tercera edad (*the elderly*) y el papel de la mujer. Antes de leer, piensen en el concepto estereotípico de "la familia hispana". ¿Conocen este estereotipo? ¿En qué consiste? Escriban una lista de tres elementos que lo componen y guarden la lista para comentar después de la lectura.

La familia hispana no existe. La enorme diversidad del mundo hispano hace que las relaciones familiares varíen según la cultura de un país determinado, el nivel de educación de los padres, la herencia cultural y racial de los miembros, el contorno geográfico de su hogar y muchos otros factores. Por ejemplo, en algunas comunidades de Centroamérica donde mucha gente es de origen indígena, se conservan varias costumbres y tradiciones de hace cientos de años. Por otra parte, en las grandes ciudades de Sudamérica, hay familias de clase media o alta que se parecen a las familias urbanas con medios económicos similares de Europa, Asia o África. (M)

(M)omento de reflexión

Indica si la siguiente idea resume el contenido del párrafo anterior.

Las características de las familias hispanas son tan diferentes que es imposible definir una familia típica.

Sí ❑ No ❑

Michelle Bridwell/PhotoEdit

La familia hispana de la clase media destaca por haber cambiado **en gran medida** su estructura y sus costumbres en décadas recientes. Una causa de estos cambios, **al igual que** en Estados Unidos y otras partes del mundo, es la internacionalización de los medios de comunicación y el desarrollo de la economía internacional.

En diferentes partes del mundo, las familias con recursos consumen productos similares, ven programas de televisión parecidos, comparten aspiraciones semejantes y se tropiezan con los mismos obstáculos económicos.

Un cambio notable en estas familias ha sido un mayor **índice** de divorcios, a pesar de las limitaciones que tradicionalmente **impone** la iglesia católica. Además, se observa una tendencia entre **las parejas** a **retrasar** el matrimonio. Las parejas se casan cada vez más tarde y tienen menos hijos que en el pasado. También es más frecuente que las parejas decidan vivir juntas sin casarse.

La vida moderna ha transformado la realidad de las personas mayores en las familias de clase media. En el pasado era frecuente que los abuelos vivieran con uno de los hijos al llegar a una edad avanzada, pero hoy en día las personas mayores son más independientes. Esta nueva generación de **jubilados** se dedica más a sus propias **aficiones**, a sus amigos y, en muchos casos, a viajar. M[1]

Philip Lee Harvey/Stone/Getty Images

Muchos de estos cambios se deben al **aumento** de las oportunidades y de las expectativas para la mujer. En el pasado, frecuentemente el papel de la mujer era casi exclusivamente el de **ama de casa** y ella era responsable de todas las **tareas domésticas**. El divorcio no era una opción para las mujeres que no tenían la capacidad de lograr la independencia económica del esposo. Ya que en los años recientes muchas mujeres persiguen una educación universitaria, muchas de ellas esperan hasta después de establecerse profesionalmente para casarse. Esta tendencia explica que la edad promedio de la mujer para casarse haya ascendido y que el número de hijos por familia haya disminuido. M[2]

[1] **Momento de reflexión**

Indica si la siguiente idea es correcta.

En el presente, las personas mayores generalmente dependen de los hijos.

Sí ❑ No ❑

[2] **Momento de reflexión**

¿Es esto verdad?

Las oportunidades profesionales para la mujer son una de las causas de muchos cambios en la familia.

Sí ❑ No ❑

2-3. ¿Comprendes? Responde a estas preguntas para comprobar tu comprensión del artículo.

1. ¿Qué significa la afirmación "la familia hispana no existe"?
2. Según el texto, ¿qué factores determinan las características de las familias hispanohablantes? Selecciona Cierto o Falso para cada respuesta.

La cultura de un país	C	F
La edad de los miembros de la familia	C	F
El nivel de educación	C	F
La herencia cultural y racial de la familia	C	F
El contorno geográfico	C	F
Las preferencias gastronómicas	C	F

3. ¿Cómo ha afectado la vida moderna la realidad de las familias hispanohablantes? Selecciona Cierto o Falso para cada respuesta.

Hay más divorcios y menos matrimonios	C	F
Las familias tienen más hijos	C	F
Las parejas son muy jóvenes cuando se casan	C	F
Las personas mayores, o jubilados, son más independientes	C	F
Las mujeres continúan dedicándose a las tareas domésticas	C	F

4. ¿Son las familias hispanohablantes de clase media muy diferentes a las familias de clase media del resto del mundo? Explica tu respuesta.

2-4. **La familia moderna.** ¿Aprendieron algo nuevo sobre las familias hispanohablantes al leer el artículo? En parejas, comparen las notas que escribieron antes de la lectura. ¿Coinciden sus ideas con la información que presenta el artículo? Si no es así, revisen la lista y modifiquen las ideas anteriores usando la información de la lectura.

2-5. **Vocabulario: Después de leer.** En parejas, una persona debe hacer las preguntas correspondientes al estudiante A y la otra debe hacer las preguntas correspondientes al estudiante B. Presten atención a las respuestas de la otra persona. ¿Tienen ideas más o menos similares? ¿En qué se parecen? Si no tienen las mismas ideas sobre estos asuntos, ¿cuáles son los motivos de las diferencias de opiniones?

Estudiante A:

1. En muchas familias, los padres **imponen** su voluntad sobre sus hijos, incluso cuando estos son adultos. ¿Crees que esto es necesario? ¿Por qué?
2. ¿Qué es lo primero que piensas al escuchar la palabra **jubilado**? ¿Qué diferencias culturales crees que hay entre los jubilados hispanos y los estadounidenses? ¿Crees que tienen las mismas **aficiones**?

Estudiante B:

1. ¿Crees que ha habido un **aumento** en el número de padres que se quedan en casa a cuidar de los hijos en los últimos años? ¿Cuál crees que es la razón de esto?
2. ¿Crees que en los matrimonios jóvenes las **tareas domésticas** se reparten igualmente entre los esposos o crees que la mujer hace casi todo el trabajo? ¿Crees que la cultura de cada familia influye mucho a la hora de decidir quién se ocupa de la casa? ¿Por qué?

2-6. **¿Existe una familia típica en el salón de clase?** Para esta actividad, formen grupos de cuatro. Van a recoger datos para determinar si las familias de sus compañeros de clase tienen características en común.

A. Primero, cada estudiante debe describir a su familia según las características de la lista. Los otros deben tomar notas.

MODELO

En mi familia somos cuatro personas: mi madre, mi padre, mi hermano y yo. Mis padres no están divorciados y se casaron cuando mi padre tenía 24 años y mi madre 22 años. Mi padre trabaja fuera de la casa y mi madre también pero solo trabaja por las tardes. Mi padre gana más dinero que mi madre. En general, mi madre se ocupa de hacer la compra, la comida y la limpieza de la casa pero mi padre la ayuda algunas veces.

	Yo	Compañero 1	Compañero 2	Compañero 3
Número de personas				
Número de hermanos				
¿Padres divorciados? (sí/no)				
Edad de los padres al casarse				
La/s persona/s que trabaja/n fuera de casa				
La persona que contribuye más dinero a la familia				
La persona que suele hacer la compra				
La persona que suele preparar las comidas				
La persona que suele limpiar la casa				

B. Analicen los datos y respondan a estas preguntas:

1. ¿Cuáles son las características familiares comunes en su grupo?
2. ¿Existe una familia típica en su grupo? Justifiquen su respuesta.
3. ¿Creen que sus observaciones son también válidas en un contexto más amplio, como en su ciudad o en Estados Unidos?

Gramática

Impersonal/Passive *se* to Express a Nonspecific Agent of an Action

Uses of **se:**

1. The impersonal **se** (**se** + *third-person singular verb*) is used to indicate that people are involved in the action of the verb but no specific individuals are identified as performing the action. The impersonal **se** translates the impersonal English subjects *one, you, people* or *they*.

   Se come muy bien en México. — ***One** eats well in Mexico.*

   Se trabaja mucho en EE. UU. — ***One** works a lot in the USA.*

   Se vive bien en este país. — ***One** lives comfortably in this country.*

2. The passive **se** (**se** + *third-person singular or plural verb* + *singular or plural noun*) is another way to convey that the person or people doing the action are not identified. This structure is used when a noun (with no preposition, such as **a**) follows the verb.

Se abrió un nuevo restaurante cerca de mi casa.	*A new restaurant **was** opened near my house.*
El año pasado **se** abrieron dos nuevos restaurantes cerca de mi casa.	*Last year two new restaurants **were** opened near my house.*
Se vendió solo un libro en la librería ayer.	*One book only **was** sold at the bookstore yesterday.*
Se vendieron muchos libros en la libraría ayer.	*Many books **were** sold at the bookstore yesterday.*

Notice that there is a difference between the examples in explanation #1 and those in #2. Number #1 features the use of impersonal **se**. In this case there is no noun (singular or plural) immediately following the verb. Therefore the verb is always used in singular form. Number #2 features the use of passive **se**. This structure always includes a noun (without preposition) immediately following the verb and the verb agrees in number with that noun.

Also notice that examples such as **En esta cultura se respeta a las personas mayores** (*In this culture the elder is respected*), where a preposition precedes the noun following the verb, follow the pattern in explanation #1.

WileyPLUS Go to *WileyPLUS* to review this grammar point with the help of the **Animated Grammar Tutorial** and **Verb Conjugator.** See also textbook Appendices with Grammar References and verb tables. For more practice, go to the **Activities Manual.**

2-7. Identificación. Uno de tus compañeros ha escrito el texto de abajo para un periódico. Edita los dos últimos párrafos para que tengan el mismo estilo impersonal del primer párrafo.

MODELO

En esta cultura nosotros respetamos las tradiciones.
En esta cultura se respetan las tradiciones.

En el seno de algunas familias hispanohablantes **se respeta** la figura de la persona mayor. Igualmente, **se respeta** la autoridad del padre y la madre, el hermano mayor, los abuelos, los tíos o los padrinos a cargo de la familia, según las circunstancias.

También **cuidamos** el buen nombre de la familia, lo cual puede producir fuertes reacciones sociales cuando **cuestionamos** o **perdemos** el honor familiar. Por eso, para muchas familias es muy importante "el qué dirán", es decir, la opinión que tienen los demás sobre la familia.

Ofrecemos apoyo afectivo y material a los miembros de la familia en todo momento. Por esta razón, **usamos** poco los servicios de ayuda pública. En nuestras familias los hijos sienten la obligación de cuidar a sus padres cuando estos son mayores.

2-8. Hablando de estereotipos. De la misma manera que algunas personas en EE. UU. tienen estereotipos sobre los hispanos, en otros países también hay estereotipos sobre Estados Unidos y los estadounidenses.

A. En parejas, creen una lista breve de cuáles pueden ser esos estereotipos. Incluyan un mínimo de cinco.

B. Ahora, lean la siguiente lista de estereotipos y determinen: a) si son ciertos y b) cuál es su origen probable.

MODELO

Me parece que el comentario número uno es un estereotipo incorrecto porque... Me parece que el comentario número uno tiene su origen en la popularidad de McDonald's...

1. En muchos países europeos **se cree** que los estadounidenses comen comida rápida todos los días.
2. En Estados Unidos **se come** más en restaurantes que en los países hispanos.
3. En otros países **se piensa** que la familia estadounidense media se muda de casa cada seis o siete años.
4. En Estados Unidos **se adoptan** muchos niños de otros países porque la gente es muy rica.
5. En Estados Unidos **se pasa** menos tiempo con los hijos que en los países hispanos.

2-9. Estereotipos hispanos. En parejas, una persona va a hacer el papel de un entrevistador hispano que está investigando la actitud de los estadounidenses hacia los hispanos. La otra persona debe responder a las preguntas usando expresiones impersonales para reflejar el punto de vista de la sociedad estadounidense, no solo su propia opinión. Estas expresiones pueden ser útiles para la entrevista.

se piensa   se considera   se cree   se describe   se comenta   se discute

MODELO

¿Creen los estadounidenses que todos los hispanos tienen pelo castaño y ojos color café?
En general, se cree que la mayoría de los hispanos tiene el pelo castaño y los ojos color café pero sabemos que esto no es verdad porque...

1. ¿Creen los estadounidenses que la mayoría de los hispanos come comida picante?
2. En general, ¿piensan ustedes que los hispanos tienen un nivel de educación bajo?
3. ¿Creen que todos los hispanos hablan en voz alta y hacen muchos gestos con las manos?
4. ¿Qué piensan los estadounidenses con respecto a la costumbre de echarse la siesta?

2-10. Tradición familiar. En parejas, expliquen cómo se celebran estas ocasiones especiales en la mayoría de las familias estadounidenses. ¿Qué cosas se hacen? ¿Qué comida se prepara?

MODELO

En las fiestas de cumpleaños generalmente se dan regalos.

Vocabulario esencial

Hablar de las celebraciones familiares

apagar (velas)	*to put out (candles)*
ceremonia *f*	*ceremony*
desfile *m*	*parade*
encender (ie) (velas)	*to light (candles)*
hermanastro/a	*stepbrother/stepsister*
madrastra	*stepmother*
padrastro	*stepfather*
pavo *m*	*turkey*
reunirse con	*to get together with*
tío/a	*uncle/aunt*
torta *f*	*cake*
velas *f*	*candles*

1. el Día de Acción de Gracias
2. los cumpleaños
3. las bodas
4. las graduaciones
5. el Día de la Independencia

Ahora, cada uno de ustedes debe elegir un país de habla hispana e investigar cómo se celebran estas ocasiones en ese país (si se celebran). Cuando tengan toda la información necesaria, preparen un breve informe oral para presentarlo al resto de la clase.

2–11. Con sus propias palabras. En parejas, escriban un pequeño artículo, usando **se**, para publicarlo en un periódico. Aquí tienen algunas ideas sobre los temas que pueden tratar en su artículo.

1. la importancia de las personas mayores
2. el honor familiar (el buen nombre de la familia)
3. el uso de los servicios de ayuda pública
4. el afecto entre los miembros de la familia

Vocabulario para conversar

Pedir y dar información

Requesting and providing information are common functions in our communication with others. We request and give information in the course of interviews, surveys, asking and giving directions, and in daily conversations with family, friends, and co-workers. The following expressions will be useful when requesting and providing information. Remember that when the context of the conversation is formal, you use the **usted** form.

Pedir información:

Dime/ Dígame...	*Tell me, . . .*
¿Me puedes/ puede decir...?	*Can you tell me . . .?*
¿Me puedes/ puede explicar...?	*Can you explain to me . . .?*
Quiero saber si...	*I'd like to know if . . .*
Quiero preguntar si...	*I'd like to ask if . . .*
Otra pregunta...	*Another question . . .*

Dar información:

La verdad es que...	*The truth is . . .*
Permíteme/ Permítame explicar...	*Let me explain . . .*
Con mucho gusto.	*I'll be glad to.*
Yo opino / creo que...	*I think that . . .*
Lo siento, pero no lo sé.	*I am sorry, but I don't know.*
No tengo ni idea. *(very informal)*	*I have no idea.*

2–12. Palabras en acción. ¿Sabes qué expresiones puedes usar para responder a estas preguntas? ¡Demuéstralo!

1. ¿Me puedes ayudar a hacer la tarea de mañana?
2. No comprendo, ¿qué quieres decir?
3. ¿Sabe usted dónde hay un hotel por aquí?
4. ¿Qué opina usted sobre el precio de los libros?

2–13. Estudios y familia. El Departamento de Psicología de su universidad está haciendo un estudio sobre las costumbres familiares de los estudiantes. En grupos de tres, representen la situación a continuación usando las expresiones para pedir y dar información.

Estudiante A: Tú eres el/la entrevistador/a (*interviewer*) y esta es la información que necesitas obtener de los estudiantes B y C. El/La estudiante B es una persona de tu edad. Háblale usando la forma *tú.* El/La estudiante C es una persona mayor. Háblale usando la forma *usted.*

1. Inicia la conversación.
2. Haz preguntas para obtener información personal: nombre, apellido/s, edad, especialización, lugar de residencia, número de miembros de la familia, hermanos mayores y menores y miembros de la familia extendida que viven con la persona entrevistada. Formula preguntas adicionales basadas en las respuestas.

3. Haz preguntas para obtener información sobre la relación del entrevistado con su familia: frecuencia de sus visitas a la residencia familiar, ocasiones especiales que pasa y no pasa con la familia, tiempo que dedica en el campus a mantener contacto con la familia (cartas, llamadas telefónicas, correo electrónico). Elabora preguntas adicionales basadas en las respuestas.

Estudiante B: Tú eres un/a estudiante de la edad de tu entrevistador/a. Contesta sus preguntas usando algunas de las expresiones que has aprendido para dar información.

Estudiante C: Tú eres un/a estudiante no tradicional y eres mayor que tu entrevistador/a. Contesta las preguntas usando algunas de las expresiones que has aprendido para dar información. Usa la imaginación para inventar detalles de la vida de una persona mayor que tú.

CURIOSIDADES

2–14. **Crucigrama.** Este crucigrama te ayudará a recordar palabras en español para designar las relaciones familiares. ¡Buena suerte!

HORIZONTALES

1. dos hermanos que nacieron el mismo día
2. los hijos de tus hermanos
3. tus progenitores (¡consulta el diccionario!)
4. el esposo de esta mujer murió

VERTICALES

5. progenie (¡consulta el diccionario!)
6. los padres de tus padres
7. este hombre ya no está casado
8. estas personas son los hermanos de tus padres

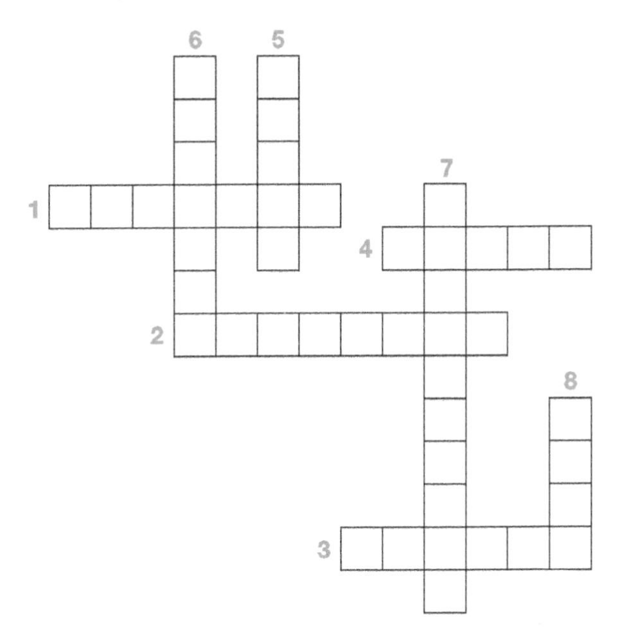

TEMA 2 Entre amigos

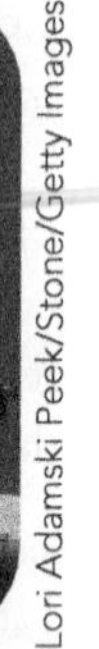

Lori Adamski Peek/Stone/Getty Images

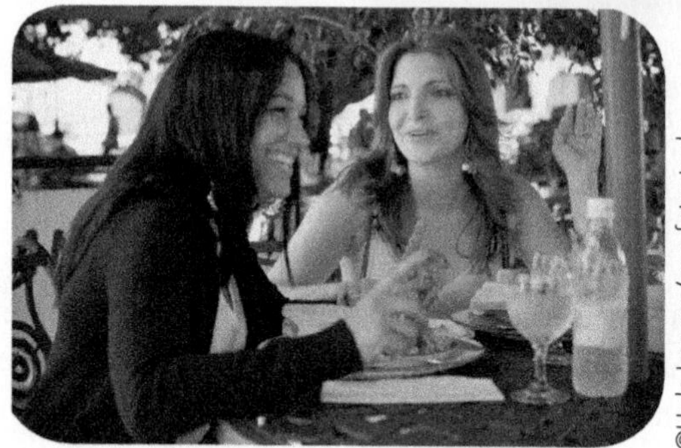

©Hola Images/age fotostock

A escuchar

Entrando en materia

Por si acaso

Expresiones útiles para comparar respuestas con otro estudiante

¿Qué tienes/ pusiste en el número 1/ 2/ 3?
Yo tengo/ puse a/ b.
Yo tengo algo diferente.
No sé la respuesta./ No tengo ni idea.
Creo que la respuesta es a/ b, pero no estoy seguro/a.
Creo que es cierto./Creo que es falso.

2–15. **Tu red de amigos.** En parejas, una persona debe hacer las preguntas del estudiante A y la otra, las preguntas del estudiante B. Después, hablen sobre el tema para ver si tienen preferencias similares en cuanto a las amistades.

Estudiante A: ¿Tienes muchos amigos? En tu opinión, ¿existe un número ideal de amigos? ¿Tienes más amigos o amigas? ¿Hablas de las mismas cosas con tus amigos que con tus amigas? ¿Por qué?

Estudiante B: ¿Qué cualidades son más importantes para ti en un amigo o amiga? ¿Cómo conociste a tu mejor amigo/a? ¿Por qué consideras a esta persona como tu mejor amigo o amiga? ¿Crees que tú eres un buen amigo/una buena amiga? ¿Por qué?

2-16. Vocabulario: Antes de escuchar. La miniconferencia de este *Tema* trata sobre las relaciones entre amigos. Para prepararte, identifica la definición que corresponde a las expresiones escritas en negrita.

Expresiones en contexto

1. Dos personas que tienen una **amistad** verdadera saben que pueden contar la una con la otra en cualquier situación.
2. No tener una **red** social es un factor en el índice de mortalidad.
3. Conocí a mi mejor amiga cuando teníamos cinco años. Nuestra amistad es fuerte y **duradera**.
4. Todos los **seres humanos** necesitamos de los amigos para ser felices.
5. Tener una red de amigos tiene efectos positivos en la **salud** física y mental.
6. La comunicación con otras personas es una manera de evitar la **soledad**.

Definiciones

a. conjunto de elementos conectados
b. la gente, las personas
c. el tipo de relación entre amigos
d. la condición de no tener amigos o compañía
e. la condición física o mental de una persona
f. adjetivo aplicado a cosas con una larga vida

Estrategia: Identificar los cognados

La identificación de los cognados puede ser muy útil para comprender un texto oral y escrito. Es fácil reconocer cognados cuando los vemos escritos, pero reconocerlos al escuchar otro idioma puede ser más difícil. Para ayudarte a reconocerlos mientras escuchas el texto, es importante que prestes atención a los sonidos básicos del español. Por ejemplo, las vocales son siempre secas y cortas en español, al contrario del inglés. Si recuerdas esta información mientras escuchas, podrás reconocer muchas más palabras que, aunque tienen un sonido diferente, son cognados de las mismas palabras en inglés.

2–17. Cognados. En la miniconferencia van a escuchar algunos cognados. ¿Saben la definición de estas palabras? Primero, identifiquen la definición de cada palabra. Después, túrnense para pronunciar cada palabra, concentrándose en pronunciar las vocales correctamente en español.

a. compatibles	b. explorar	c. duración	d. sicólogos
e. percibir	f. hipótesis	g. longevidad	h. atracción

1. la condición de vivir muchos años
2. buscar, investigar
3. una idea que se comprueba con la investigación
4. la extensión temporal
5. especialistas en el estudio de la mente
6. similares en gustos y personalidad
7. observar, notar
8. la condición de estar atraído hacia algo o alguien

El papel de los amigos en la vida

Rolf Bruderer/Blend Images/ Getty Images

Ahora su instructor/a va a presentar una miniconferencia.

2–18. ¿Comprendieron?

1. ¿Cuáles son las tres preguntas que responde la miniconferencia?
2. ¿Cómo explican los sicólogos nuestra selección de amigos?
3. ¿Cómo explican los estudios genéticos esta selección?
4. ¿Qué efectos tienen los amigos en la salud física y mental de los seres humanos?
5. Menciona dos factores que afectan positivamente la duración de la amistad.

2–19. Vocabulario: Después de escuchar. En parejas, escriban una o dos oraciones sobre la amistad usando todas las palabras que puedan de la lista de abajo. Pueden consultar la lista de vocabulario del capítulo si tienen dudas sobre el significado de alguna palabra.

amistad red duradero seres humanos salud soledad

MODELO

Nosotros creemos que compartir las mismas ideas es un elemento importante en una amistad.

2-20. ¿Están de acuerdo? A continuación van a leer una serie de afirmaciones sobre la amistad y el amor. Primero, expliquen el significado de las afirmaciones. Después, comparen sus opiniones personales sobre estas afirmaciones con sus compañeros.

1. Un amigo es alguien que te quiere a pesar de que sabe todo sobre ti.
2. El que busca amigos sin defectos, se queda sin amigos.
3. El amor duele.
4. Un buen amigo es alguien que está contigo siempre que lo necesitas.
5. La mejor forma de destruir a tu enemigo es convertirlo en tu amigo.

Gramática

Preterit and Imperfect in Contrast

In the course of a narration in Spanish you will have to use both the preterit and imperfect tenses to refer to the past.

The **preterit tense** is used to talk about completed past events.

Mi amigo Antonio no **anunció** su visita.

My friend Antonio did not ***announce*** *his visit.*

As you can see in the previous sentence, the event (Antonio's giving notice) is viewed as completed, over, or done with.

The **imperfect** is also used to refer to the past, but in a different way:

1. To refer to habitual events, repetitive actions, and to events that used to happen or things you used to do.

   Antonio nunca **anunciaba** sus visitas.

   Antonio never ***announced*** *his visits.*

2. To describe a scene or to give background to a past event.

   La casa de Antonio **era** grande.

   Antonio's house ***was*** *big.*

3. To express an ongoing action (background action) that is interrupted by the beginning or the end of another action stated in the preterit.

   Antonio **llamaba** a la puerta cuando el teléfono sonó.

   Antonio ***was knocking*** *on the door when the telephone rang.*

4. To tell time in the past.

   ¿Qué hora **era** cuando llegó Antonio?

   What time ***was it*** *when Antonio arrived?*

   Eran las 9:00 de la noche.

   It ***was*** *9:00 p.m.*

5. To indicate age in the past.

   Antonio **tenía** cinco años cuando vino a EE. UU.

   Antonio ***was*** *five years old when he came to the U.S.*

6. To express a planned action in the past.

   Antonio me dijo el mes pasado que se **iba** a casar (**se casaba**) con Marta.

   Last month, Antonio told me that he ***was going*** *to marry Martha.*

WileyPLUS Go to *WileyPLUS* to review this grammar point with the help of the **Animated Grammar Tutorial** and **Verb Conjugator.** See also textbook Appendices with Grammar References and verb tables. For more practice, go to the **Activities Manual.**

2-21. Identificación. Aquí tienes el testimonio de Antonio, un mexicano que emigró con su familia a Estados Unidos hace ya muchos años. Identifica si los verbos que usa Antonio están en pretérito o en imperfecto y explica por qué él eligió cada uno, teniendo en cuenta el contexto.

Recuerdo bien mis primeros años de vida en México. Éramos cinco hermanos en mi familia y vivíamos bien, en una casa que tenía muchas habitaciones. Mi padre trabajaba como ingeniero para una compañía y mi madre era maestra en una escuela. Pero un día todo esto cambió.

El 24 de marzo de 1964 nos despedimos de nuestros amigos y familiares. Aquel 24 de marzo, no solo dijimos adiós a nuestros parientes sino también a muchas de nuestras costumbres.

2-22. El amor en la época de mis abuelos. Antonio ha escrito un texto sobre cómo era la vida cuando sus abuelos eran jóvenes. Una vez más, tienes que hacer de editor y arreglar el texto, incluyendo el verbo en el tiempo adecuado según el contexto.

En la época de mis abuelos las costumbres (fueron / eran) diferentes de las de hoy. Cuando mi abuelo (terminó / terminaba) el servicio militar (tuvo / tenía) veinte años. Poco después (conoció / conocía) a mi abuela, que (fue / era) la mujer más hermosa de Guadalajara, según mi abuelo. Durante su noviazgo, mi abuelo solo (vio / veía) a mi abuela los domingos por la mañana en la iglesia, y solo la (pudo / podía) ver en compañía de otras personas, nunca a solas. El día que mis abuelos (se casaron / se casaban) fue la primera vez que se les (permitió / permitía) estar solos. ¡Cómo han cambiado los tiempos!

2-23. Del pasado al presente. Lean con atención la siguiente pregunta: ¿Creen que las experiencias que vivieron en su familia determinan cómo se relacionan ahora con los demás? Aquí tienen dos respuestas a la pregunta.

A. Subrayen los verbos e identifiquen el tiempo (pretérito, imperfecto, presente). Identifiquen también la regla gramatical que determina el uso de los tiempos verbales.

B. Cada estudiante debe escribir su propia respuesta en un párrafo corto e intercambiarla con un/a compañero/a. ¿Son muy diferentes sus respuestas?

Bueno, mi familia estaba muy unida y a mis padres no les daba vergüenza ser románticos delante de mí o de mis hermanos. Aunque una vez sí que se pusieron colorados (blushed) *cuando mis hermanos y yo los pillamos* (caught) *haciendo manitas* (holding hands) *por debajo de la mesa. Yo soy ahora muy cariñosa con mis amigos y amigas, y creo que es por lo que vi en casa de pequeña.*

Mis padres se querían mucho pero no lo demostraban demasiado en público. Mi padre era muy serio con nosotros pero nos daba cariño a su manera (in his own way). *Por ejemplo, el día que me gradué de la escuela secundaria me dijo con lágrimas en los ojos* (tears in his eyes) *que ese era el día más feliz de su vida. Yo soy un poco tímido en mis relaciones con los demás, sobre todo con las chicas. Es difícil decir si esto tiene algo que ver con mi experiencia familiar de niño. No lo sé.*

2-24. Mi mejor amigo. ¿Quién era tu mejor amigo/a cuando eras pequeño/a? ¿Recuerdas bien a esa persona? Piensa en los detalles que hacían a esa persona tan especial para ti. Después, escribe un ensayo corto narrando tu relación con esa persona. Aquí tienes algunas sugerencias sobre la información que puedes incluir. Cuando termines, revisa la ortografía, los tiempos verbales y asegúrate de que usaste el imperfecto y el pretérito correctamente. Leéle la descripción a tu compañero/a.

¿Quién era?
¿Dónde se conocieron?
¿Dónde vivía?
¿Qué tenía de especial esta persona?
¿Qué actividades hacían juntos?
¿Continúa la relación en el presente?
Si la relación continúa, ¿cómo es ahora en comparación al pasado?

2-25. Mi amigo/a famoso/a y yo. Imagina que eres muy buen/a amigo/a de una persona famosa y que hacen muchas cosas juntos. Vas a narrar una ocasión especial en la que salieron juntos. Puedes imaginar una cita romántica o simplemente una actividad amistosa.

A. Toma notas muy breves sobre la ocasión:

1. día y mes
2. el lugar o destino
3. la manera de vestirse
4. descripción del tiempo, la hora y el lugar
5. eventos o acciones que ocurrieron

B. En parejas, cada estudiante debe convertir sus notas en una pequeña narración oral. Recuerden usar correctamente el pretérito y el imperfecto. Compartan una de las narraciones con la clase.

Vocabulario esencial

Hablar de las relaciones románticas

abrazarse	*to hug*
agarrarse de la mano	*to hold hands*
anillo de compromiso *m*	*engagement ring*
besarse	*to kiss*
casarse	*to get married*
enamorarse	*to fall in love*
noviazgo *m*	*courtship*
salir con (alguien)	*to date*

2-26. En aquella época. Escribe un párrafo en el que narras la vida romántica de tus padres u otra pareja durante el noviazgo. Si no sabes mucho de cuando tus padres eran jóvenes, puedes inventar situaciones. Comienza tu narración con información de fondo (año o fecha, edad de las personas, lugar, etc.) y luego narra la acción. Incluye eventos completos, acciones habituales, acciones repetidas, etc., usando correctamente el imperfecto y el pretérito. Intercambia tu narración con la de un/a compañero/a, lee su narración y hazle dos o tres preguntas sobre el contenido.

Gramática

Comparatives

Comparisons are used to express equality or inequality. Comparisons of **equality** are formed in three different ways:

1. When we compare with an adjective or adverb → **tan** + *adjective / adverb* + **como**

The adjective always agrees with the noun. Adverbs do not show agreement.

Los amigos son **tan** importantes **como** la familia.	*Friends are **as** important **as** family.*
Las buenas amistades no desaparecen **tan** rápidamente **como** las amistades superficiales.	*Good friendships do not disappear **as** quickly **as** superficial friendships.*

2. When we compare with a noun → **tanto/a, tantos/as** + *noun* + **como, tanto** agrees with the noun in gender and number.

Rosa tiene **tantos** amigos **como** una estrella de cine.	*Rosa has **as many** friends **as** a movie star.*
Tengo tantas amigas como tú.	*I have as many female friends as you.*
Tengo tanto miedo como tú.	*I am as afraid as you are.*
Tienes tanta paciencia como yo.	*You are as patient as I am.*

3. When we compare with a verb → *verb* + **tanto como**

The expression **tanto como** always follows the verb and shows no agreement.

Mis padres me respetan **tanto como** yo los respeto.

*My parents respect me **as much as** I respect them.*

Comparisons of **inequality** are expressed in two ways:

1. With adjectives, adverbs, and nouns → **más/menos** + *adjective, adverb, noun* + **que**

As with comparisons of equality, the adjective agrees with the noun, and adverbs show no agreement.

Marisol y Anita son **más** altas **que** Juan.

*Marisol and Anita are **taller than** Juan.*

Tengo **más** amigos norteamericanos **que** hispanos.

*I have **more** North American friends **than** Hispanic friends.*

Anita habla **más** lentamente **que** Marisol.

*Anita speaks **more** slowly **than** Marisol.*

2. With verbs → *verb* + **más/menos** + **que**

Yo salgo **más que** mis padres.

*I go out **more than** my parents.*

WileyPLUS Go to *WileyPLUS* to review this grammar point with the help of the **Animated Grammar Tutorial** and **Verb Conjugator.** See also textbook Appendices with Grammar References and verb tables. For more practice, go to the **Activities Manual.**

2-27. Identificación. A continuación tienen una serie de opiniones sobre las diferencias entre hombres y mujeres en las relaciones afectivas. En parejas, identifiquen las comparaciones de igualdad y las de desigualdad. Después, determinen si están de acuerdo o no con cada afirmación. Si no están de acuerdo, expresen su opinión con una comparación diferente.

1. Las mujeres son **más** fieles (*faithful*) **que** los hombres.
2. Las mujeres se casan **más** tarde **que** los hombres para disfrutar de la juventud.
3. Los hombres tienen **tantos** detalles (*gestures*) románticos **como** las mujeres.
4. A los hombres les gusta coquetear (*flirt*) **menos que** a las mujeres.
5. Las mujeres son **tan** sentimentales **como** los hombres.
6. Las mujeres hablan **más** por teléfono **que** los hombres.
7. Los hombres compran **tanta** ropa **como** las mujeres.
8. Las mujeres se acuerdan **menos** de los pequeños detalles **que** los hombres.

2-28. ¿Quién es más atrevido/a? ¿Quién es más atrevido (*daring*) en las relaciones amorosas, el hombre o la mujer? A continuación tienen las opiniones de un grupo de estudiantes. ¿Piensan como ellos? En parejas, determinen si están de acuerdo o no con las opiniones de estas personas. Después, entrevisten a varios compañeros y preparen un documento comparando sus opiniones con las de estos estudiantes. ¡Usen comparativos para señalar semejanzas y diferencias!

Melinda, 20 años

Me gusta cuando es el muchacho el que toma la iniciativa porque yo no me atrevo (*dare*) a hacer eso. Creo que sí, que en general los chicos son menos tímidos que las chicas.

Raúl, 18 años

Las chicas que yo conozco no son nada inocentes. Son más atrevidas y más locas que nosotros. A mí me gustan mucho las chicas lanzadas (*daring*).

Anselmo, 20 años

Las muchachas son más inocentes y yo creo que eso las perjudica. También creo que son más tímidas que los chicos en general.

Lucía, 18 años

Yo soy más lanzada que la mayoría de novios que he tenido. No me preocupa si tengo que dar yo el primer paso. ¡A mi último novio lo invité yo a salir la primera vez!

Fernando, 19 años

Hoy por hoy (*nowadays*), las chicas son más atrevidas que los chicos. Yo lo prefiero así porque soy bastante tímido y necesito un empujoncito (*little push*).

2-29. ¿Y hace 100 años? Ahora, piensen en el año 1900. ¿Cómo era la dinámica entre el padre de familia y la madre de familia? Escriban seis comparaciones entre los hombres y las mujeres de principios del siglo pasado basadas en características, actividades y/o responsabilidades.

MODELO

Las mujeres eran más hogareñas que los hombres.
Los hombres trabajaban fuera de casa más que las mujeres.

Vocabulario para conversar

Contar anécdotas

No vas a creer lo que me pasó el otro día. Estaba en un restaurante con mi novia y mi ex novia me llamó por el teléfono celular. Mi novia se puso furiosa conmigo.

¿Sí? ¿Y qué pasó después?

How do we tell stories and how do we react when others tell us something that happened to them?

Contar un cuento o una anécdota:	
Escucha/Escuche, te/le voy a contar...	*Listen, I am going to tell you . . .*
Te/Le voy a contar algo increíble...	*I am going to tell you something unbelievable . . .*
No me vas/va a creer...	*You are not going to believe me . . .*
Fue divertidísimo...	*It was so much fun . . .*
Y entonces...	*And then . . .*
Fue algo terrible/ horrible/ espantoso.	*It was something terrible/horrible/awful.*
Reaccionar al cuento o la anécdota:	
¡No me digas! ¡No me diga!	*You are kidding me!*
¿Sí? No te/le puedo creer. ¡Es increíble!	*Really? That's incredible!*
¿Y qué pasó después?	*And what happened then?*
Y entonces, ¿qué?	*And then what?*

2–30. **Palabras en acción.** Completa estas anécdotas con expresiones para contar una historia y para reaccionar a una historia.

1. —. . . lo que pasó el domingo en la fiesta caribeña. . . pero allí estaba el mismo Enrique Iglesias. La fiesta duró hasta las cuatro de la mañana y todos bailamos como locos. . .
   —Reacción. . .
2. —Ayer mi compañero de cuarto y yo tuvimos una pelea fuerte por causa de sus amigos. . .
   —Reacción. . .
3. —Mi hermano pequeño se sentó a la mesa. . . empezó a jugar con la sopa, que acabó en la cabeza de mi padre.
   —Reacción. . .

2–31. **Situaciones.** En parejas, cada persona debe seleccionar una de las situaciones de la lista y contarle a su pareja lo que le ocurrió. La otra persona debe reaccionar de forma apropiada, usando las expresiones anteriores cuando sea posible. ¡Usen la imaginación y sean tan creativos como puedan!

1. lo que pasó cuando tuviste un accidente de tránsito con un conductor que no hablaba inglés
2. lo que pasó cuando encontraste a tu mejor amigo/a cenando a solas con tu novio/a
3. lo que pasó la primera vez que fuiste a una fiesta hispana en casa de tu vecino
4. lo que pasó cuando te enamoraste de una persona que no hablaba tu idioma
5. lo que pasó durante tu primer día en la clase de español

CURIOSIDADES

2-32. Prueba: ¿Seleccionaste bien a tu pareja?

1. En esta prueba se describen nueve aspectos de la personalidad que son muy importantes para mantener una relación estable y duradera con la pareja. Examina hasta qué punto eres compatible con tu pareja. Para obtener el resultado, suma todos los puntos obtenidos y luego divide el resultado entre dos. Si el producto final es menos de 45, debes pensar seriamente en cambiar de pareja. ¡Buena suerte!

Mi pareja y yo:
coincidimos casi siempre = 4 puntos
coincidimos con frecuencia = 3 puntos
coincidimos a veces = 2 puntos
coincidimos pocas veces = 1 punto
nunca coincidimos = 0 puntos

Físico

Llevamos una vida sana 0 1 2 3 4
Nos preocupamos por mantener la higiene 0 1 2 3 4
Comemos saludablemente 0 1 2 3 4
Dormimos bien 0 1 2 3 4
Consumimos fármacos/ estimulantes/ alcohol 0 1 2 3 4
Suma: ___________

Emocional

Somos fieles a nuestros compromisos 0 1 2 3 4
Verbalizamos nuestros sentimientos 0 1 2 3 4
Respetamos las decisiones de los demás 0 1 2 3 4
Solucionamos los problemas fácilmente 0 1 2 3 4
Hacemos muestras de afecto y ternura 0 1 2 3 4
Suma: ___________

Social

Tenemos amigos 0 1 2 3 4
Nos gusta divertirnos 0 1 2 3 4
Somos sociables 0 1 2 3 4
Somos tolerantes con los demás 0 1 2 3 4
Nos preocupamos por los demás 0 1 2 3 4
Suma: ___________

Intelectual

Nuestras ideas sobre la educación son parecidas 0 1 2 3 4
Nos gusta compartir lo que sabemos 0 1 2 3 4
Nos interesa aprender cosas nuevas 0 1 2 3 4
Nos gusta leer 0 1 2 3 4
Tenemos una mente creativa 0 1 2 3 4
Suma: ___________

Profesional

Tenemos deseos de superación profesional 0 1 2 3 4
Somos organizados 0 1 2 3 4
Somos honrados 0 1 2 3 4
Tenemos una actitud similar acerca del dinero 0 1 2 3 4
Nos gusta nuestro trabajo 0 1 2 3 4
Suma: ___________

Comunicación

Nos escuchamos el uno al otro con interés y respeto 0 1 2 3 4
Somos tolerantes con las opiniones del otro 0 1 2 3 4
Hablamos con facilidad de nuestros sentimientos 0 1 2 3 4
Somos muy egocéntricos cuando hablamos 0 1 2 3 4
Suma: ___________

Crecimiento personal

Reconocemos nuestros errores 0 1 2 3 4
Estamos dispuestos a mejorar 0 1 2 3 4
Pedimos y aceptamos consejos 0 1 2 3 4
Sentimos curiosidad, buscamos la verdad 0 1 2 3 4
Creemos que siempre tenemos razón 0 1 2 3 4
Suma: ___________

Intereses y aficiones

Nos gusta viajar 0 1 2 3 4
Disfrutamos mucho el tiempo libre 0 1 2 3 4
Hacemos deporte 0 1 2 3 4
Tenemos pasatiempos 0 1 2 3 4
Somos persistentes, terminamos los proyectos que empezamos 0 1 2 3 4
Suma: ___________

2. Escribe un párrafo de 50 a 70 palabras resumiendo los resultados de la prueba. No te olvides de usar las formas comparativas.

Así nos divertimos

TEMA 3

Livia Corona/Taxi/Getty Images

Lectura

Entrando en materia

2–33. Preferencias. En grupos de tres, entrevisten a sus compañeros para saber lo que cada persona hace en las siguientes situaciones. Después, presenten la información al resto de la clase.

- actividades de los sábados por la mañana, tarde y noche
- actividades de los domingos por la mañana, tarde y noche
- actividades del verano y del invierno
- actividades que hacen cuando se reúnen con su familia
- actividades de los días de clase/trabajo y el fin de semana

Por si acaso

Expresiones útiles para comparar respuestas con otro estudiante

¿Qué tienes/ pusiste en el número 1/ 2/ 3?
Yo tengo/ puse a/ b.
Yo tengo algo diferente.
No sé la respuesta./ No tengo ni idea.
Creo que la respuesta es a/ b, pero no estoy seguro/a.
Creo que es cierto./ Creo que es falso.

2–34. Vocabulario: Antes de leer. Las expresiones siguientes se encuentran en la entrevista que vas a leer. Usando el contexto de la oración determina el significado de las expresiones en negrita.

1. Hay muchas posibles actividades para **pasarlo bien** los fines de semana. Por ejemplo, nos reunimos en las fiestas con nuestros amigos.
   a. divertirse
   b. aburrirse
   c. rezar
2. Los domingos es típico **dar un paseo** por las plazas, parques o calles de la ciudad.
   a. compaginar, combinar
   b. hacer daño
   c. caminar, pasear
3. En la entrada de los bares españoles no te piden el **carnet de identidad** y se entra sin problema.
   a. lugar de residencia
   b. documento de identificación
   c. país de nacimiento
4. En algunos países hispanos los bares cierran muy tarde, a las cuatro o cinco de la **madrugada**.
   a. de la noche
   b. de la tarde
   c. de la mañana
5. Marta **echa de menos** a su familia y sus costumbres en España y extraña mucho su país.
   a. es muy baja
   b. está en un nuevo país
   c. está nostálgica

Pasando el rato

Esta breve entrevista apareció en una hoja informativa del departamento de lenguas romances de una universidad estadounidense, con motivo de la celebración de la Semana de la Diversidad. Las personas entrevistadas, una joven española y un joven mexicano, conversan informalmente con la entrevistadora sobre lo que les gusta hacer en el tiempo libre en sus países de origen.

ENTREVISTADORA: Muchas gracias a los dos por participar en esta breve entrevista. Mi objetivo es publicar esta charla informal en la hoja informativa del departamento para poder así compartir sus comentarios con los estudiantes del programa elemental de español. A ver Marta, tú que eres de España, cuéntanos qué hacen los españoles para **pasarlo bien**.

Marta: Pues, por ejemplo, un día como hoy, domingo por la tarde, no encuentras en Madrid ni un sitio a donde ir porque las cafeterías, los cines, los clubs y los bares están llenos de gente.

Entrevistadora: ¿Y ustedes, Pedro?

Pedro: En México también es como lo que describe Marta en Madrid. Hay mucha gente por las calles **dando un paseo.** El paseo es una actividad muy común para nosotros y, contrariamente a lo que pueda parecer, no nos aburrimos haciéndolo. La gente sale a la calle a caminar por parques, plazas y otros lugares públicos donde se encuentra con amigos o conocidos. Es común tanto en los pueblos como en la ciudad.

Marta: En España la gente joven sale de noche a los clubs o a los bares. Allí, la entrada a los bares o clubs no es tan estricta como aquí y en algunos de estos lugares no piden **el carnet de identidad** a los clientes. También, las discotecas están abiertas hasta las cuatro o cinco de la mañana, así que cuando salimos de noche no regresamos a casa hasta la **madrugada**. Aquí en Estados Unidos cierran los bares mucho más temprano.

Pedro: En México le dedicamos mucho tiempo a la familia durante los ratos libres. Por ejemplo, en mi familia siempre nos reunimos a comer los fines de semana. A veces el sábado, y otras veces el domingo. Suele venir mi hermana mayor con su esposo y mis sobrinos, y mi madre siempre nos cocina algún plato especial que nos gusta.

Marta: En mi casa también tenemos muchas reuniones familiares y la verdad es que las **echo de menos**. Todos los domingos, vienen a comer a casa de mis padres mis hermanos con sus esposas e hijos. Se llena la casa de gente y nos lo pasamos muy bien. Después de comer normalmente vemos un poco la tele o charlamos tomando café hasta que llega la hora de salir a la calle a dar un paseo.

Entrevistadora: Bueno, no tenemos tiempo para más. Les agradezco mucho su participación.

2-35. ¿Comprendes? Indica qué oraciones se refieren correctamente al contenido de la entrevista. Corrige las oraciones incorrectas.

1. La entrevista se publicó en el departamento de español de una universidad mexicana.
2. Las respuestas de los entrevistados revelan muchas diferencias entre México y España.
3. El paseo es una actividad que aburre a los dos entrevistados.
4. En España, los clubs o bares cierran más o menos a la misma hora que en EE. UU.
5. Según los entrevistados, no es raro que sus familias se reúnan todas las semanas para comer.

2–36. Vocabulario: Después de leer. Piensa en tu vida como estudiante universitario. ¿En qué contexto podrías usar las siguientes expresiones? Para cada expresión, escribe una oración que refleje algo de la vida del estudiante típico aquí en este campus.

1. pasarlo bien
2. dar un paseo
3. carnet de identidad
4. madrugada
5. echar de menos

2–37. Comparación y contraste. En la sección *Entrando en materia* hablaron de lo que les gusta hacer en su tiempo libre. En grupos de tres, revisen sus respuestas para completar estos pasos.

1. ¿Qué semejanzas y diferencias hay entre su grupo y lo que describen Marta y Pedro?
2. Escriban un breve resumen de las semejanzas y diferencias que encontraron y compártanlo con su grupo oralmente.

Gramática

Direct and Indirect-Object Pronouns to Talk About Previously Mentioned Ideas

In your review of direct-object pronouns in the previous chapter, you learned that direct objects answer the question *what* or *whom* and you practiced using pronouns to speak and write Spanish more smoothly, without repeating words over and over. In this *Tema*, you will review your knowledge of indirect objects and practice using direct- and indirect-object pronouns together.

Indirect Objects: Sequence and Placement of Object Pronouns

¿**Me** haces un favor?	*Will you do a favor **for me**?*
Te voy a explicar el plan.	*I'm going to explain the plan **to you**.*

Note that English often uses a prepositional phrase (for me, to you) where Spanish uses a pronoun placed before the verb.

As you can see below, the indirect-object pronouns are the same as the direct-object pronouns except for the third person.

Indirect objects answer the question *to whom* or *for whom*.

me	*to/for me*	nos	*to/for us*
te	*to/for you*	os	*to/for you (in Spain)*
le	*to/for him/her/it/you*	les	*to/for them/you*

The following are important rules to remember.

1. The rules of placement for indirect-object pronouns are the same as for direct-object pronouns. (See p. 10.)

2. When a sentence contains both a direct- and an indirect-object pronoun, the order is always indirect before direct. Note the difference in order in the English translations.

¿El restaurante Sol? **Te lo** recomiendo.	*¿Sol restaurant? I recommend* ***it to you.***
¿La cena de cumpleaños? **Te la** preparo el sábado.	*Your birthday dinner? I'll fix* ***it for you*** *on Saturday.*

3. When both direct- and indirect-object pronouns are in the third person (when both begin with the letter "l"), the indirect-object pronoun **le** or **les** is replaced by **se.**

¿Las flores? **Se las** regalé ayer.	*The flowers? I gave* ***them to him/her/them*** *yesterday.*

4. When the indirect object of the verb is a third person (him, her, it, them), the pronoun is obligatory, even if a prepositional phrase clarifies the identity of that person.

Se las regalé a **mi novia.**	*I gave them to* ***my girlfriend.***
Le voy a hablar a **la profesora** mañana.	*I'm going to speak to* ***the professor*** *tomorrow.*

Mi novia and *la profesora* are the indirect objects; *se* and *le* are the indirect-object pronouns. Note that both are present in the Spanish sentences.

WileyPLUS Go to *WileyPLUS* to review this grammar point with the help of the **Animated Grammar Tutorial** and **Verb Conjugator.** See also textbook Appendices with Grammar References and verb tables. For more practice, go to the **Activities Manual.**

2-38. Identificación. Mucha gente dedica parte de su tiempo libre a salir en citas (*dating*). En parejas, lean lo que dicen estos personajes e identifiquen los pronombres de complemento directo e indirecto. ¿A quién o a qué se refiere cada pronombre? Después, comparen sus opiniones a las de estas personas. ¿Están de acuerdo? ¿Hacen lo mismo?

La primera cita: Secretos para tener éxito (*to be successful*)

Si un muchacho te gusta, debes invitarlo a salir a comer. Te recomiendo que le pidas su número de teléfono para confirmar la cita. La noche de la cita, no lo hagas esperar. A los muchachos no les gusta esperar mucho. No es buena idea hablarle de tu ex-novio y no es aconsejable preguntarle sobre sus opiniones políticas.

En la primera cita con una chica, no le compres un regalo muy caro; es mejor pagarle la cena o la entrada al cine. También las flores son un buen regalo para las chicas. Yo siempre se las regalo a mi novia. Te las recomiendo. Si la cita te va bien, pídele su número de teléfono para poder llamarla otra vez.

Vocabulario esencial

Expresar afecto

comprar un ramo de rosas	*to buy a bouquet of roses*
dar un regalo	*to give a gift*
decir (i) "te quiero"	*to say "I love you"*
enviar/mandar	*to send*
la invitación *f*	*invitation*
la tarjeta de cumpleaños *f*	*birthday card*
invitar	*to invite*
pagar la entrada	*to pay for a ticket*
pedir (i) un compromiso	*to ask for a commitment*
regalar una sortija	*to give a ring as a gift*
servir (i) una cena elegante	*to serve an elegant dinner*
tener una cita	*to have a date*

2-39. ¿A quién o quiénes? Escribe el pronombre correcto en el espacio en blanco.

1. Mi amigo _____ ha pagado la entrada para el cine. (a mí)
2. ¿Las invitaciones? _____ las envié a mis amigas. (a ellas)
3. Ahora _____ puedo decir, "te quiero." (a ti)
4. Cómpra_____ un ramo de rosas a tu novio. (a él)
5. ¿Es el aniversario de tus padres? Sírve_____ una cena elegante. (a ellos)
6. Mi novio recibió mi tarjeta de cumpleaños. _____ la mandé el viernes. (a él)
7. ¿Nuestros amigos van a dar_____ regalos de graduación? (a nosotros)

2-40. ¿Qué tienes? Cada estudiante debe seleccionar al azar (*at random*) cinco cosas de la lista a la izquierda.

Ahora, identifica la persona (un amigo, un familiar, un conocido) que te dio cada una de estas cosas.

		(PERSONAS)
_____	una colección de música polca	__________
_____	un póster de Elvis	__________
_____	dos entradas para un concierto	__________
_____	una copia del examen final	__________
_____	(la) mononucleosis	__________
_____	diez mil dólares	__________
_____	un ramo de flores	__________
_____	todos los CD de Lady Gaga	__________
_____	una moto Harley-Davidson	__________
_____	(¿otros objetos?)	__________

A. Explica a la clase 1) qué tienes y 2) quién te lo (la, los, las) dio.

MODELO

1) Tengo <u>una colección de música polca</u>.
2) Me <u>la</u> dio mi tía María.

B. Explícale a tu pareja 1) qué tienes, 2) a quién se lo vas a regalar y 3) por qué. (Quizás no quieres regalárselo a nadie.)

MODELO

1) Tengo <u>un póster de Elvis</u>.
2) Voy a <u>regalárselo</u> a mi padre.
3) Porque le encanta Elvis.

2-41. **Mala suerte.** Elimina la redundancia en esta narración sustituyendo las partes en negrita con los pronombres apropiados.

La anécdota que voy a contar ocurrió la semana pasada. Era el cumpleaños de una compañera de clase y por eso invité **a mi compañera** a salir el sábado por la noche. Así que salí en mi coche y compré un regalo **para mi compañera**; yo le quería dar **el regalo a mi compañera** durante la cena. Después fui a buscar **a mi compañera**, pero de repente me di cuenta de que no sabía su dirección. Resulta que ella no me había dado **la dirección**. No tenía mi agenda de teléfonos así que no podía llamar **a mi amiga**. Para colmo, en un descuido, salí del coche y cerré **mi coche** con las llaves dentro. ¡Qué desastre! Así que llamé a la policía desde mi celular. Cuando llegaron, expliqué **a los oficiales** que mis llaves estaban dentro del coche. Entonces, ellos abrieron **el coche** y recuperaron **las llaves**. Está de más decir (*needless to say*), que ya era muy tarde. Decidí volver a mi apartamento para evitar más desgracias. Cuando llegué a mi apartamento, llamé a mi amiga para disculparme.

©monkeybusinessimages/iStockphoto

2-42. **¿Qué hacen en estas situaciones?** En parejas, hablen sobre lo que hacen por lo regular en estas situaciones. Recuerden sustituir nombres con pronombres en las respuestas para evitar la redundancia.

MODELO

Necesitas dinero para salir esta noche. Tu madre está de visita en el campus. ¿Qué hace tu madre cuando le pides dinero?
Me lo da porque es generosa y siempre me da lo que le pido.
No me lo da porque tiene problemas económicos.

1. Un amigo y tú van a comer a un restaurante. Tu amigo te dice que no tiene dinero para pagar. ¿Qué haces tú? ¿Qué hace él?
2. Tú necesitas un traje elegante para salir esta noche pero no tienes dinero para comprar uno nuevo. Tu compañero/a de cuarto tiene un traje perfecto para la ocasión, pero a él/ella no le gusta prestar (*to lend*) su ropa. ¿Qué haces? ¿Qué hace tu compañero/a?
3. Tienes dos entradas para un concierto de música clásica. A ti no te gusta la música clásica en absoluto pero a un/a vecino/a muy atractivo/a le encanta. ¿Qué haces?
4. Un compañero de la clase de español a quien no conoces muy bien te pide dinero prestado para poder ir al partido de fútbol este sábado. ¿Qué haces?

2-43. Dos perspectivas. Representen la siguiente situación.

Estudiante A: Tú eres un/a estudiante argentino/a que llega al aeropuerto de Chicago. No sabes ni una palabra de inglés. En el aeropuerto conoces a un/a joven estadounidense, estudiante de español, quien te invita a salir.

Estudiante B: Tú eres el/la estudiante estadounidense.

Narra tu versión de la historia usando verbos en el pretérito y el imperfecto, el *Vocabulario esencial* y los pronombres de objeto indirecto. Comienza la narración con "estaba en el aeropuerto de Chicago cuando conocí..."

MODELO

(Verbos en el pretérito)
Le invité a cenar.
Me habló en español.
Le pagué la cena.

(Verbos en el imperfecto)
Yo estaba muy nervioso/a.
Él/Ella era muy guapo/a.
El restaurante era carísimo.

Vocabulario para conversar

Comparar experiencias

A common thing to do when we are exchanging stories or anecdotes with friends is to compare how our experiences are similar or different.

Indicar que tu experiencia fue parecida

Eso me recuerda (a mi amigo/a, a mi hermano/a, una ocasión).	*That reminds me of (my friend, brother/sister, an occasion).*
Mi (amigo/a, hermano/a) es como el/la tuyo/a.	*My (friend, brother/sister) is like yours.*
Es como el día en que...	*It's like the day when . . .*
Mi experiencia con... fue muy parecida.	*My experience in . . . was very similar.*

Indicar que tu experiencia fue diferente

Mi experiencia con... fue completamente diferente.	*My experience with . . . was completely different.*
La impresión que tengo de... es completamente opuesta.	*The impression I have of/about . . . is completely the opposite.*
La persona que describes es muy diferente de la que yo conozco.	*The person you're describing is very different from the one I know.*

Indicar que tu experiencia fue parecida y diferente a la vez

Mi experiencia con... fue parecida y diferente al mismo tiempo.	*My experience with . . . was similar and different at the same time.*
Lo que me pasó en... fue un poco parecido, la diferencia es que...	*What happened to me in . . . was a bit similar; the difference is that . . .*

2-44. Palabras en acción. ¿Fueron tus experiencias similares o diferentes a las de estas personas? Escribe tus experiencias usando las expresiones adecuadas.

1. Un padre se enfadó con su hijo por una cuenta de teléfono de 800 dólares.
2. Una pareja de jóvenes se casó a los 15 años de edad.
3. Una profesora de español suspendió a un estudiante en un examen por mascar chicle.
4. Un joven se comió 15 hamburguesas en una tarde.
5. Una estudiante no llegó a su examen final de la clase de español por no despertarse a tiempo.

2-45. Un amigo común. Durante una conversación, tú y tu pareja se dan cuenta de que tienen un amigo en común, Manolo Camaleón. Inventen los detalles de la conversación, en la que comparan sus impresiones y opiniones sobre Manolo. Usen su imaginación y los detalles que se incluyen para representar este diálogo.

Estudiante A: Manolo y tú eran compañeros de cuarto en la universidad. Manolo nunca limpiaba el cuarto, escuchaba música de salsa cuando tú tenías que estudiar y siempre salía con las personas que a ti te gustaban.

Estudiante B: Manolo es ahora tu colega en una organización no lucrativa (*nonprofit*) que lucha contra el abuso de tabaco, alcohol y drogas. Es un buen amigo tuyo y vas a invitarlo a cenar la semana próxima para que conozca a tu novio/a.

COLOR Y FORMA

Naranjas atadas, de Diana Paredes

Diana Paredes nació en Lima, Perú. Comenzó a pintar a los ocho años de edad. Su arte sorprende a muchos por la atención que reciben los detalles y por la destreza de la artista en la expresión de emociones. Recibió su formación en la Academia de Arte Cristina Gálvez, la Academia Miguel Gayo y el Instituto de Arte de Fort Lauderdale.

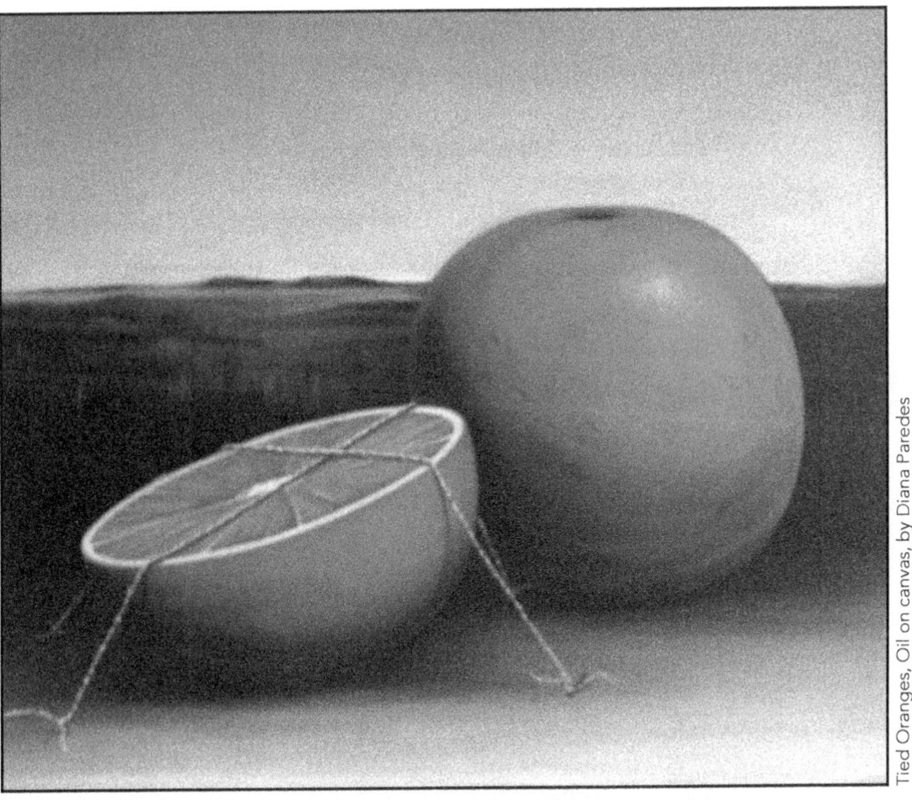

***Naranjas atadas,* de Diana Paredes, óleo sobre lienzo.**

2-46. Observaciones artísticas. En parejas, miren la obra con atención durante unos minutos. Después, respondan a las siguientes preguntas. ¿Se parecen sus respuestas?

1. ¿Qué elementos o cosas representa Diana Paredes en la obra?
2. Describan los colores de la obra.
3. Expliquen la relación entre el título y la obra.
4. Expliquen la relación entre el título, los elementos representados y los temas del capítulo 2 que están estudiando.
5. Tengan en cuenta que la expresión "mi media naranja" es el equivalente de "*my better half*" en inglés.
6. Piensen en otro título para esta obra.

Redacción

2-47. Una autobiografía. Piensa en alguna obra literaria (un cuento, una novela, una autobiografía, etc.) que has leído que narra las experiencias personales del escritor. Ahora te toca a ti escribir una narración sobre tus propias experiencias o las experiencias de otra persona.

Preparación

Piensa en los siguientes puntos:

1. ¿Quiénes serán los lectores de mi composición?
2. ¿Qué información voy a incluir en la introducción?
3. ¿Qué tema/s voy a incluir en cada párrafo?
4. ¿Qué información voy a incluir en la conclusión?

Ahora piensa en cómo vas a organizar la información en tu redacción. Aquí tienes algunas sugerencias.

1. Narrar las experiencias en orden cronológico.

MODELO

Nací y crecí en una familia que para muchos parecía una familia de locos y quizás en algunos casos tenían razón, pero era mi familia y yo la quería con locura. Cuando era niño/a mi padre...

2. Narrar desde la perspectiva de un hecho en el presente.

MODELO

Hoy me llamó Roberto García por teléfono. Para que lo sepan, Roberto García y yo nos vimos por última vez en la fiesta de graduación de la escuela secundaria. Recuerdo muy bien aquella fiesta. Roberto era el chico más atractivo de todos y yo tenía el honor de ser su compañera...

3. ¿Otros modelos de organización diferentes?

A escribir

1. Comienza tu redacción con una introducción interesante.

MODELO

Nací a las cinco de la tarde en un día frío del mes de enero...

2. Desarrolla el contenido y organización que hayas seleccionado. Por ejemplo, si quieres describir el ambiente familiar en el que creciste y una experiencia importante durante la niñez y la juventud, puedes usar el ejemplo a continuación como guía.

MODELO

La vida en casa era muy tranquila. Mamá siempre en la cocina, papá siempre en su trabajo, y mis hermanos y yo siempre metidos en problemas. Recuerdo una vez que...

3. Si quieres describir tu vida fuera del ambiente familiar en el presente, puedes usar este ejemplo como guía.

MODELO

Ahora que no estamos ya en casa, mis hermanos y yo seguimos dando problemas pero, claro, son de otro tipo...

4. Escribe una conclusión que resuma de forma interesante el contenido de los párrafos.

MODELO

Y así es como llegué a ser quien soy hoy: un muchacho tímido, algo romántico, interesado en la cocina y también en la política. Una buena combinación, en mi opinión...

5. Al escribir tu narración recuerda lo que has aprendido sobre el pretérito e imperfecto usados juntos. También usa las comparaciones, el *se* impersonal y los pronombres de objeto directo e indirecto si es necesario.
6. Las expresiones de la lista te servirán para hacer transiciones entre diferentes ideas.

a diferencia de, en contraste con	*in contrast to*
al fin y al cabo	*in the end*
después de todo	*after all*
en resumen	*in summary*
igual que	*the same as, equal to*
mientras	*while*
sin embargo	*however*

Revisión

Para revisar tu redacción usa la guía de revisión del Apéndice C. Después de hacer tu revisión, escribe la versión final y entrégasela a tu instructor/a.

Ven a conocer

2-48. Anticipación. Mira el artículo siguiente e intenta predecir los temas que trata el texto.

1. un lugar para visitar ruinas mayas
2. un lugar para observar la producción del chocolate
3. una reserva natural
4. un lugar para comprar artesanías típicas

Tabasco, México:

La ruta del cacao

El cacao tuvo su origen en la región que ocupa hoy el estado de Tabasco, México, durante la época de la antigua civilización olmeca. Los mayas heredaron el cultivo del cacao y mezclaban la semilla pulverizada con agua caliente, sin azúcar, para crear una bebida amarga y espumosa. El cacao se consideraba regalo de los dioses y los mayas celebraban un festival en honor de Chak Ek Chuah, dios del cacao. Sabían que el cacao era un estimulante y le atribuían poderesafrodisíacos. Las semillas de la planta servían también como moneda de intercambio en transacciones entre comerciantes mayas.

Hoy en día, Tabasco produce el 75% del chocolate mexicano y el recorrido turístico de la Ruta del Cacao incluye sitios arqueológicos mayas y antiguas plantaciones cacaoteras, además de reservas naturales y pueblos pintorescos.

En la Zona Arqueológica de Comalcalco se puede visitar las ruinas de una ciudad maya que llegó a su esplendor entre el siglo III y el siglo IX, d. C. La acrópolis es típica de los complejos arquitectónicos mayas con pirámides y terrazas, plazas y templos. Los conocimientos astronómicos de esta civilización prehispana son evidentes en la orientación exacta de los templos hacia los puntos cardinales.

Las haciendas cacaoteras de Tabasco datan de la época colonial después de que Hernán Cortés, conquistador de los aztecas, llevó el cacao a España en el siglo XVI. La bebida se popularizó a pesar de la prohibición inicial de la iglesia católica, que asociaba el cacao con los ritos paganos de los indígenas. Para satisfacer la demanda, España fundó grandes haciendas cacaoteras, o plantaciones de cacao, en Tabasco, muchas de las cuales siguen produciendo y vendiendo chocolate en sus formas modernas. Durante una visita a las haciendas el visitante puede presenciar la elaboración de esta planta: la recolección; el lavado y secado del grano; su pulverización; la mezcla con azúcar, canela, soya o leche; la introducción de la pasta en moldes; la refrigeración y la división del chocolate en diferentes figuras para ser empacadas. Muchas haciendas le sirven al visitante una versión moderna de la antigua bebida maya.

Los otros atractivos de la Ruta del Cacao incluyen reservas naturales, como el Centro Reproductor de Tortugas de Agua Dulce en Nacajuca, y la laguna Pomposú, en las afueras de Jalpa de Méndez. La hacienda cacaotera Finca Cholula también sirve como reserva para aves propias de la selva mexicana y para monos sarahuatos, nativos de Tabasco.

El turista no debe marcharse de Tabasco sin visitar sus pintorescos pueblos. La iglesia de la plaza de Cupilco está pintada con brillantes colores y es la más pintoresca de Tabasco. En Jalpa de Méndez se puede comprar la famosa artesanía de las jícaras, recipientes labrados de calabazo.

2–49. **En detalle.** Usa la información de la lectura para responder a las siguientes preguntas.

1. ¿Qué se puede ver en una visita a los pueblos de Cupilco y Jalpa de Méndez?
2. Mencionen dos lugares para la conservación de especies animales. ¿Qué especie se conserva en cada lugar?
3. ¿Qué se hace en una visita a una hacienda cacaotera?
4. ¿Qué tipo de construcción había en la ciudad maya de Comalcalco?
5. ¿Cuáles son las dos funciones que tenía el chocolate en la antigua cultura maya?

Viaje virtual

Busca información en la red sobre los paradores turísticos en Tabasco, México. Escribe una breve descripción de tres de los paradores.

2–50. **Una postal.** Imagina que estás en Tabasco donde has recorrido la Ruta del Cacao. Escribe una tarjeta postal a tu instructor/a de español describiendo tus experiencias. ¡Recuerda usar bien el pretérito y el imperfecto para narrar en el pasado! También puedes comparar dos o más lugares usando los comparativos.

El escritor tiene la palabra

Pablo Neruda (1904–1973)

El poeta chileno Pablo Neruda, ganador del Premio Nobel de Literatura en 1971, primero recibe reconocimiento internacional por su poemario *Veinte poemas de amor y una canción desesperada*, publicado en 1924. En las siguientes décadas, sus poemarios expresan temas como la soledad personal de Neruda y la historia del continente americano con una fuerte orientación política marxista. Neruda expresa en sus odas, género que convencionalmente celebra a Dios o a grandes héroes, otras de sus fuertes convicciones: que las cosas más simples de la vida son las más relevantes. Las odas de Neruda celebran comidas, como el tomate y la papa; animales, como el pájaro y el elefante; emociones, como la alegría y la tristeza; y objetos domésticos, como la cama y el plato. Usando metáforas extendidas a base del aspecto físico de la cosa y la personificación a través de un hablante lírico que se dirige al objeto con "tú", Neruda encuentra un sentido para la vida humana en sus elementos fundamentales.

Keystone/Hulton Archive/Getty Images

2-51. Entrando en materia. Piensen en un objeto muy especial. Puede ser una prenda de ropa, un aparato o cualquier instrumento que usan frecuentemente. En parejas, describan el objeto: ¿Cómo es? ¿Por qué te gusta? ¿Qué aspecto te agrada (su color, textura, olor, forma, etc.)?

En esta oda, Neruda describe los platos y su función en términos muy favorables. ¿Qué asocian con los platos? ¿Tienen los platos alguna asociación positiva o negativa para ustedes? ¿Por qué?

"Oda al plato"

1 Plato,
disco central
del mundo,
planeta y planetario:
5 a mediodía, cuando
el sol, plato de fuego,
corona[1]
el
alto
10 día,
plato, aparecen
sobre
las mesas en el mundo
tus estrellas,
15 las **pletóricas**[2]
constelaciones,
y se llena de sopa
la tierra, de fragancia
el universo,
20 hasta que los trabajos
llaman de nuevo
a los trabajadores
y otra vez
el comedor es un vagón **vacío**[3],
25 mientras vuelven los platos
a la profundidad de las cocinas.
Suave, pura **vasija**[4],
te inventó el **manantial**[5] en una piedra,
luego la mano humana
30 repitió
el **hueco**[6] puro
y copió el **alfarero**[7] su frescura
para
que el tiempo con su **hilo**[8]
35 lo pusiera
definitivamente
entre el hombre y la vida:
el plato, el plato, el plato,
cerámica **esperanza**[9],
40 **cuenco**[10] santo,
exacta luz lunar en su **aureola**[11],
hermosura redonda de **diadema**[12].

2-52. Identificación. Identifica los versos del poema (1–42) que corresponden a las ideas siguientes:

1. la metáfora del plato como planeta o estrella; el ciclo de la vida diaria comparado con el ciclo del sistema solar
2. la costumbre de volver a casa del trabajo para comer al mediodía
3. la historia del plato desde sus orígenes en la naturaleza
4. referirse al plato en segunda persona para personificarlo

---

1. *crowns;* 2. *full, brimming over;* 3. *empty;* 4. *vessel;* 5. *flowing water;* 6. *concavity, hollow;* 7. *potter;* 8. *thread, line;* 9. *hope;* 10. *basin;* 11. *round glow;* 12. *jeweled crown*

 **2-53. Nuestra interpretación de la obra.** En parejas, comparen sus respuestas a estas preguntas.

1. El paralelismo entre los platos en la mesa de una casa y los planetas en el firmamento del cosmos se introduce en los primeros tres versos. ¿En qué sentido es el plato "disco central / del mundo"? Expliquen las implicaciones de la metáfora.
2. En el verso 27, se describe el origen del plato: "te inventó el manantial en una piedra". Expliquen el sentido literal de estas palabras. ¿Cuál fue el origen del plato para el ser humano prehistórico?
3. La importancia del plato en la vida humana también se expresa en los últimos cuatro versos del poema (39–42). Cada verso es una breve descripción del plato con lenguaje muy sugerente y metafórico. Estudien el vocabulario en estos versos y expliquen las implicaciones de las descripciones. (Por ejemplo, en el verso 39, "cerámica" se refiere al material del plato, ¿y esperanza? ¿En qué sentido es el plato "esperanza"?)
4. Hagan una observación sobre la forma del poema en la página. ¿Por qué creen que Neruda usó esa forma? ¿Qué efecto tiene?
5. Pablo Neruda usa la palabra "santo" para describir el plato. ¿Es esta veneración de la comida y de la cocina algo común en tu cultura? En tu familia, ¿hay una diferencia entre la actitud de personas de diferentes generaciones frente a la comida? ¿Piensas que en general los estadounidenses tienen una actitud similar o diferente de Neruda?

WileyPLUS

Go to *WileyPLUS* to see these **videos,** and to find the **video activities** related to them.

Videoteca

Los fines de semana... ¡familia y amigos! 

Después de trabajar o estudiar toda la semana, ¿cómo y con quién te gusta pasar los fines de semana? ¿te reúnes con otros, o prefieres pasar tiempo a solas? En el video que vas a ver, varios latinoamericanos cuentan cómo suelen pasar los fines de semana con familia y amigos. Mientras ves el video, piensa en las semejanzas y diferencias entre su rutina y la tuya.

La tecnología une a las familias 

En tu papel de estudiante, la tecnología es imprescindible en tu vida académica, pero, ¿qué papel tiene en tu vida familiar? Si no vives en casa con tu familia, ¿cómo te comunicas con ellos?, ¿qué opciones tienes para estar en contacto con familiares en otros estados o países? En este video verás cómo la tecnología facilita la unión entre familias y, cómo les ayuda a compaginar la vida profesional con la familiar.

Vocabulario

Ampliar vocabulario

afición *f*	*hobby*
al igual que	*same as*
ama de casa *f*	*housewife*
amistad *f*	*friendship*
aumento *m*	*increase*
carnet de identidad *m*	*ID card*
dar un paseo	*to take a walk*
duradero/a	*lasting*
echar de menos	*to miss*
en gran medida	*in great part*
imponer	*to impose*
índice *m*	*rate*
jubilado/a	*retired*
madrugada *f*	*dawn*
pareja *f*	*couple, partner*
pasarlo bien	*to have a good time*
red *f*	*network*
retrasar	*to delay*
salud *f*	*health*
seres humanos *m*	*human beings*
soledad *f*	*solitude, loneliness*
tarea doméstica *f*	*household chore*

Vocabulario esencial

Hablar de las celebraciones familiares

apagar (velas)	*to put out (candles)*
ceremonia *f*	*ceremony*
desfile *m*	*parade*
encender (ie) (velas)	*to light (candles)*
hermanastro/a	*stepbrother/stepsister*
madrastra *f*	*stepmother*
padrastro *m*	*stepfather*
pavo *m*	*turkey*
reunirse con	*to get together with*
tío/a	*uncle/aunt*
torta *f*	*cake*
velas *f*	*candles*

Hablar de las relaciones románticas

abrazarse	*to hug*
agarrarse de la mano	*to hold hands*
anillo de compromiso *m*	*engagement ring*
besarse	*to kiss*
casarse	*to get married*
enamorarse	*to fall in love*
noviazgo *m*	*courtship*
salir con (alguien)	*to date*

Expresar afecto

comprar un ramo de rosas	*to buy a bouquet of roses*
dar un regalo	*to give a gift*
decir (i) "te quiero"	*to say "I love you"*
enviar/mandar	*to send*
la invitación *f*	*invitation*
la tarjeta de cumpleaños *f*	*birthday card*
invitar	*to invite*
pagar la entrada	*to pay for a ticket*
pedir (i) un compromiso	*to ask for a commitment*
regalar una sortija	*to give a ring as a gift*
servir (i) una cena elegante	*to serve an elegant dinner*
tener una cita	*to have a date*

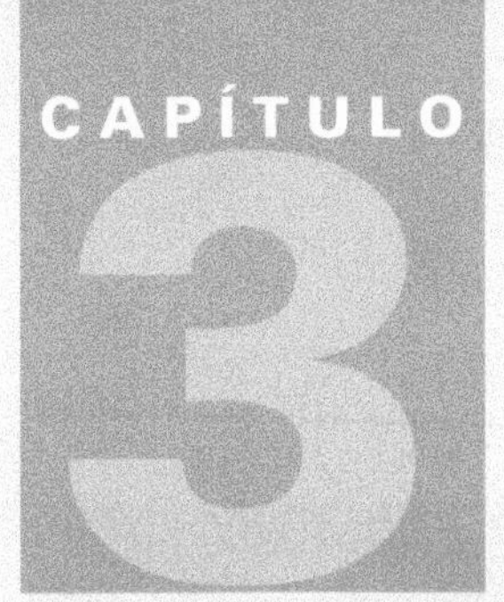

WileyPLUS ADDITIONAL ACTIVITIES FOR EACH TEMA AND ANIMATED GRAMMAR TUTORIALS AVAILABLE ONLINE.

NUESTRA COMUNIDAD BICULTURAL

Objetivos del capítulo

En este capítulo vas a...

- explorar lo que implica pertenecer a dos o más culturas.
- expresar opiniones, inseguridad, duda y emoción.
- dar y pedir consejos o recomendaciones a otras personas.
- escribir una carta al editor.

TEMA

1 Ser bicultural 84

LECTURA: Ser hispano en Estados Unidos 87

GRAMÁTICA: Introduction to the Subjunctive 89

(Vocabulario esencial: Expresar duda y certeza) 92

VOCABULARIO PARA CONVERSAR: Expresar tus opiniones 95

CURIOSIDADES: "México Americano", de Rumel Fuentes, interpretada por Los Lobos 97

2 Ser bilingüe 98

A ESCUCHAR MINICONFERENCIA: Mitos sobre el bilingüismo 100

GRAMÁTICA: Second Use of the Subjunctive: After Expressions of Emotion 101

(Vocabulario esencial: Expresar emoción) 102

VOCABULARIO PARA CONVERSAR: Expresar tus sentimientos 103

CURIOSIDADES: El préstamo léxico 105

3 Lenguas en contacto 106

LECTURA: ¿Qué es el espanglish? 107

GRAMÁTICA: Third Use of the Subjunctive: After Expressions of Advice and Recommendation 111

(Vocabulario esencial: Recomendar y pedir) 112

VOCABULARIO PARA CONVERSAR: Pedir y dar consejos 114

COLOR Y FORMA: *Cielo/Tierra/Esperanza*, de Juan Sánchez 115

LWA/Stephen Welstead/Blend Images /Getty Images

Nací en Maracaibo, Venezuela. Mi padre es un médico venezolano que trabajaba para una empresa estadounidense. Como resultado, he vivido entre estadounidenses toda mi vida. Me eduqué en escuelas de Venezuela y EE. UU. y esta combinación me ha dado la capacidad de apreciar las dos culturas. ¿Conoces a alguien que haya crecido entre dos o más culturas?

Más allá de las palabras 116

REDACCIÓN: Una carta al editor 116

VEN A CONOCER: San Antonio, Texas: El Álamo 117

EL ESCRITOR TIENE LA PALABRA: *La ignorancia como causa de los prejuicios raciales*, de Alonso S. Perales 120

VIDEOTECA: Un muralista en defensa de Miami; Conexiones con inmigrantes 123

TEMA 1 Ser bicultural

Created by Leonardo Nuñez and the Latino youth of Lompoc, California

Heritage (*Raíces*), de Leonardo Nuñez y el Latino Youth de Lompoc, California

Lectura

Entrando en materia

Por si acaso

Expresiones útiles para comparar respuestas con otro estudiante

¿Qué tienes/ pusiste en el número 1/ 2/ 3?
Yo tengo/ puse a/ b.
Yo tengo algo diferente.
No sé la respuesta./ No tengo ni idea.
Creo que la respuesta es a/ b, pero no estoy seguro/a.
Creo que es cierto./ Creo que es falso.

3–1. Lo que sabemos. En parejas, comenten las ideas que tienen sobre los inmigrantes de Estados Unidos. Después, lean las siguientes oraciones y determinen si están de acuerdo o en desacuerdo. Justifiquen sus respuestas.

- Todos los inmigrantes hispanos llegaron a EE. UU. al mismo tiempo.
- En muchos de los países hispanohablantes hay diversidad racial.
- No hay diferencias de clase social entre los inmigrantes hispanos.
- Todos los hispanos en Estados Unidos son de la misma raza.

3-2. Vocabulario: Antes de leer. Mira el contexto de estas palabras en la lectura e identifica la definición que corresponde a cada palabra.

1. **inestabilidad**	a. sinónimo de *hacer* o *producir*
2. **racial**	b. sinónimo de *características*
3. **crear**	c. una persona de Estados Unidos
4. **estadounidense**	d. sinónimo de *incorrecto*
5. **incluir**	e. adjetivo derivado de *raza*
6. **rasgos**	f. un elemento de unión entre dos o más partes
7. **valores**	g. falta de equilibrio
8. **lazo**	h. creencias o formas de ver la vida
9. **erróneo**	i. sinónimo de *contener*

3-3. Murales. Observen las imágenes de esta página y de la siguiente y comparen sus respuestas a estas preguntas con las de otro/a estudiante.

1. Las personas pintadas en los murales representan la variedad de orígenes raciales de los hispanos en Estados Unidos. ¿Pueden ustedes identificar el origen de algunas de las personas? ¿Cómo se diferencian las personas de los distintos murales?
2. Lean la información sobre los dos murales y noten la ciudad estadounidense en que se encuentran. ¿De qué países descienden la mayoría de los hispanohablantes de esas regiones de Estados Unidos?
3. ¿Qué detalles de cada mural reflejan la herencia cultural de las dos comunidades (la del suroeste de EE. UU. y la del noreste de EE. UU.)?
4. ¿Qué otros símbolos reconocen en los murales?

Tributo a los trabajadores agrícolas, de Alexandro C. Maya, Estrada Courts, Los Ángeles

Bomba y Plena (c) 2003 City of Philadelphia Mural Arts Program/Betsy Z. Casañas.

Por si acaso

Antes de 1848, los estados de Utah, Nevada, California, Texas, Arizona, Nuevo México y áreas de Colorado y Wyoming eran territorio mexicano. El español se habló antes que el inglés en estos estados.

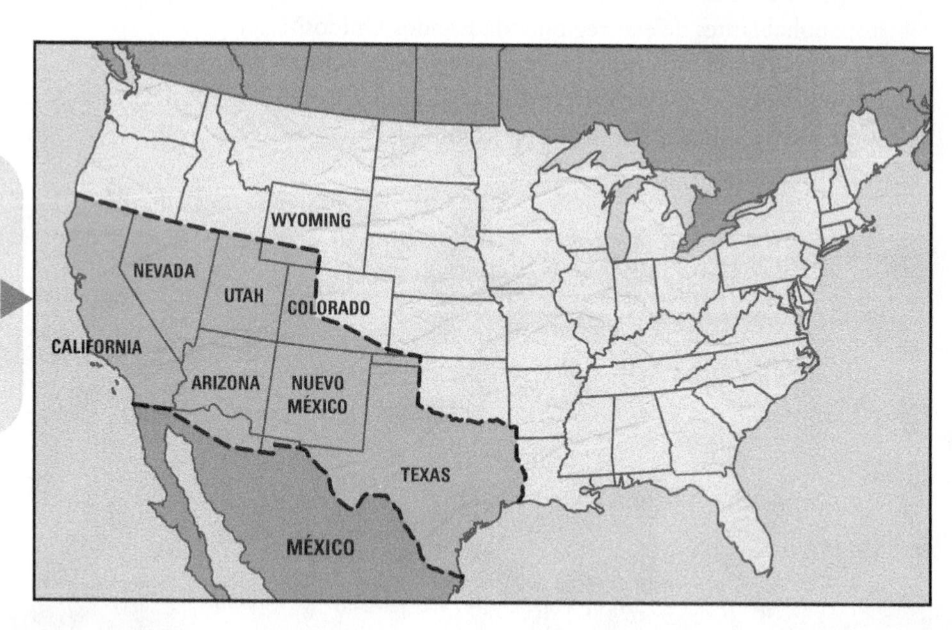

Ser hispano en Estados Unidos

de Arturo Fox

Virtualmente todas las naciones de Hispanoamérica están representadas en la comunidad hispana de Estados Unidos, pero el 80% de ella proviene de México, el 14% de Puerto Rico y el 6% de Cuba. Los estados del suroeste que bordean la frontera con México, es decir California, Arizona, Nuevo México y Texas contienen la mayor concentración de mexicano-americanos. En el estado de Nueva York reside la mayor parte de la población puertorriqueña, y la Florida, a 90 millas de Cuba, ha sido el destino natural de los cubanos, especialmente desde que en 1960 tuvo lugar el éxodo de exiliados opuestos al régimen de Fidel Castro.

En las últimas décadas, por otra parte, ha habido una tendencia hacia la dispersión, especialmente entre la población puertorriqueña, que de la Ciudad de Nueva York se ha trasladado hacia otras ciudades del mismo estado, o a otros estados como Nueva Jersey, Connecticut e Illinois. En el área de Chicago reside ya el mayor núcleo de puertorriqueños fuera de la Ciudad de Nueva York. En menor escala, los cubanos han ido formando importantes comunidades fuera de la Florida, notablemente en la costa este de Estados Unidos. Los mexicano-americanos han mostrado una menor tendencia a la dispersión. Cuatro de cada cinco de ellos todavía viven en los estados del suroeste.

Otro fenómeno ha sido la multiplicación de las nacionalidades representadas en Estados Unidos. Nueva York ha recibido una importante inmigración dominicana desde los años 60. Durante la década de los 70 la **inestabilidad** política de Centroamérica comenzó a producir una constante corriente de emigrantes, refugiados políticos y económicos de Nicaragua, Guatemala y El Salvador. Este grupo se ha concentrado especialmente en California. Los nicaragüenses, además, se han establecido en considerable número en el área de Miami. M[1]

¿Qué características permiten identificar a un individuo como "hispano"? Un criterio que ciertamente no debe usarse es el **racial**, ya que no existe una "raza hispana". El hecho es, sin embargo, que los dos grupos principales que **crearon** la imagen de los hispanos en Estados Unidos, los mexicano-americanos y los puertorriqueños, estaban formados en gran parte por personas "de color," lo cual creó en la mente del **estadounidense** la asociación de lo hispano con la categoría *"nonwhite"*.

¿Pero es correcto, en realidad, hablar de una "minoría hispana" o de una "comunidad hispana" en la que se **incluyan** todos los grupos hispanos de Estados Unidos? Algunos contestan esta pregunta de forma negativa debido a las notables diferencias económicas, étnicas y culturales que existen entre esos grupos. No obstante, es posible decir que existe una colectividad hispana en Estados Unidos con suficientes **rasgos** comunes para merecer tal nombre. Las distintas comunidades hispanas de este país no solo comparten los más obvios indicadores culturales de origen hispano, el español como idioma, el catolicismo como religión predominante y un sistema común de **valores**, sino también un **lazo** de unión adicional y no menos importante: el hecho de que la sociedad estadounidense suele percibir a los hispanos como un grupo más o menos uniforme. **Errónea** o no, esta es una percepción con la que el hispano tiene que enfrentarse en su vida diaria. La pregunta *"Are you Hispanic?"* demanda una respuesta afirmativa tanto del argentino como del peruano asentados en Estados Unidos, antes de que uno u otro pueda aclarar su nacionalidad de origen. M[2]

[1] **Momento de reflexión**

¿Cierto o falso?

__ 1. *Parte de la población hispana en Estados Unidos está distribuida de esta manera: los mexicano-americanos en el suroeste del país, los cubanos en la Florida y los puertorriqueños en el estado de Nueva York.*

__ 2. *La Florida, el suroeste de Estados Unidos y Nueva York son las únicas áreas geográficas donde se han asentado las diversas comunidades hispanas.*

__ 3. *Muchos hispanos de Guatemala, Nicaragua y El Salvador han emigrado a Estados Unidos en los últimos 50 años.*

[2] **Momento de reflexión**

¿Cierto o falso?

__ 1. *No hay hispanos de raza blanca.*

__ 2. *La comunidad hispana de Estados Unidos es esencialmente de raza negra.*

__ 3. *Los estadounidenses a menudo piensan que la comunidad hispana es un grupo uniforme.*

3-4. ¿Comprendes? Completa la tabla de abajo con información de la lectura.

Países de origen de los diferentes grupos	Tres diferencias entre los grupos	Tres aspectos comunes entre los grupos	Dos razones que explican la emigración de estos grupos

3-5. El mejor título. Decide el título que resume mejor cada uno de los cinco párrafos de la lectura.

1. párrafo No. ___ ¿Es el término *hispano* demasiado general?
2. párrafo No. ___ Países de origen
3. párrafo No. ___ Características asociadas con *hispano*
4. párrafo No. ___ Inmigración en los 60 y 70
5. párrafo No. ___Dispersión geográfica

3-6. Vocabulario: Después de leer. En parejas, escriban un párrafo describiendo el entorno cultural de su universidad. ¿Hay mucha diversidad? ¿Hay mucho contacto y comunicación entre las diferentes culturas? Incluyan tantas expresiones de la lista como sea posible. Comparen su párrafo con el de otra pareja. ¿Son similares o diferentes?

variedad racial	(in)estabilidad
ideas erróneas	estadounidenses
valores comunes	rasgos diversos
lazos culturales	se incluye(n)

Por si acaso

concentración de población
concentration of the population
crecimiento económico
economic growth
desventaja
disadvantage
impuestos
taxes
recursos económicos
economic resources
servicios médicos
medical services
servicios sociales
social services
ventaja
advantage

3-7. Impresiones. En parejas, representen al estudiante A y al estudiante B. Cada estudiante debe hacerle las preguntas correspondientes a la otra persona. Respondan teniendo en cuenta lo que acaban de aprender en la lectura y lo que ustedes piensan acerca del tema de los inmigrantes. Justifiquen sus respuestas. Pueden hacer preguntas adicionales para aclarar ideas.

Estudiante A: ¿Cuál crees que es la causa de la inmigración? ¿Crees que hay muchas personas que emigran de Estados Unidos a otros lugares? ¿Por qué?

Estudiante B: ¿Conoces a algún inmigrante hispano? ¿Qué sabes de esta persona? ¿Crees que la inmigración es buena o mala para un país? ¿Por qué?

Gramática

Introduction to the Subjunctive

All verb tenses you have studied so far in ***Más allá de las palabras*** are part of the indicative mood.

In this chapter you will learn more about another mood, the subjunctive, which you may have studied in previous Spanish classes. Tenses grouped in the subjunctive mood are used mostly in the dependent clause of certain compound sentences. Spanish speakers use the subjunctive to make statements that convey nonfactual messages or messages that imply emotion, uncertainty, judgment, or indefiniteness.

There are four tenses in the subjunctive mood. In this unit you will learn the forms of the present subjunctive and its uses.

Forms of the Present Subjunctive

To form the present subjunctive of regular verbs start with the first person (**yo**) of the present indicative. In **-ar** verbs, change the **-o** to **-e, -es, -e, -emos, -éis, -en**. In **-er** and **-ir** verbs, change the **-o** to **-a, -as, -a, -amos, -áis, -an**.

Infinitive	Present Indicative **yo** Form	Present Subjunctive	
caminar	camino	camin**e**	camin**emos**
		camin**es**	camin**éis**
		camin**e**	camin**en**
comer	como	com**a**	com**amos**
		com**as**	com**áis**
		com**a**	com**an**
escribir	escribo	escrib**a**	escrib**amos**
		escrib**as**	escrib**áis**
		escrib**a**	escrib**an**

Irregular verbs have the **yo** form of the present indicative as a basis for the present subjunctive: **decir, hacer, oír, poner, salir, tener, venir** and **ver**.

digo	diga, digas, diga, digamos, digáis, digan
hago	haga, hagas, haga, hagamos, hagáis, hagan
oigo	oiga, oigas, oiga, oigamos, oigáis, oigan
pongo	ponga, pongas, ponga, pongamos, pongáis, pongan
salgo	salga, salgas, salga, salgamos, salgáis, salgan
tengo	tenga, tengas, tenga, tengamos, tengáis, tengan
vengo	venga, vengas, venga, vengamos, vengáis, vengan
veo	vea, veas, vea, veamos, veáis, vean

Stem-Changing Verbs

-ar and **-er** stem-changing verbs undergo the same vowel-change pattern in the subjunctive that you have learned for the indicative.

c**e**rrar	c**ie**rre, c**ie**rres, c**ie**rre, cerremos, cerréis, c**ie**rren (**e** → **ie**)
c**o**ntar	c**ue**nte, c**ue**ntes, c**ue**nte, contemos, contéis, c**ue**nten (**o** → **ue**)
def**e**nder	def**ie**nda, def**ie**ndas, def**ie**nda, defendamos, defendáis, def**ie**ndan (**e** → **ie**)
v**o**lver	v**ue**lva, v**ue**lvas, v**ue**lva, volvamos, volváis, v**ue**lvan (**o** → **ue**)

-ir stem-changing verbs undergo an additional change in the **nosotros** and **vosotros** forms, **e** → **i** and **o** → **u**.

pref**e**rir	prefiera, prefieras, prefiera, pref**i**ramos, pref**i**ráis, prefieran (**e** → **ie, i**)
d**o**rmir	duerma, duermas, duerma, d**u**rmamos, d**u**rmáis, duerman (**o** → **ue, u**)

Irregular Verbs

dar	dé, des, dé, demos, deis, den
estar	esté, estés, esté, estemos, estéis, estén
ir	vaya, vayas, vaya, vayamos, vayáis, vayan
saber	sepa, sepas, sepa, sepamos, sepáis, sepan
ser	sea, seas, sea, seamos, seáis, sean
haber	haya, hayas, haya, hayamos, hayáis, hayan

Uses of the Present Subjunctive

Present Subjunctive in Noun Clauses

The subjunctive occurs in the dependent clause when the verb in the independent clause expresses:

1. uncertainty, doubt, or denial
2. emotion
3. advice, suggestion, or recommendation

What is the difference between a dependent and an independent clause?

An independent clause is one that can stand alone like a simple sentence expressing a complete thought; a dependent clause cannot stand alone and does not express a complete thought. Note the difference between dependent and independent clauses in the example below.

Independent Clause	Dependent Clause
Muchas personas dudan *Many people doubt*	que la educación bilingüe sea buena. (doubt) *that bilingual education is a good thing.*
Nos preocupa	que haya muchas preguntas sobre el subjuntivo en el examen. (emotion)
We are worried	*that there will be many questions about the subjunctive on the test.*
Te recomiendo *I recommend*	que estudies español en el extranjero. (recommendation) *that you study Spanish abroad.*

First Use of the Subjunctive: After Expressions of Uncertainty, Doubt or Denial

When the verb in the independent clause expresses uncertainty, doubt or denial, use subjunctive in the dependent clause.

When a verb in the independent clause expresses certainty, use the indicative in the subordinate clause. Study the lists of verbs in the *Vocabulario esencial* to learn to distinguish certainty from doubt/denial.

ATTENTION: **Pensar** and **creer** only trigger subjunctive in the dependent clause when they are in the negative form. Compare these examples:

Independent Clause	Dependent Clause
Otras personas piensan/creen *Other people think/believe*	que la educación bilingüe **es** eficaz. *that bilingual education **is** effective.*
No creo/pienso *I don't believe/think*	que la educación bilingüe **sea** eficaz. *that bilingual education **is** effective.*

Impersonal expressions (those without a specific subject) of doubt or uncertainty also require the use of the subjunctive. When they express certainty, use the indicative in the dependent clause. Note that expressions of certainty trigger the use of the subjunctive simply by adding "no"; "es cierto" expresses certainty while "no es cierto" expresses denial.

Certainty = Indicative

Es seguro que la educación bilingüe **es** beneficiosa.
*It's certain that bilingual education **is** beneficial.*

Uncertainty = Subjunctive

Es dudoso que la educación bilingüe **sea** beneficiosa.
*It's doubtful that bilingual education **is** beneficial.*

WileyPLUS Go to *WileyPLUS* to review this grammar point with the help of the **Animated Grammar Tutorial** and **Verb Conjugator.** See also textbook Appendices with Grammar References and verb tables. For more practice, go to the **Activities Manual.**

3-8. Identificación. Selecciona la forma correcta del verbo para completar las oraciones.

1. Negamos que los hispanos (tengan/tienen) rasgos físicos idénticos.
2. Estoy segura de que la mayor concentración de población hispana (esté/está) en la frontera con México.
3. Es dudoso que el criterio racial (sea/es) útil para identificar a un individuo como "hispano".
4. No se piensa que la población hispana (vaya/va) a disminuir en el futuro próximo.
5. Es improbable que en el futuro la sociedad estadounidense (deje/deja) de percibir al hispano como un grupo uniforme.
6. No dudo que los puertorriqueños de Chicago (formen/forman) el mayor núcleo fuera de Nueva York.

Vocabulario esencial

Expresar duda y certeza

Verbos que expresan duda

dudar	*to doubt*
no creer	*to disbelieve*
no estar seguro/a	*to be unsure*
no pensar (ie)	*to not think*
negar (ie)	*to deny*

Verbos que expresan certeza

creer	*to believe*
estar seguro/a	*to be sure*
pensar (ie)	*to think*

Expresiones impersonales de duda

es dudoso	*it's doubtful*
es (im)posible	*it's (im)possible*
es (im)probable	*it's (im)probable*
no es seguro	*it's not certain*

Expresiones impersonales de certeza

es cierto/verdad	*it's true*
está claro	*it's clear*
es evidente	*it's evident*
es obvio	*it's obvious*
es seguro	*it's certain*

3-9. La política y los hispanos. Cambia los infinitivos cuando sea necesario a la forma verbal apropiada, en el subjuntivo o el indicativo, según el contexto.

En EE. UU. los políticos creen que los hispanos (1) ________ (formar) un grupo demográfico importante. Eso no va a ser suficiente para que los hispanos tengan más poder y representación en el gobierno, pero (2) ________ (ser) un buen punto desde donde comenzar.

Si las leyes de inmigración se reforman pronto, es posible que las personas de origen hispano (3) ________ (dar) más votos al partido que mejor los represente en las próximas elecciones. Para los políticos, el problema es que muchos hispanos dudan que el gobierno (4) ________ (hacer) algo significativo para mejorar la vida de la comunidad hispana.

Después, claro, está el problema de la comunicación. Para conseguir votos es importante que los políticos (5) ________ (comunicarse) con la gente de las comunidades hispanas, y yo personalmente (6) ________ (dudar) que muchos políticos estadounidenses (7) ________ (tener) una estrategia efectiva de diálogo.

Sin embargo, con tantos ciudadanos estadounidenses de origen hispano, es posible que (8) ________ (haber) muchos más políticos hispanos en el futuro. Tal vez así, los hispanos se sentirán finalmente integrados a la política del país.

3-10. La gente opina. Estas dos cartas al editor se publicaron en la revista latina *Más*. En las cartas, los lectores expresan una opinión. Lean las cartas y respondan a las preguntas.

Siempre leo su revista con mucho interés porque hay mucha información sobre la cultura hispanoamericana.

Doy clases de inglés a inmigrantes. La mayoría de mis alumnos son de América Latina. Creo que la información de su revista da modelos excelentes de hispanos con éxito en EE. UU. Estos modelos dan mucha motivación a mis alumnos. Dudo que alguien cuestione (*dispute*) el valor de *Más* para la comunidad hispana en EE. UU.

Daniel Weber, Albuquerque, NM

Más, muchas gracias por la referencia a los hispanos judíos (*Jewish*). No creo que muchas personas tengan esta información. No todos los hispanos son católicos, un grupo de nosotros somos judíos. Su artículo reconoce que la comunidad hispana es muy diversa. Gracias.

Alvin J. García, Tampa, FL

1. Las dos cartas dicen que la revista *Más* ofrece algo positivo para la comunidad hispana. ¿Qué aspecto positivo se menciona en cada carta?
2. Piensen en una revista que ustedes leen que les ofrece algo positivo. Escriban una breve carta al editor basándose en estas dos cartas como modelos. Incluyan por lo menos un comentario positivo y un comentario negativo (reales o inventados) sobre algún aspecto de la revista. Recuerden usar el subjuntivo para expresar dudas y el indicativo para expresar certeza.

3–11. Aquí no es común. Muchas costumbres de los países hispanos no son comunes en Estados Unidos. Usa el *Vocabulario esencial* para explicar a estas personas que las costumbres que mencionan no son típicas aquí.

MODELO

La madre de una familia española te pregunta:
¿A qué hora salen las familias a dar un paseo el domingo?
No estoy seguro/a de que aquí muchas familias den un paseo los domingos.

1. Tu vecino chileno te dice:
   Me gustaría conocer a otros señores mayores. ¿En qué plaza de la ciudad se reúnen los jubilados?
2. Tu amigo mexicano te pregunta:
   ¿Cómo celebran la fiesta de quinceañera las mujeres de tu familia?
3. Tu compañero de cuarto, que acaba de llegar de España, te comenta:
   Esta noche quiero salir de fiesta hasta las cinco o las seis de la mañana. ¿Qué discotecas me recomiendas?
4. Tu instructor de español, que es dominicano, te dice:
   Necesito ideas sobre algún lugar interesante para celebrar mi santo este año. ¿Tienes alguna sugerencia?

3–12. Los estereotipos. A continuación vas a leer cinco generalizaciones sobre las culturas hispanas. Usa el *Vocabulario esencial* para expresar duda o certeza.

MODELO

Todos los hispanos hablan el mismo idioma. No hay variaciones regionales.
¡Dudo que todos los hispanos hablen el mismo idioma, sin variaciones regionales!

1. Todos los hispanos votan por candidatos demócratas.
2. Los jóvenes hispanos saben hablar y escribir español.
3. Los hispanos tienen todos la misma religión: el catolicismo.
4. La comida de todos los países hispanos es muy picante.
5. En la cultura hispana, se habla en voz muy alta.

3–13. Una prueba. En parejas, analicen la información de este mapa sobre la distribución geográfica y el porcentaje de residentes hispanos en los Estados Unidos. Sigan estos pasos: 1. Cada uno de ustedes debe escribir una afirmación cierta y una falsa sobre la infomación del mapa; 2. Léanle sus dos oraciones al/a la compañero/a; 3. Reaccionen oralmente a las oraciones que escuchan.

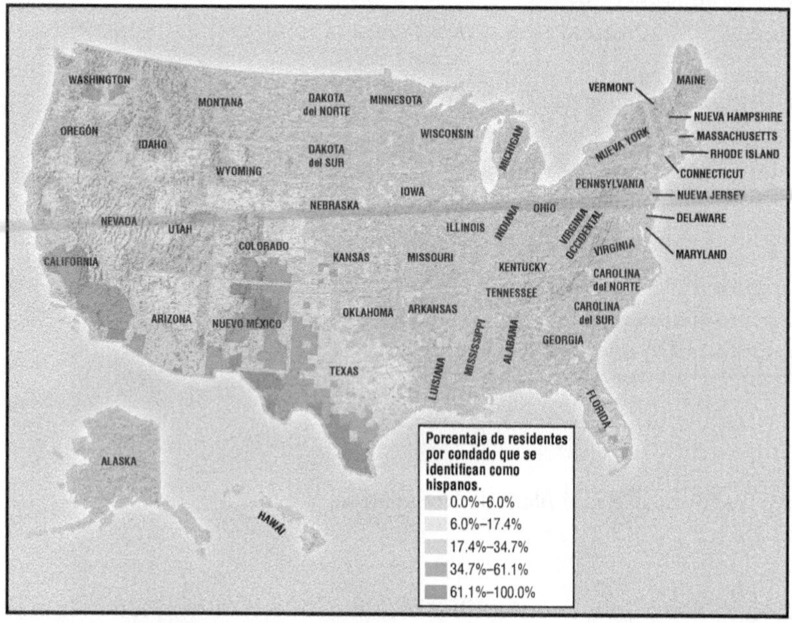

Durante la década de 1980, Estados Unidos abrió sus puertas a más inmigrantes que en el pasado. La mayoría llegó de Latinoamérica y hablaba español. Estados Unidos es hoy el quinto país donde más se habla español. En 1990 el número de hispanos en EE. UU. sobrepasaba los 22 millones, en el año 2000 había más de 35 millones y en 2012 había 52.4 millones.

MODELO

Estudiante A:
En Oregón hay menos hispanos que en Kentucky.
Estudiante B:
No es cierto que en Oregón haya menos hispanos.

3–14. Cóctel de noticias. En parejas, lean estos titulares de un periódico imaginario. ¿Cuáles les parecen más probables? Reaccionen usando la lógica y el *Vocabulario esencial.* Después, preparen tres o cuatro titulares de noticias que ustedes piensan que **sí** pueden ocurrir. Escriban titulares relacionados con la inmigración, la política, la educación, etc.

MODELO

El gobierno de Cuba devolverá las propiedades (*properties*) de los cubanos que se exiliaron en la década de 1960.
No es probable que el gobierno de Cuba devuelva las propiedades de los cubanos que viven en el exilio.

1. El gobierno de EE. UU. va a abrir las fronteras a todos los inmigrantes.
2. El español será el idioma oficial de California algún día.
3. Los inmigrantes cubanos son esencialmente refugiados políticos.
4. En el año 3000 la mayoría del Congreso de los EE. UU. será de origen hispano.
5. ¡Nuevo en el mercado: un libro de texto para aprender español en una semana!

Vocabulario para conversar

Expresar tus opiniones

When talking about a subject, you will express your opinions and also react to the other person's opinions on the subject. The following expressions will help you hold a discussion more effectively in Spanish.

Expresar tu opinión:

Creo que...	*I think that...*
En mi opinión...	*In my opinion...*
Me parece absurdo (una tontería).	*It seems absurd (silly) to me.*
Me parece interesante.	*I think it is interesting.*
Me parece...	*I think (It seems to me)...*
Prefiero...	*I prefer...*

Reaccionar a la opinión de otros:

(No) Estoy de acuerdo.	*I (dis)agree.*
(No) Tienes razón.	*You are (not) right.*
¿Por qué dices eso?	*Why do you say that?*
Absolutamente.	*Absolutely.*
Por supuesto.	*Of course.*
Yo también.	*Me too.*
A mí también me gusta/ me molesta.	*I like it too / It also bothers me.*
Yo tampoco.	*Me either.*
A mí tampoco me gusta/ me molesta.	*I don't like it either / It doesn't bother me either.*

Preguntar qué opinan:

¿Qué crees (opinas)?	*What do you think?*
¿Qué te parece?	*What do you think?*

3–15. Palabras en acción. El departamento de Humanidades de su universidad ha decidido cambiar los requisitos de graduación para asegurarse de que todos los estudiantes tengan una educación a nivel internacional antes de graduarse. Aquí tienen un resumen de las nuevas normas. En parejas, lean la información y expresen su opinión sobre cada punto. Después, entrevisten a otra pareja para saber su opinión. ¿Están de acuerdo?

Estos son los nuevos requisitos adicionales de graduación para todos los estudiantes de Humanidades. Se deben cumplir en sustitución de los requisitos anteriores.

1. Todos los estudiantes deben estudiar un mínimo de dos idiomas durante los cuatro años de la carrera.
2. Todos los estudiantes deben pasar un mínimo de seis meses viviendo en una comunidad donde se hable uno de los idiomas que estudian.
3. Todos los estudiantes deben participar en una campaña política que defienda algún interés particular de la cultura que estudian.
4. Todos los estudiantes deben demostrar un amplio conocimiento del idioma y la cultura que estudian. Para demostrar este conocimiento, los estudiantes deben:
   - saber preparar un mínimo de tres platos típicos de esa cultura
   - conocer la música y los bailes tradicionales asociados con esa cultura
   - saber cuáles son las costumbres establecidas durante las celebraciones importantes
   - conocer la historia y el origen de esa cultura y ese idioma.
5. Todos los estudiantes deben conocer las obras más importantes en la pintura, literatura y otras artes de esa cultura. Los estudiantes que contribuyan sus propias obras de arte a alguna comunidad de esa cultura recibirán puntos adicionales.

3–16. Debate. En grupos de cuatro, elijan uno de los temas de la lista para debatir en clase. Dos estudiantes deben expresar opiniones a favor y los otros dos en contra. Usen el vocabulario de la página 95 cuando sea necesario.

1. Los inmigrantes indocumentados en EE. UU.: el gobierno debe reforzar (*reinforce*) la vigilancia en las fronteras para evitar la entrada de más trabajadores ilegales.
2. La educación bilingüe: el estado de California debe reconsiderar las consecuencias de la Proposición 227, según la cual el inglés debe ser la única lengua que se utilice en la enseñanza de las escuelas públicas.
3. El estudio de una lengua extranjera a nivel universitario: debe ser un requisito, ¿sí o no?
4. El estudio de las matemáticas y las ciencias a nivel universitario: debe ser un requisito, ¿sí o no?
5. La educación universitaria para los hispanos: las universidades deben facilitar la admisión de los/las alumnos/as hispanos/as.

CURIOSIDADES

"México Americano", de Rumel Fuentes, interpretada por Los Lobos

Los Lobos comenzaron su carrera musical en Los Ángeles en los años 70. Desde entonces, su combinación ecléctica de rock, Tex-Mex, country, folk, R&B, blues y música tradicional mexicana les ha encantado a los aficionados de todo el país. A veces componen sus letras en español, otras veces en inglés y en algunas ocasiones mezclan las dos lenguas. La letra de "México Americano" representa una celebración de las raíces biculturales de estos músicos. Esta canción es una ranchera, un género musical tradicional en México.

3–17. Análisis.

A. Tu instructor/a te dará instrucciones sobre dónde encontrar la letra de la canción *México Americano.* Lean la letra de la canción para encontrar dos referencias a cada uno de los siguientes temas:

1. el bilingüismo
2. la dignidad del mexicano-americano
3. los dos países de la identidad mexicano-americana
4. el aspecto bicultural de la identidad mexicano-americana

B. En su opinión, ¿qué significan o comunican las siguientes frases?

1. "la raza de oro"
2. "por destino soy americano"
3. "los defiendo con honor"

TEMA 2

Ser bilingüe

©AP/Wide World Photos

©Claudio Bresciani/Retna

Por si acaso

Expresiones útiles para comparar respuestas con otro estudiante

¿Qué tienes/ pusiste en el número 1/ 2/ 3?
Yo tengo/ puse a/ b.
Yo tengo algo diferente.
No sé la respuesta./ No tengo ni idea.
Creo que la respuesta es a/ b, pero no estoy seguro/a.
Creo que es cierto./Creo que es falso.

A escuchar

Entrando en materia

3–18. Analizando las palabras. Trabajen en parejas para contestar lo siguiente:

- Mencionen un sinónimo de la palabra *lengua*.
- Expliquen el significado de las dos partes de la palabra *bilingüe*.
- Mencionen dos palabras que contengan una de las dos partes.

3–19. ¿Qué sabemos? En parejas, lean las afirmaciones de abajo y decidan si son ciertas o falsas.

1. La mayoría de las personas en el mundo son monolingües.
2. Ser bilingüe significa dominar (*master*) dos lenguas perfectamente.
3. Para aprender español es suficiente vivir en un país hispano.
4. Es posible ser bilingüe prácticamente a cualquier (*any*) edad.

3–20. Vocabulario: Antes de escuchar. Identifica la definición que corresponde a las palabras marcadas en negrita en el contexto en que aparecen.

Vocabulario en contexto

1. Una persona es multilingüe cuando habla **al menos** dos lenguas.
2. La población **mundial** es de 7 mil millones de personas.
3. Se **estima** que para el año 2050 el número de personas bilingües en EE. UU. será mayor que el de hoy.
4. Muchas personas **cuestionan** los beneficios de la educación bilingüe.
5. La **veracidad** de las palabras se confirma en las acciones.
6. La **mitad** de cien es cincuenta.
7. La historia de El Dorado es un **mito**.
8. Es un **hecho** que el bilingüismo es tan común como el monolingüismo.

Definiciones

a. calcular aproximadamente
b. dato comprobado
c. cincuenta por ciento
d. adjetivo derivado de la palabra *mundo*
e. una historia, idea o creencia popular que no tiene base científica u objetiva
f. poner en duda
g. cualidad de ser verdad
h. como mínimo

Estrategia: Identificar los enlaces entre palabras

Si escuchas con atención a un hispanohablante, te darás cuenta de que a veces es difícil determinar dónde empieza una palabra y dónde termina. Esto ocurre porque en español existe el enlace, o *linking* en inglés. Por eso, la oración "Es importante empezar a estudiar" se pronuncia "E-sim-por-tan-tem-pe-za-ra-es-tu-diar". Como ves, las palabras se encadenan unas con otras sin pausas entre ellas. Antes de escuchar la miniconferencia de este capítulo, lee en voz alta estas oraciones de la miniconferencia y practica los enlaces entre palabras:

1. Lo encontramos en el hecho de que la mayoría de los países tienen una lengua oficial.

   Lo-en-con-tra-mo-se-ne-le-cho-de-que-la-ma-yo-rí-a-de-los-pa-í-ses-tie-ne-nu-na-len-gua-o-fi-cial.

2. ...siempre asociamos este país con el idioma alemán a pesar de que en diferentes partes de Suiza se habla también el francés.

   ... siem-pre-a-so-cia-mo-ses-te-pa-ís-co-ne-li-dio-ma-le-má-na-pe-sar-de-quen-di-fe-ren-tes-par-tes-de-Sui-za-se-ha-bla-tam-bié-nel-fran-cés.

MINICONFERENCIA Mitos sobre el bilingüismo

Ahora su instructor/a va a presentar una miniconferencia.

Michael Newman/PhotoEdit

3–21. Resumen. En la mininconferencia se mencionan cuatro mitos sobre el bilingüismo. ¿Cuáles son? En parejas, resuman en sus propias palabras en qué consiste cada uno de estos mitos.

1. Mito 1:
2. Mito 2:
3. Mito 3:
4. Mito 4:

3–22. Vocabulario: Después de escuchar. Completa el párrafo con la expresión apropiada de la lista: **cuestionan, al menos, mundial, mitad, se estima, mito**.

Hoy en día, algunas personas (1) ____________ el valor de estudiar una lengua extranjera. Estas personas creen en el (2) ____________ de que no se puede aprender otro idioma después de cierta edad. Sin embargo, (3) ____________ que la mayoría de la población (4) ____________ es bilingüe o multilingüe y no todos dominan a la perfección todas las lenguas que hablan. Si más de la (5) ____________ de las personas hablan (6) ____________ dos idiomas, ser bilingües nos colocará (*place*) dentro de esa mayoría.

3–23. Más detalles. En parejas, contesten estas preguntas y después comparen sus respuestas con las de otros grupos. ¿Entendieron todos lo mismo?

1. ¿Cuál de estos mitos tiene más importancia para ustedes? ¿Por qué?
2. ¿Están de acuerdo con la opinión del narrador sobre todos estos mitos? ¿Hay algún punto con el que no estén de acuerdo? ¿Cuál?
3. Como estudiantes de español, ¿qué lección práctica pueden derivar de la información sobre el tercer mito?
4. ¿Creen que la relación entre la edad y el estudio de una lengua extranjera es un factor determinante en la habilidad de hablar otro idioma correctamente?

Gramática

Second Use of the Subjunctive: After Expressions of Emotion

In *Tema 1*, you studied the use of present subjunctive to express uncertainty, doubt, or denial. In the following section you will learn information about the use of the subjunctive when there is an expression of emotion in the independent clause.

When the verb in the independent clause expresses emotion, use the subjunctive in the dependent clause.

The most common verbs that express emotion fall into three distinct patterns. Study the *Vocabulario esencial* to learn examples of each pattern.

1. The person experiencing the emotion is the subject of the verb.

   Los padres de niños bilingües **tienen miedo** de que sus hijos **pierdan** una de las dos lenguas.
   *Parents of bilingual children **are afraid** that their children **may lose** one of their two languages.*

   Mi instructor de español **se alegra** de que los estudiantes **no hablen** inglés en clase.
   *My Spanish instructor **is glad** that his students **don't speak** English in class.*

2. The person experiencing the emotion is the indirect object of the verb.

   Me pone triste que **haya** una ley en contra de la educación bilingüe en California.
   ***It saddens me** that **there is** a law against bilingual education in California.*

   A algunos estudiantes **no les gusta** que su universidad **tenga** un requisito para estudiar una lengua extranjera.
   *Some students **don't like** that their university **has** a foreign language requirement.*

3. The emotion is communicated with an impersonal expression (SER + adjective + que...).

   Es bueno que los padres de los niños bilingües **hablen** las dos lenguas en casa.
   ***It's good** that the parents of bilingual children **speak** the two languages at home.*

   Es fantástico que mi compañero de apartamento **sea** bilingüe.
   ***It's great** that my roommate **is** bilingual.*

WileyPLUS Go to *WileyPLUS* to review this grammar point with the help of the **Animated Grammar Tutorial** and **Verb Conjugator.** See also textbook Appendices with Grammar References and verb tables. For more practice, go to the **Activities Manual.**

3–24. La gente opina. En parejas, lean las opiniones siguientes sobre la Proposición 227, la ley de la educación monolingüe en California. En cada opinión, identifiquen los ejemplos del subjuntivo para expresar una emoción. Después, completen las frases siguientes con un verbo lógico según la opinión de cada persona.

El lugar de la lengua española en EE. UU.

Opinión 1: Me criaron en el Valle de San Joaquín, California, viendo películas mexicanas y escuchando la música de Pedro Infante, Jorge Negrete y Los Panchos, entre muchos otros. El español fue mi primer

Vocabulario esencial

Expresar emoción

La persona es el sujeto

alegrarse (de)	*to be glad*
estar contento/a (de)	*to be happy*
odiar/detestar	*to hate*
sentir (ie)	*to regret*
temer	*to fear*
tener miedo (de)	*to be afraid*

La persona es el objeto indirecto

entristecerle	*to sadden one*
gustarle	*to please one*
molestarle	*to bother one*
ponerle triste	*to make one sad*
preocuparle	*to worry one*
sorprenderle	*to surprise one*

Las expresiones impersonales

es bueno	*it's good*
es fantástico	*it's great*
es increíble	*it's unbelievable*
es interesante	*it's interesting*
es lamentable	*it's lamentable*
es una lástima	*it's a shame*
es malo	*it's bad*

idioma. Ahora, cuando limpio la cocina o doblo la ropa, me encanta escuchar la música de los mariachis o baladas mexicanas en la radio. Somos 52.4 millones de hispanos en Estados Unidos. El español se ha hablado en Nuevo México desde el año 1600. Hablo español e inglés y no quiero perder ninguno de los dos. Los latinos reconocemos que aprender inglés es muy importante, pero me molesta que para aprender inglés tengamos que perder el español.

Opinión 2: Los hijos de la señora Gómez participaron en un programa de educación bilingüe. Hoy sus hijos tienen excelentes puestos de trabajo gracias a su dominio del inglés y del español. Por eso, a la señora Gómez le parece importante que los colegios ofrezcan clases en las dos lenguas. Su familia votó en contra de la Proposición 227 porque significa el fin de 30 años de educación bilingüe en California.

Opinión 3: El señor Feria votó a favor de la Proposición 227. "Honestamente, estoy sorprendido de que la gente esté en contra de esta proposición. La única manera de aprender inglés es por medio de la inmersión total", dijo el señor Feria. "Nunca participé en un programa bilingüe y hoy no podría ser instructor de vuelo sin hablar bien el inglés".

Opinión 1:

A la señora le molesta que los niños hispanos _______________ su lengua materna.
Ella cree que es bueno que los latinos _______________ el inglés.

Opinión 2:

La señora Gómez está contenta de que sus hijos _______________ para compañías bilingües.
Le preocupa que los colegios no _______________ clases bilingües en el futuro.

Opinión 3:

El señor Feria se alegra de que California _______________ una ley de educación en inglés.
Le sorprende que muchas personas _______________ en contra de la proposición.
En su trabajo, es importante que los instructores _______________ inglés.

3-25. La realidad del bilingüismo. Lean estos hechos relacionados con el bilingüismo y escriban una reacción, usando el *Vocabulario esencial*: ¿les sorprende?, ¿les gusta?, ¿es fantástico?

1. Se puede aprender un idioma después de la pubertad.
2. Al menos la mitad de la población mundial es bilingüe o multilingüe.
3. El bilingüismo perfecto no existe.
4. Pocas personas adquieren el acento nativo después de la adolescencia.
5. Los estudiantes de una segunda lengua se consideran bilingües.
6. No dominamos a la perfección nuestra lengua materna.
7. No aprendes un idioma simplemente viviendo en el país donde se habla.

3-26. Conflictos. Ustedes comparten el mismo cuarto y las diferencias personales están causando muchos problemas. Hoy, van a tener la oportunidad de decirle a la otra persona cómo se sienten. La otra persona debe responder de forma diplomática (no hay más cuartos disponibles, ¡así que tienen que llevarse bien!). Usen el *Vocabulario esencial* y el subjuntivo para expresar sus emociones.

MODELO

Estudiante A: Odio que tu novio/a esté en nuestro cuarto todo el día.
Estudiante B: Me molesta que tú nunca te levantes antes del mediodía.

Vocabulario para conversar

Expresar tus sentimientos

In addition to the expressions that require the subjunctive in the dependent clause, there are other ways to communicate your feelings or react to the feelings of others.

Expresar compasión:

¡Pobrecito/a!	*Poor thing!*
¡Lo siento mucho!	*I am very sorry!*
¡Qué mala suerte!	*What bad luck!*
¡Qué lástima/ pena!	*What a pity!*

Expresar sorpresa:

¡Qué sorpresa!	*What a surprise!*
¡Eso es increíble!	*That's incredible!*
¡No me digas!	*You don't say!*
¡Qué suerte!	*How lucky!*
¿De verdad?	*Really?*

Expresar molestia:

¡Ya no aguanto más!	*I can't stand it anymore!*
Siempre es lo mismo.	*It is always the same thing.*
Estoy harto/a de...	*I am fed up with . . .*
¡Es el colmo!	*It is the last straw!*

3-27. ¿Cuál es la expresión apropiada? Ahora que ya resolviste tus diferencias con tu compañero/a de cuarto, es el momento de demostrar tu solidaridad hacia esta persona. Responde a estos comentarios de tu compañero/a, con una expresión adecuada.

1. ¿Sabes qué? Mi gato se rompió una pata ayer y ahora no puede caminar.
2. Mi novio/a ya no va a molestar más. El sábado le propuso matrimonio a otra persona.
3. Si saco buenas notas en mis clases de inglés, mi padre me va a regalar un Ferrari.
4. Oye, ayer me puse tu chaqueta nueva para ir a una cita y la manché *(stained)* con café.
5. No tengo suficiente dinero para llamar a mi país todas las semanas.

3-28. Situaciones. En parejas, seleccionen dos de las siguientes situaciones y represéntenlas. Preparen la situación durante cinco minutos y usen el *Vocabulario para conversar* para expresar sus sentimientos o para reaccionar a los sentimientos de la otra persona.

Situación 1

ESTUDIANTE A: Eres un/a estudiante mexicano-americano y no has sido admitido en la fraternidad/sororidad a la que pertenece tu amigo/a. Te quejas de tu situación porque crees que es un caso de discriminación racial.

ESTUDIANTE B: Reacciona al problema de tu amigo/a con sorpresa. Tú no crees que sea un caso de discriminación racial.

Situación 2

ESTUDIANTE A: Te acabas de enterar de que no te puedes graduar sin pasar el examen final de español. Tú estudias ingeniería y no entiendes por qué tienes que hacer ese examen. Estás muy enojado/a.

ESTUDIANTE B: Reacciona a la situación con compasión. Háblale a tu amigo/a de los beneficios que aprender español puede aportar a su carrera profesional.

Situación 3

ESTUDIANTE A: Tienes un/a vecino/a que escucha música a todas horas. Tú has llegado al límite de tu paciencia porque la música está muy alta y no puedes estudiar.

ESTUDIANTE B: Reacciona con sorpresa a las quejas de tu vecino/a.

CURIOSIDADES

El préstamo léxico

Uno de los efectos del bilingüismo y de las lenguas en contacto es que los hablantes adoptan y adaptan palabras entre las dos lenguas. El inglés presenta muchos ejemplos de este fenómeno que se llama préstamo *(borrowing)* léxico.

3-29. Identificación de préstamos léxicos. En parejas, miren la lista de las palabras en inglés. ¿Pueden identificar la palabra en español que originó cada una? Después, van a crear su propia lista de préstamos léxicos. Su instructor/a les va a decir cuándo pueden comenzar. La pareja que prepare la lista más larga en un minuto, ¡gana!

Palabras en inglés	**Palabras en español**
calaboose (jail)	*villa*
Montana	*lagarto*
alligator	*vaquero*
lasso	*juzgado*
hoosegow (jail)	*montaña*
canyon	*cañón*
buckaroo	*calabozo*
villa	*lazo*

TEMA 3

Lenguas en contacto

Lectura

Por si acaso

Expresiones útiles para comparar respuestas con otro estudiante

¿Qué tienes/ pusiste en el número 1/ 2/ 3?
Yo tengo/ puse a/ b.
Yo tengo algo diferente.
No sé la respuesta./ No tengo ni idea.
Creo que la respuesta es a/ b, pero no estoy seguro/a.
Creo que es cierto./Creo que es falso.

Entrando en materia

3-30. Observaciones. Mira el título y las ilustraciones de la lectura en las páginas 107–108.

- ¿Cuál es el tema de la lectura?
- La palabra *espanglish* aparece en la lectura. ¿Saben el significado del término *espanglish?*

3-31. Vocabulario: Antes de leer. Completa las siguientes oraciones con una palabra de la lista. Observa el contexto de cada palabra en las lecturas y/o consulta la lista de vocabulario al final del capítulo.

actual	**lectores**	**informática**	**echar una mano**	**tema**
enviar	**polémico**	**traductor**	**gracioso (cómico)**	

1. El __________ central de esta unidad es la lengua española.
2. Mi hermano se ríe cuando hablo español porque piensa que es un idioma muy __________.
3. El bilingüismo en EE. UU. es un tema __________ porque hay muchas personas a favor y en contra.
4. __________ es una forma coloquial para decir "ayudar".
5. A mí me gusta la música __________, como el *hip hop*. La música vieja no me gusta.
6. Un __________ es una persona que cambia un texto de una lengua a otra.
7. Mandar una carta es lo mismo que __________ una carta.
8. La __________ es la ciencia de la computación.
9. Las personas que leen un texto son los __________ de ese texto.

¿Qué es el espanglish?

El espanglish o spanglish, como sugiere la palabra, es una forma de hablar que combina el español y el inglés (*Span-*: ***Span**ish*, *-glish*: *En**glish***). Esta mezcla entre las dos lenguas se manifiesta en el vocabulario y también en la sintaxis. El uso del espanglish, que se origina en el habla de la calle, es cada vez más común en los medios oficiales de comunicación, como la radio y la televisión, e incluso está presente en la literatura. Los detractores del espanglish lo consideran un ataque contra el idioma español o una forma de degradar el idioma. Los defensores ven el espanglish como un rasgo más de las culturas fronterizas, las cuales son híbridas en sus costumbres, comidas, música y arquitectura.

A continuación hay algunos ejemplos de espanglish: la carpeta (de *carpet*), la troca (de *truck*), la yarda (de *yard*), vacumear (de *to vacuum*), la marqueta (de *market*), el rufo (de *roof*), chatear (de *to chat*).

Muchos estudiantes usan sin darse cuenta términos en espanglish en la clase de español, especialmente cuando no saben el significado de alguna palabra o cuando no están seguros de cómo se dice algo. ¿Puedes pensar en una ocasión en la que usaste una palabra que combinaba el español y el inglés?

Una presentación sobre el espanglish

Marta tiene que preparar una presentación sobre el fenómeno del espanglish para una clase de comunicación. Ha leído algunos artículos en la Red sobre el tema. En esta conversación, Marta habla de su presentación con su amigo Santiago.

3-32. ¿Comprendes? ¿Puedes responder a estas preguntas?

1. ¿Cuál es el tema de la conversación entre Marta y Santiago?
2. ¿Qué tipo de artículo busca Marta?
3. ¿Qué característica debe tener el tema de la presentación de Marta?
4. ¿Qué le recomienda Santiago a Marta?

A continuación tienes el artículo "Ciberidioteces" que Santiago le recomendó a Marta.

Ciberidioteces

LA GUERRA ENTRE EL ESPANGLISH Y EL ESPAÑOL

Carta al director de ***Web***

Estimado señor Martos:

Acabo de leer el artículo de la página tres de su revista y me he quedado tan sorprendido que no he podido resistirme a **enviarle** este mensaje. Soy **traductor** de cuestiones técnicas y de **informática** del inglés al español y me gustaría comunicarle mi reacción a la carta que usted les escribió a los lectores de la revista *Web*.

Me sorprende que usted use términos como "linkar" y que critique a los que usan "enlazar". Tampoco es aceptable que usted recomiende a sus lectores que lean el glosario de ciberespanglish creado por Yolanda Rivas. Debo decirle que Yolanda Rivas es una estudiante peruana que estudia en EE. UU. y que casi ha olvidado su español. A mí me da igual si usted habla ciberespanglish, lo que me preocupa más es que aconseje a los lectores de su revista que lo usen. Tengo la sospecha de que con su defensa del ciberespanglish usted intenta esconder su limitado conocimiento de la lengua española.

Un saludo cordial,

Xosé Castro Roig, Madrid

Courtesy of Xosé Castro Roig

Xosé Castro Roig

Xosé Castro Roig, "La guerra entre el espanglish y el español". Carta al director de *Web*. Reprinted with permission @xosecastro.

3-33. Comprensión. Según la carta de Xosé Castro Roig, asocia los siguientes conceptos con una (o más) de estas personas: Yolanda Rivas (YR), Xosé Castro Roig (XC), el director de *Web* (DW):

1. _____ el ciberespanglish
2. _____ traductor de informática
3. _____ carta al director
4. _____ carta a los lectores
5. _____ estudiante peruana
6. _____ limitado conocimiento del español

¿Cómo se dice "linkar" (espanglish para *to link*) en español?

3-34. Vocabulario: Después de leer. Hazle estas preguntas personales a tu compañero/a prestando atención al vocabulario nuevo. El/La estudiante que responda debe intentar usar el vocabulario en las respuestas.

1. ¿Cuál es uno de los **temas** que estudiamos en este capítulo? ¿Qué **tema** te gustó más? ¿Por qué?
2. ¿Me puedes contar una anécdota sobre algo **cómico** que te ocurrió una vez?
3. ¿Hay algún tema **polémico** en tu universidad o tu comunidad que te interese? ¿Cuál es? ¿Por qué es **polémico**?
4. ¿Cuándo fue la última vez que alguien te **echó una mano**? ¿Qué pasó? ¿Por qué necesitabas ayuda?
5. ¿Te gustaría ser **traductor** de profesión? ¿Por qué?
6. ¿Te interesa la **informática**? ¿Cuántas clases de **informática** has tomado en tu vida?
7. ¿Eres **lector/a** de libros de ficción? ¿Cuáles son algunas de tus lecturas favoritas?
8. ¿Cuándo fue la última vez que **enviaste** una carta por correo? ¿Cuándo fue la última vez que **enviaste** un e-mail?
9. ¿Puedes mencionar uno o dos problemas **actuales** que tienes en la clase de español?

3-35. ¿Espanglish o español puro? Xosé Castro Roig es purista —le molesta que se use espanglish para hablar de la informática—. Yolanda Rivas y el director de *Web* son menos puristas y usan el espanglish cuando escriben. ¿Qué opinan ustedes?

A. Primero, comenten las siguientes preguntas para determinar su opinión.

1. ¿Cómo se diferencia la lengua que ustedes hablan de la lengua que hablan sus padres? Piensen en tres ejemplos específicos de vocabulario, expresiones o gramática.
2. Muchas personas mayores critican fuertemente la jerga (*slang*) usada por los jóvenes en sus conversaciones y en sus comunicaciones electrónicas. ¿Cuáles son los argumentos de los mayores? ¿Cuáles son los argumentos en defensa de la jerga de los jóvenes?
3. El uso de espanglish ha crecido entre las nuevas generaciones de hispanos que han nacido en Estados Unidos, donde el inglés y el español están en contacto. ¿Se pueden usar los mismos argumentos de la pregunta 2 para criticar/defender el espanglish? Escriban un argumento en contra y un argumento a favor del uso del espanglish.
4. En el futuro, ¿será el espanglish más o menos común? ¿Pueden coexistir el español "puro" y el espanglish? ¿Es importante conservar el español puro? Expliquen sus respuestas.

B. Ahora, escriban una carta al director de *Web* expresando su opinión sobre el espanglish o español puro. Incorporen expresiones de duda y certeza del *Tema 1* y verbos de emoción del *Tema 2*. Deben incluir una introducción ("Estimado...") y una despedida ("Un saludo cordial").

C. Comparen sus opiniones con las de otros grupos de la clase. ¿Son similares? ¿Qué grupo escribió la carta más convincente?

Gramática

In the previous conversation between Marta and Santiago, you read how Santiago gave a recommendation to Marta when he said "Te recomiendo **que lo leas.**" In this section you will learn how to give recommendations and advice to others using the subjunctive.

Third Use of the Subjunctive: After Expressions of Advice and Recommendation

When the verb in the independent clause expresses advice, recommendation, or makes a request, use subjunctive in the dependent clause.

Independent Clause	Dependent Clause
Advice:	
El instructor **aconseja** *The instructor **recommends***	que los estudiantes **estudien**. *that the students **study**.*
Suggestion:	
Sugiero ***I suggest***	que **busques** información en la red. *that **you look for** information on the Web.*
Request:	
El estudiante **quiere** *The student **wants***	que el instructor **explique** el subjuntivo. *the instructor **to explain** the subjunctive.*

Study the *Vocabulario esencial* on next page to learn verbs used to recommend, suggest, or request.

WileyPLUS Go to *WileyPLUS* to review this grammar point with the help of the **Animated Grammar Tutorial** and **Verb Conjugator.** See also textbook Appendices with Grammar References and verb tables. For more practice, go to the **Activities Manual.**

3–36. Identificación. Tyler estudia en otra universidad y te comenta a ti las sugerencias de su instructora.

1. Identifica el verbo usado para sugerir y la actividad que la instructora sugiere.
2. Compara las sugerencias de la instructora de Tyler con las de tu instructor/a. ¿Son iguales?

MODELO

Tyler: Mi instructora prefiere que los estudiantes trabajen en parejas.
Verbo usado para sugerir: preferir
Actividad: trabajar en parejas
Tú: Mi instructor también prefiere que trabajemos en parejas.

1. Mi instructora pide que asistamos a clase todos los días.
2. Ella insiste en que los estudiantes siempre hablen español en clase.
3. También sugiere que estudiemos la gramática en *WileyPLUS.*
4. Siempre prohíbe que los estudiantes coman en clase.
5. Además, desea que completemos tareas todos los días.

Vocabulario esencial

Recomendar y pedir

Verbos para recomendar y pedir

aconsejar	*to advise*
decir (i)	*to tell*
desear/querer (ie)	*to want*
insistir en	*to insist*
mandar	*to command*
pedir (i)	*to ask*
permitir	*to permit*
preferir (ie)	*to prefer*
prohibir	*to prohibit*
querer (ie)	*to want*
recomendar (ie)	*to recommend*
rogar (ue)	*to beg*
sugerir (ie)	*to suggest*

Las expresiones impersonales

es aconsejable	*it's advisable*
es importante	*it's important*
es necesario	*it's necessary*

3-37. ¿Qué hago? Marta le pide ayuda a su profesor para preparar su presentación. Usa el *Vocabulario esencial* para completar las recomendaciones.

MODELO

...un tema interesante.
Te sugiero que escojas un tema interesante.

1. ... (consultar) el tema conmigo antes de preparar la presentación.
2. ... (preparar) un esbozo (*outline*) de las ideas más importantes.
3. ... (hacer) un esbozo muy largo.
4. ... (tener) información para hablar durante diez minutos.
5. ... (hablar) más de diez minutos.
6. ... (practicar) tu presentación varias veces.
7. ... (escribir) notas detalladas para la presentación.

3-38. El consultorio cultural. Un grupo de estudiantes ha abierto un consultorio de asuntos culturales en el sitio web de la universidad. Todos los estudiantes pueden enviar cartas electrónicas para pedir consejos sobre temas relacionados con el idioma o la cultura. Hoy, ustedes están trabajando como voluntarios en este consultorio y deben responder a una de las cartas.

1. Primero, determinen cuál es el problema de la persona que envió la carta. Después, hablen sobre las posibles soluciones para ese problema.
2. Preparen una carta de respuesta para el/la estudiante. Deben aconsejarle y recomendarle algunas soluciones al problema.
3. Comparen su carta con las de otros grupos para determinar qué grupo logró encontrar la mejor solución.

Ian Shaw/Stone/Getty Images

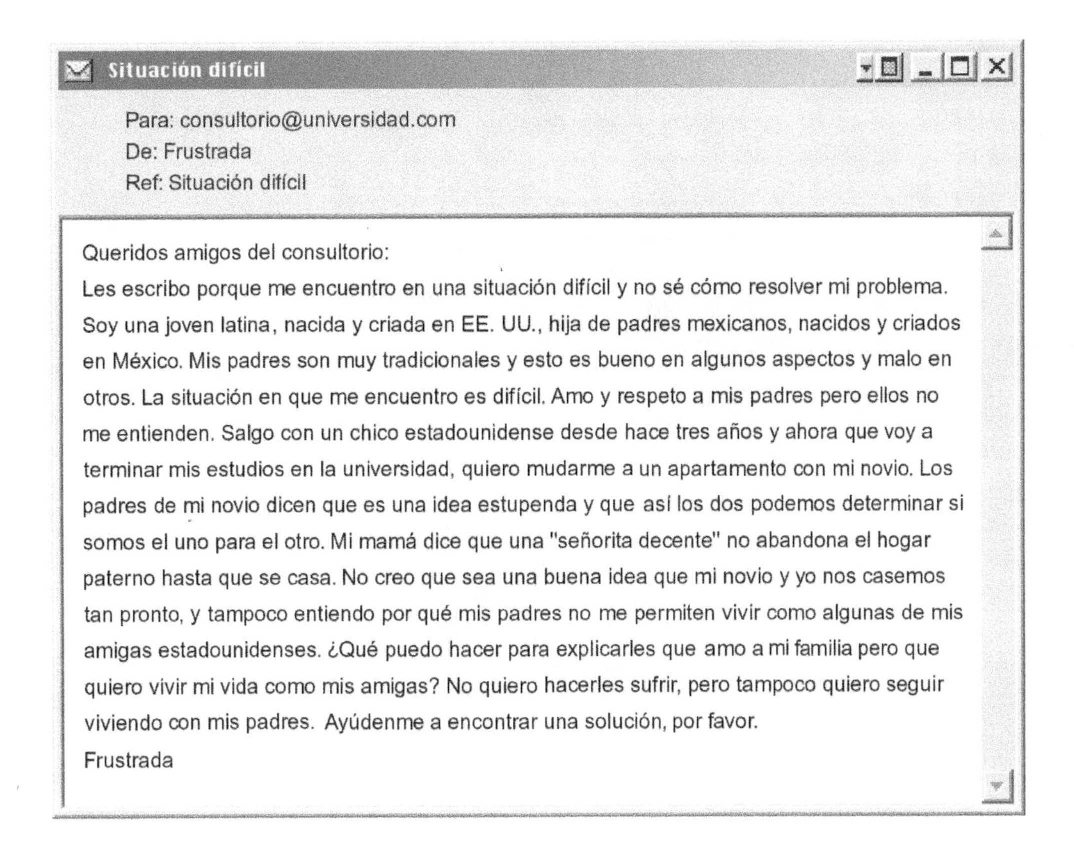
Situación difícil

Para: consultorio@universidad.com
De: Frustrada
Ref: Situación difícil

Queridos amigos del consultorio:

Les escribo porque me encuentro en una situación difícil y no sé cómo resolver mi problema. Soy una joven latina, nacida y criada en EE. UU., hija de padres mexicanos, nacidos y criados en México. Mis padres son muy tradicionales y esto es bueno en algunos aspectos y malo en otros. La situación en que me encuentro es difícil. Amo y respeto a mis padres pero ellos no me entienden. Salgo con un chico estadounidense desde hace tres años y ahora que voy a terminar mis estudios en la universidad, quiero mudarme a un apartamento con mi novio. Los padres de mi novio dicen que es una idea estupenda y que así los dos podemos determinar si somos el uno para el otro. Mi mamá dice que una "señorita decente" no abandona el hogar paterno hasta que se casa. No creo que sea una buena idea que mi novio y yo nos casemos tan pronto, y tampoco entiendo por qué mis padres no me permiten vivir como algunas de mis amigas estadounidenses. ¿Qué puedo hacer para explicarles que amo a mi familia pero que quiero vivir mi vida como mis amigas? No quiero hacerles sufrir, pero tampoco quiero seguir viviendo con mis padres. Ayúdenme a encontrar una solución, por favor.

Frustrada

3-39. Necesito consejos. A continuación tienes una nota electrónica que Marta le escribió a su instructor con algunas preguntas sobre su proyecto. Imagina que eres el profesor García y escribe una respuesta al mensaje de Marta con recomendaciones.

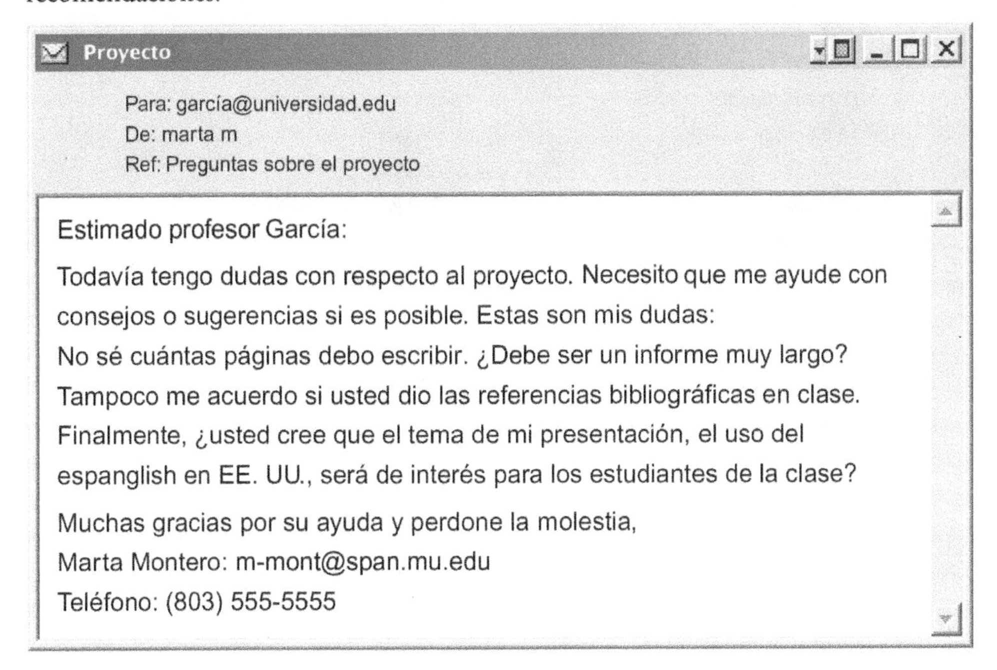
Proyecto

Para: garcía@universidad.edu
De: marta m
Ref: Preguntas sobre el proyecto

Estimado profesor García:

Todavía tengo dudas con respecto al proyecto. Necesito que me ayude con consejos o sugerencias si es posible. Estas son mis dudas:

No sé cuántas páginas debo escribir. ¿Debe ser un informe muy largo?

Tampoco me acuerdo si usted dio las referencias bibliográficas en clase.

Finalmente, ¿usted cree que el tema de mi presentación, el uso del espanglish en EE. UU., será de interés para los estudiantes de la clase?

Muchas gracias por su ayuda y perdone la molestia,

Marta Montero: m-mont@span.mu.edu

Teléfono: (803) 555-5555

Vocabulario para conversar

Pedir y dar consejos

Pedir consejos:

¿Qué debo hacer?	*What should I do?*
¿Qué sugieres?	*What do you suggest?*
¿Qué me aconsejas/ recomiendas?	*What do you recommend?*
¿Qué te parece?	*What do you think?*
No sé qué voy a hacer.	*I don't know what I'm going to do.*

Dar consejos:

¿Por qué no...?	*Why don't you . . . ?*
Te digo que sí (no).	*I am telling you yes (no).*
Trata de...	*Try to . . .*
¿Has pensado en...?	*Have you thought about . . . ?*
Tienes que...	*You have to . . .*
La otra sugerencia es que...	*The other suggestion is that . . .*

3–40. Palabras en acción. Selecciona las expresiones de *Vocabulario para conversar* que mejor respondan a estas preguntas.

1. ¿Qué dices si no estás seguro de cómo resolver un problema?
2. ¿Qué expresión usas para saber lo que piensa otra persona?
3. ¿Qué expresión/ones usas para pedir una sugerencia o recomendación?
4. Cuando le das consejos a otra persona, ¿qué expresión usas para convencerla?
5. ¿Qué expresión usas para dar soluciones alternativas a un problema?

3-41. Situaciones. En parejas, elijan una de las siguientes situaciones para representarla frente al resto de la clase. Recuerden que deben usar las expresiones para pedir y dar consejos siempre que sea posible.

Situación 1

ESTUDIANTE A: Tú eres el/la director/a de estudios internacionales de la universidad. Tienes que seleccionar a los mejores candidatos para estudiar en una universidad española durante un año con todos los gastos pagados. También debes aconsejar a los estudiantes que estén interesados en el programa para que tomen las clases necesarias.

ESTUDIANTE B: Tú eres un/a estudiante de español de primer año que está muy interesado/a en el programa internacional. El problema es que normalmente la universidad no acepta a estudiantes de primer año en este programa. Convence al director de que eres la persona ideal para estudiar en España el próximo año.

Situación 2

ESTUDIANTE A: Tú eres el padre/la madre de un/a niño/a que acaba de empezar el primer grado. Tu hijo/a no habla inglés y quieres asegurarte de que la escuela ofrece clases bilingües para niños/niñas como tu hijo/a. Habla con el/la instructor/a para explicarle tu situación.

ESTUDIANTE B: Tú eres instructor/a de una clase de primer grado en una escuela pública. Tu escuela no ofrece clases bilingües pero tú hablas español muy bien. Habla con el padre/la madre de tu estudiante y recomiéndale qué hacer en su situación.

COLOR Y FORMA

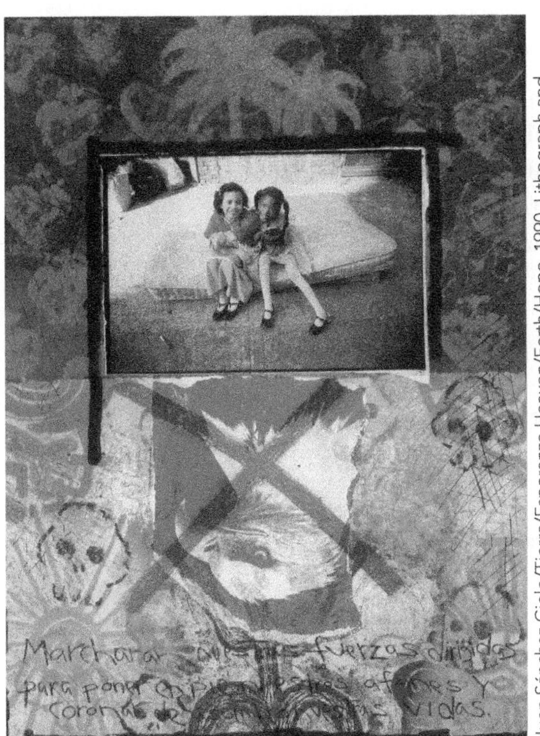

Cielo / Tierra / Esperanza (Heaven / Earth / Hope), de Juan Sánchez, 1990. Litografía y colagrafía en papel hecho a mano.

Cielo/Tierra/Esperanza, de Juan Sánchez

3-42. Mirándolo con lupa. Juan Sánchez nació en Brooklyn, Nueva York, en 1954 de padres puertorriqueños. Su temática es frecuentemente política: critica los efectos del colonialismo estadounidense en Puerto Rico, pero demuestra un fuerte optimismo para el futuro de los puertorriqueños en Estados Unidos. *Cielo/Tierra/Esperanza* combina símbolos del pasado con un mensaje para el futuro. En parejas, completen los siguientes pasos para analizar la obra de este artista.

1. Estudien la parte superior de la obra ("cielo"). ¿Qué símbolos incorpora Sánchez? ¿Qué representan esos símbolos?
2. ¿Y en la parte inferior ("tierra")?
3. Describan la fotografía de las dos niñas: cómo son, dónde están, cómo es su entorno. ¿Qué representan las niñas? ¿Por qué están en la parte superior?
4. ¿Cuál es el tema y/o el mensaje de la obra?

Redacción

3-43. Una carta al editor. Como sabes, muchas universidades estadounidenses requieren que todos los alumnos estudien una lengua extranjera. En esta sección vas a escribir un ensayo de opinión en forma de editorial. El objetivo de esta carta al editor es expresar tu opinión sobre este requisito universitario de estudiar una lengua extranjera. Tu ensayo será "publicado" en el próximo número del periódico universitario.

Preparación

A. Piensa en argumentos a favor y en contra del requisito. Puedes usar información de la red y las siguientes preguntas como guía:

1. Además del conocimiento lingüístico, ¿qué se aprende al estudiar otra lengua?
2. ¿Crees que muchos estudiantes universitarios trabajarán en otros países y/o con empresas multinacionales en el futuro?
3. ¿Cuáles son las ventajas de ser bilingüe desde un punto de vista profesional? ¿Cuáles son las ventajas a nivel intelectual o personal?
4. En tu opinión, ¿aprender otro idioma requiere mucho esfuerzo y tiempo? ¿Vale la pena? (*Is it worth it?*)

B. Piensa en los siguientes puntos:

1. ¿Qué postura *(position)* voy a expresar: a favor, en contra, neutral?
2. ¿Quién es el/la lector/a de mi carta?
3. ¿Cómo voy a comenzar la carta?
4. ¿Qué argumentos voy a dar para apoyar mi opinión?
5. ¿Cómo voy a concluir la carta?

A escribir

1. Presenta el objetivo de tu carta.

MODELO

En esta carta quiero dar mi opinión sobre el requisito de estudiar una lengua extranjera que existe en varias universidades...

2. Desarrolla el tema/los temas de tu carta. Aquí tienes un posible formato para organizar la información.
   - Describe el origen del requisito. ¿Por qué se ha establecido el requisito en tantas universidades estadounidenses?
   - Compara la presencia del requisito entre los diferentes estados de EE. UU. o entre las diferentes escuelas.

- Presenta las diferentes posturas que hay sobre la existencia del requisito.
- Defiende una postura y no olvides dar argumentos de apoyo.

3. Termina la carta resumiendo los puntos más importantes en la conclusión.
4. Para expresar tu opinión puedes usar expresiones como estas:

es necesario que...	es importante que...
creo/ no creo que...	me molesta que...
dudo que...	es fantástico que...

Recuerda lo que has estudiado en este capítulo sobre cómo expresar opiniones.

5. Para hacer transiciones entre las ideas puedes usar las siguientes expresiones.

a diferencia de.../ en contraste con...	*as opposed to . . . /in contrast to . . .*
después de todo	*after all*
en general	*all in all*
en resumen	*in summary*
igual que	*same as, equal to*
por lo tanto	*therefore*
por un lado... por otro lado	*on the one hand . . . on the other hand*
sin embargo	*however*

Revisión

Escribe el número de borradores que te indique tu instructor/a y revisa tu carta usando la guía de revisión del Apéndice C. Escribe la versión final y entrégasela a tu instructor/a.

Ven a conocer

3-44. Anticipación. ¿Qué saben de El Álamo? ¿Qué es? ¿Dónde está? ¿Cuál es su relevancia histórica? ¿Qué significa "Recuerden El Álamo"? Estudien el texto siguiente para encontrar las respuestas a esas preguntas.

San Antonio, Texas:

El Álamo

Library of Congress

HISTORIA

El Álamo en San Antonio, Texas, es una de muchas misiones que España mandó construir en California y Texas en el siglo XVIII para convertir a los indígenas al catolicismo y asimilarlos a la cultura de las colonias españolas. Las misiones eran iglesias fortificadas que servían como centros administrativos de comunidades en que los indígenas trabajaban la tierra bajo la supervisión del sacerdote misionero. La asimilación de los coahuiltecos, término colectivo para los grupos indígenas de Texas, ayudó a España a retener sus intereses territoriales y prevenir la intrusión francesa. No hay duda de que la más conocida de las misiones de Texas es la que ahora se llama "El Álamo."

La fama de El Álamo se debe a la legendaria batalla de 1836. A partir de su independencia de España en 1821, México había invitado a ciudadanos estadounidenses a establecerse en Texas. Muchos de los que aceptaron, llegaron con esclavos para cultivar la tierra. En 1829 México prohibió la esclavitud y los anglo-tejanos comenzaron a organizarse para crear una república independiente. Los secesionistas perdieron la batalla de El Álamo pero ganaron la independencia poco después y formaron la *Lone Star Republic*. El grito "Recuerden El Álamo" representa para algunos el espíritu de rebeldía e independencia de Texas mientras que para otros significa la defensa del interés económico y la violación de los derechos humanos de los esclavos africanos.

LA VISITA

Los visitantes que llegan a la misión de hoy, restaurada y localizada en el mero centro de la ciudad de San Antonio, primero observarán una bella fachada típica de la arquitectura misionera: su puerta principal está rodeada de un sencillo diseño de columnas y arcos. Al pasar por la puerta, se entra en la modesta capilla colonial, al lado de la cual se encuentra un pequeño museo de artefactos históricos. Se visita también el convento, donde vivían los misioneros y los soldados residentes de la misión, y el cementerio, donde se enterraba a las muchas víctimas indígenas de las enfermedades europeas. Desde adentro también se hace evidente el objetivo protector de la misión: los muros altos, gruesos y sin ventanas protegían de ataques de los apache y comanche que no querían ver establecidas comunidades españolas en Texas.

PARA UNA VISITA SEGURA Y AGRADABLE

Los visitantes deben tener en cuenta que es posible que en el momento de su visita se celebren servicios religiosos que no se deben interrumpir. Los turistas no deben ni subirse ni sentarse en las murallas u otras estructuras.

Viaje virtual

Busca información en la red sobre San Antonio y el sur de Texas. Escribe una lista de cuatro lugares para visitar con una pequeña descripción. Incluye un lugar de interés histórico, un lugar para ir de compras, un lugar divertido para los niños y un lugar para observar animales.

3-45. Impresiones del viaje. Con un/a compañero/a, imaginen que su instructor/a les recomendó una visita a El Álamo y ustedes siguieron la recomendación. Escriban una carta para informar a su instructor/a sobre su visita. Redacten dos párrafos: en el primero, incluyan tres hechos históricos que aprendieron en su visita; en el segundo, describan tres aspectos físicos de la misión que observaron. Deben incluir una introducción ("Estimado/a...") y una despedida ("Un saludo cordial").

El escritor tiene la palabra

Alonso S. Perales (1899–1960)

Special Collections, University of Houston Libraries

El abogado Alonso S. Perales nació en Alice, Texas, en 1899. Sirvió en el ejército estadounidense durante la Primera Guerra Mundial y luego en el cuerpo diplomático en Washington, D.C. Como activista y líder, fue miembro fundador de la Orden de los Hijos de América y de la Liga de Ciudadanos Unidos Latinoamericanos (LULAC, por sus siglas en inglés). Como escritor, dedicó su trabajo a la lucha por los derechos civiles de los mexicano-americanos de Texas y publicó ensayos y cartas al editor en español en varios periódicos hispanos además de pronunciar discursos en reuniones públicas en nombre de la causa. El discurso que leerán a continuación se pronunció en San Antonio, Texas, en 1923, y expresa la opinión de Perales sobre las fuentes de los prejuicios raciales en contra de los hispanos. Importante también es la definición que Perales ofrece del hispano como producto del mestizaje racial.

3–46. Entrando en materia. En grupos de tres comenten estas preguntas.

1. ¿Cuáles son algunas causas posibles de los prejuicios raciales? Hagan una lista de cuatro posibilidades.
2. Lean el primer párrafo del discurso donde Perales presenta su opinión. Escriban con sus propias palabras una oración que resuma el argumento de Perales.
3. En el segundo párrafo, Perales expresa su argumento con un dicho ("a cada quien se le dé lo suyo") y un refrán ("no porque todos somos del mismo barro, lo mismo da cazuela que jarro"). *El primero significa literalmente en inglés "give each one his or her due", y el segundo, "just because they're both made of clay, doesn't mean the pot is the same as the jug."* ¿Cuál es la idea de Perales en este párrafo?
   a. La conducta de un individuo tiene su origen en los valores de su comunidad.
   b. No debemos crear generalizaciones basadas en la conducta de un número limitado de individuos.
   c. Los mexicano-americanos usan utensilios de barro en la cocina y por eso muchos creen que son inferiores.

LA IGNORANCIA COMO CAUSA DE LOS PREJUICIOS RACIALES

Un detenido análisis de la situación nos lleva a la conclusión de que el prejuicio racial existente en contra de los mexicanos y de la raza hispana en general se debe, en parte, a la ignorancia de algunas personas que, desgraciadamente para los que aquí vivimos, abundan en el estado de Texas. El hecho de que se considere el mexicano sin excepciones como un ser inferior, demuestra falta de **ilustración**[1] y cultura.

No es mi **propósito**[2] convertirme en un apóstol del socialismo, sino sostener y **abogar**[3] porque *a cada quien se le dé lo suyo*. El mexicano debería ser tomado "por lo que es individualmente" y no por lo que suelen ser otros individuos del mismo origen, pues "*no porque todos somos del mismo barro, lo mismo da cazuela que jarro*".

En el norte y el este de este país, los mexicanos y la raza hispana en general son bienvenidos y respetados. Cierto es que allá también **no deja de haber**[4] algunos ignorantes "**nenes**"[5], ya que no hay regla sin excepción y que hay algunas personas que por muy blanca que su piel sea, **se hallan**[6] aún **a la orilla**[7] de la civilización y de la cultura. En el norte y el este hay bastantes escuelas, colegios y universidades en donde el anglosajón aprende la historia y la psicología de la digna raza hispana. La cultura está **al alcance**[8] de todos – pobres y ricos – dando por resultado que cuando el anglosajón abandona las aulas bien penetrado de los méritos y las **virtudes**[9] de nuestra raza, sabe que cuando se encuentre a un español o a un hispanoamericano, no debe despreciarle y **calumniarle**[10], sino darle la bienvenida, **siquiera**[11] en atención y respeto a los fundadores de este continente, y a los ilustres héroes que figuran en la historia hispano-americana.

Esas personas que nos estudian para mejor comprendernos, no ignoran el grado de civilización que poseían los indios que habitaban la mayor parte de este continente muy antes de la conquista española; saben bajo cuáles auspicios fue descubierta América; no ignoran que los apóstoles que sembraron en el nuevo mundo las primeras **semillas**[12] de la **sabiduría**[13] no fueron anglosajones, sino hispanos; saben quiénes fueron Bolívar, Juárez, Hidalgo y Cuauhtémoc; y, por último, no desconocen los nombres de Ramón de Cajal, Francisco León de la Barra, y muchos otros que muy alto ponen el nombre de la raza hispana.

En el estado de Texas, la situación es muy diferente. Aquí la cultura no es un hecho; **cuando menos**[14] a esta conclusión nos guía la actitud de un gran número de anglo-texanos. Lenta pero seguramente, nos va **aniquilando**[15] la ley escrita.

Además de las humillaciones de que **a menudo**[16] son víctimas nuestros hermanos de raza, hay hoy día ciertos distritos residenciales en San Antonio, y otros lugares en que los mexicanos, no importa cuál sea su posición social, **tropiezan con**[17] dificultades para afincar su residencia. Por consiguiente, aunque queramos ser optimistas, no podemos. Nuestra situación, si la verdad se ha de decir, no es nada satisfactoria.

Por si acaso

Simón Bolívar (1783-1830) Figura clave del movimiento independentista de América del Sur, y primer presidente de La Gran Colombia.

Benito Juárez (1806-1872) Presidente de México y defensor de su constitución liberal; indígena Zapateco de Oaxaca.

Miguel Hidalgo (1753-1811) Sacerdote católico y general de las tropas mexicanas en la guerra por la independencia.

Cuautémoc (¿1495?-1525) Último emperador azteca; fue torturado y ejecutado por Hernán Cortés.

Santiago Ramón y Cajal (1852-1934) Autor y neurólogo español, premio Nobel de medicina en 1906.

Francisco León de la Barra (1863-1939) Político y diplomático mexicano; embajador en Washington entre 1909-1911.

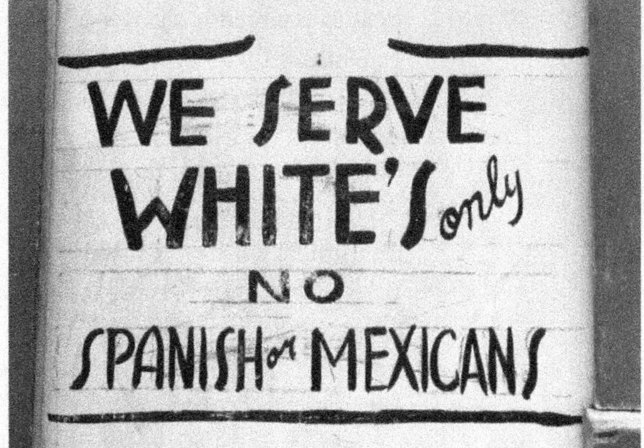

Photo by Russell Lee/The Center for American History, The University of Texas at Austin

1. *enlightenment;* 2. *purpose;* 3. *defend;* 4. *there is no lack of;* 5. *simpletons;* 6. *find themselves;* 7. *on the margins;* 8. *within reach;* 9. *virtues;* 10. *slander;* 11. *if anything;* 12. *seeds;* 13. *knowledge;* 14. *at least;* 15. *destroying;* 16. *often;* 17. *they encounter*

No ha mucho[18] tuve el gusto de escuchar a un prominente abogado angloamericano de esta ciudad pronunciar un elocuente discurso **ante**[19] una **concurrencia**[20] mexicana. Dicho caballero dijo, entre otras cosas, más o menos lo siguiente:

"Amigos: respeto y admiro a la raza mexicana porque conozco su historia. Vosotros debéis sentiros **orgullosos**[21] de ser descendientes de Hidalgo y Juárez".

Un momento después, cuando yo hacía uso de la palabra, dije, aludiendo al discurso del ilustre jurisconsulto, que aquella había sido una bella alocución, la que agradecíamos, y que lo único que **era de lamentarse**[22] era **el que**[23] no hubiese sido pronunciada ante un auditorio angloamericano, **toda vez que**[24] nosotros conocemos nuestra historia étnica, política y demás. Ahora lo que nos gustaría sería que aquellos angloamericanos que no nos comprenden, en vez de odiarnos, sin razón, se tomaran el trabajo en beneficio propio y en justicia para nuestra raza, de estudiarnos para mejor conocernos, y que se decidieran a "darle a cada quien, lo suyo"; es decir, a reconocer los méritos y las virtudes de la digna y noble raza mexicana.

3-47. Identificación de ideas. En grupos de tres, comenten las siguientes preguntas.

1. ¿Qué recomienda Perales para superar los prejuicios raciales?
2. En el tercer párrafo, según Perales, ¿qué se estudia en el norte y el este de Estados Unidos?
3. Al final del discurso, Perales describe una presentación de un "prominente abogado angloamericano". Según Perales, ¿cuál fue el problema con la "bella elocución" del "ilustre jurisconsulto"?

3-48. Nuestra interpretación de la obra. En parejas, comparen sus respuestas a estas preguntas.

1. Perales usa la palabra "mexicanos" para identificar a los hispanos de Texas en 1923. Según lo que ustedes han aprendido en este capítulo sobre la relación histórica entre Texas y México, ¿en qué sentido son estas personas "mexicanos" y en qué sentido no lo son?
2. Perales también habla de la "raza" mexicana y de la "raza" hispana en general. Al final del tercer párrafo cuando se refiere al "pasado ilustre" de esa raza, los lectores comprenden que la identidad racial de los hispanos es variada o "mestiza". Identifiquen tres ejemplos de referencias al elemento indígena del pasado ilustre de los hispanos.
3. Según Perales, se pueden superar los estereotipos, los prejuicios y la discriminación contra los hispanos con la educación de los angloamericanos. ¿Están de acuerdo? ¿Es también importante la educación de los hispanos? ¿Y la educación de otros grupos? Expliquen por qué. ¿Cuáles son otras alternativas posibles para reducir o eliminar los prejuicios?
4. Este discurso se pronunció a principios del siglo XX. Hagan una lista de cuatro características de las relaciones raciales mencionadas en el discurso y digan si esas cuatro observaciones de Perales son todavía vigentes a principios del siglo XXI.

---

18. *not long ago;* 19. *before, in front of;* 20. *gathering;* 21. *proud;* 22. *was regrettable;* 23. *the fact that;* 24. *given that*

WileyPLUS

Go to *WileyPLUS* to see these **videos,** and to find the **video activities** related to them.

Videoteca

Un muralista en defensa de Miami

¿Hay murales en tu ciudad? ¿Qué tipo de imágenes contienen, y qué mensajes comunican? El muralista que vas a conocer en el video utiliza este medio artístico para comunicarse con la gente de Miami y fomentar el diálogo sobre las realidades que expone. Sus murales enseñan la rica historia cultural de la ciudad. A la vez, intentan concienciar a sus ciudadanos sobre los problemas del medio ambiente, en particular los problemas que amenazan el sistema ecológico de Florida.

Conexiones con inmigrantes

Cuando se habla de las oportunidades profesionales o de voluntariado para personas bilingües, ¿en qué campos piensas? Muchos piensan en la medicina, la educación y losnegocios, pero existen muchas posibilidades en diversas áreas. En este video verás cómo unos estadounidenses usan su conocimiento del español para comenzar un programa de radio en esa lengua en los EE. UU. A través de dicho programa, ayudan a los miembros hispanos de su comunidad a navegar el sistema legal y mejorar su calidad de vida en su nuevo país.

Vocabulario

Ampliar vocabulario

actual	*current, present*
al menos	*at least*
crear	*to create*
cuestionar	*to question*
echar una mano	*to lend a hand, to help*
enviar	*to send*
erróneo/a	*erroneous*
estadounidense	*United States citizen*
estimar	*to estimate*
gracioso/a	*funny, comical*
hecho *m*	*fact*
incluir	*to include*
inestabilidad *f*	*instability*
informática *f*	*computer science*
lazo *m*	*tie*
lector/a	*reader*
mitad *f*	*half*
mito *m*	*myth*
mundial	*worldwide*
polémico/a	*polemical, controversial*
racial	*racial*
rasgo *m*	*trait*
tema *m*	*theme, topic*
traductor/a	*translator*
valor *m*	*value*
veracidad *f*	*truthfulness, veracity*

Vocabulario esencial

Expresar duda y certeza

Verbos que expresan duda

dudar	*to doubt*
no creer	*to disbelieve*
no estar seguro/a	*to be unsure*
no pensar (ie)	*to not think*
negar (ie)	*to deny*

Verbos que expresan certeza

creer	*to believe*
estar seguro/a	*to be sure*
pensar (ie)	*to think*

Expresiones impersonales de duda

es dudoso	*it's doubtful*
es (im)posible	*it's (im)possible*
es (im)probable	*it's (im)probable*
no es seguro	*it's not certain*

Expresiones impersonales de certeza

es cierto/verdad	*it's true*
está claro	*it's clear*
es evidente	*it's evident*
es obvio	*it's obvious*
es seguro	*it's certain*

Expresar emoción

La persona es el sujeto

alegrarse (de)	*to be glad*
estar contento/a (de)	*to be happy*
odiar/detestar	*to hate*
sentir (ie)	*to regret*
temer	*to fear*
tener miedo (de)	*to be afraid*

La persona es el objeto indirecto

entristecerle	*to sadden one*
gustarle	*to please one*
molestarle	*to bother one*
ponerle triste	*to make one sad*
preocuparle	*to worry one*
sorprenderle	*to surprise one*

Las expresiones impersonales

es bueno	*it's good*
es fantástico	*it's great*
es increíble	*it's unbelievable*
es interesante	*it's interesting*
es lamentable	*it's lamentable*
es una lástima	*it's a shame*
es malo	*it's bad*

Recomendar y pedir

Verbos para recomendar y pedir

aconsejar	*to advise*
decir (i)	*to tell*
desear/querer (ie)	*to want*
insistir en	*to insist*
mandar	*to command*
pedir (i)	*to ask*
permitir	*to permit*
preferir (ie)	*to prefer*
prohibir	*to prohibit*
querer (ie)	*to want*
recomendar (ie)	*to recommend*
rogar (ue)	*to beg*
sugerir (ie)	*to suggest*

Las expresiones impersonales

es aconsejable	*it's advisable*
es importante	*it's important*
es necesario	*it's necessary*

CAPÍTULO 4

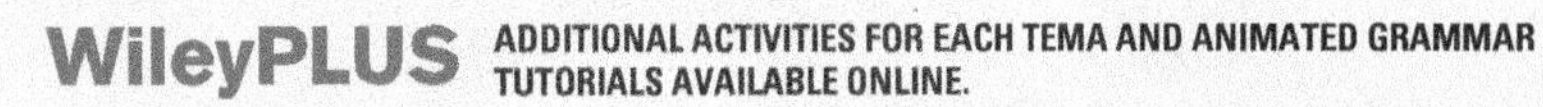

WileyPLUS ADDITIONAL ACTIVITIES FOR EACH TEMA AND ANIMATED GRAMMAR TUTORIALS AVAILABLE ONLINE.

LA DIVERSIDAD DE NUESTRAS COSTUMBRES Y CREENCIAS

Objetivos del capítulo

En este capítulo vas a...

- informarte sobre creencias, costumbres y tradiciones.
- evitar la redundancia usando pronombres relativos.
- dar órdenes a otras personas.
- dar explicaciones, expresar acuerdo, desacuerdo, compasión, sorpresa y alegría.
- escribir un artículo sobre turismo.

TEMA

1 Nuestras costumbres 126

LECTURA: Costumbres de todos los días 127

GRAMÁTICA: Using Relative Pronouns to Avoid Redundancy 129

(Vocabulario esencial: Hablar de tradiciones) 131

VOCABULARIO PARA CONVERSAR: Dar explicaciones 132

CURIOSIDADES: La costumbre de invitar 134

2 Nuestras creencias 135

A ESCUCHAR

MINICONFERENCIA: Perspectivas sobre la muerte 138

GRAMÁTICA: The Imperfect Subjunctive in Noun Clauses 139

(Vocabulario esencial: Hablar de creencias y supersticiones) 142

VOCABULARIO PARA CONVERSAR: Expresar acuerdo y desacuerdo enfáticamente 143

CURIOSIDADES: Numerología 144

3 Nuestras celebraciones 146

LECTURA: Fiestas patronales 149

GRAMÁTICA: Formal and Informal Commands to Get People to Do Things for You or Others 151

(Vocabulario esencial: Escribir recetas y hablar de celebraciones) 153

VOCABULARIO PARA CONVERSAR: Expresar compasión, sorpresa y alegría 154

Veronique DURRUTY / Gamma-Rapho/ Getty Images

Como parte de las costumbres de los países hispanos, se celebran festividades de diferentes tipos, generalmente religiosas. Aquí se presenta una danza azteca chichimeca durante el festival de la Virgen de Guadalupe. ¿Qué festividades se celebran en tu comunidad?

COLOR Y FORMA: *La Sagrada Familia con Santa Ana y el niño Juan Bautista,* de El Greco 156

Más allá de las palabras 157

REDACCIÓN: Un artículo sobre turismo 157

VEN A CONOCER: 7 de julio, San Fermín 158

EL ESCRITOR TIENE LA PALABRA: *En perseguirme, Mundo, ¿qué interesas?,* de Sor Juana Inés de la Cruz 162

VIDEOTECA: La feria de San Isidro en Madrid; Un paseo por Madrid 163

TEMA 1

Nuestras costumbres

Workbook Stock/Jupiterimages/Getty Images

Lectura

Entrando en materia

Cuando hablamos con otras personas acompañamos las palabras con gestos (*gestures*). Estas expresiones varían según la situación y de una cultura a otra.

4–1. Expresiones de afecto. Según tus costumbres, explica qué expresiones usas en las siguientes situaciones.

Situaciones	Expresiones de afecto
1. Alguien me presenta a otro/a estudiante.	a. Le doy la mano.
2. Camino con mi amigo/a por la ciudad.	b. Le doy un abrazo.
3. Camino con mi madre por la ciudad.	c. Le doy un beso.
4. Veo a un buen amigo por primera vez después de un año.	d. Agarro el brazo de la persona.
	e. No uso ninguna de las opciones. Lo que hago en esa situación es...

Por si acaso

Expresiones útiles para comparar respuestas con otro estudiante

¿Qué tienes/ pusiste en la respuesta 1/ 2/ 3?
Yo tengo/ puse a/ b.
Yo tengo algo diferente.
No sé la respuesta./ No tengo ni idea.
Creo que la respuesta es a/ b, pero no estoy seguro/a.
Creo que es cierto./Creo que es falso.

4–2. Vocabulario: Antes de leer. Las palabras y expresiones de la lista aparecen en la entrevista que vas a leer. Busca estas palabras en el texto y, usando el contexto, empareja cada palabra con la definición correspondiente.

1. saludar	a. Es un sinónimo de *tomar*.
2. mejilla	b. Hacemos esto cuando decimos cosas como *buenos días, hola, buenas noches*.
3. agarrar (el brazo)	c. Ir a varios bares a beber y comer.
4. alternar	d. Es una parte de la cara.
5. tapas	e. Pequeñas porciones de comida que se sirven en los bares.
6. por su cuenta	f. Independientemente.

Costumbres de todos los días

Margarita (de México) y Tomás (de España) son los invitados de hoy en una clase de español. Los estudiantes de la clase les preguntan sobre algunas costumbres de sus países.

Estudiante: Una pregunta para Tomás: cuando **saludo** a una muchacha o un muchacho en un país hispano, ¿qué debo hacer?

Tomás: Depende del país. Por ejemplo, en España, con amigos del sexo opuesto, y entre mujeres, se da dos besos, pero en otros países se da solamente un beso. Los hombres no se besan sino que se dan la mano o un abrazo. Bueno, hay que mencionar que la gente no se besa en la cara necesariamente. En la mayoría de los casos solo se tocan las **mejillas**.

Estudiante: Tengo una pregunta para Margarita. En una ocasión vi un documental sobre México. Había dos mujeres y mientras caminaban, una mujer **agarraba** el brazo de la otra, ¿es esta una costumbre normal entre las mujeres?

Simon Winnall/Taxi/ Getty Images

Phil Borden/PhotoEdit

Margarita: Sí, es normal, especialmente entre madres e hijas, pero también entre amigas. También lo hacen en otros países hispanos, no solo en México.

Estudiante: Muy bien. Me gustaría hacer una pregunta sobre otro tema. Aquí en los Estados Unidos no se permite a los niños entrar en los bares. He oído que en España esto es diferente. ¿Es verdad?

Tomás: Sí. En España los niños van con sus padres a los bares. Existe una costumbre que se llama **alternar**, que consiste en ir a varios bares, uno después de otro, y comer **tapas** acompañadas de un vaso de vino o de cerveza. Algunas familias hacen este recorrido de varios bares con sus hijos y grupos de amigos, especialmente los fines de semana. El ambiente de los bares españoles es muy diferente al de los bares de Estados Unidos. Por eso se permite que los niños entren acompañados por adultos.

Estudiante: Otra preguntita sobre los hijos... Un amigo mío de Venezuela me dijo que en su país es común que los hijos vivan en la casa de sus padres hasta que se casan. ¿No se van los jóvenes a vivir **por su cuenta** cuando asisten a la universidad?

MARGARITA: Mi hermano se fue de casa de mis padres a los treinta años, el día que se casó. Es frecuente que los hijos vivan con sus padres mientras hacen sus estudios universitarios y que no se independicen totalmente hasta que terminan sus carreras universitarias. A diferencia de los Estados Unidos, no es habitual para los jóvenes universitarios trabajar y estudiar al mismo tiempo, y por eso casi todos los gastos académicos y de manutención son responsabilidad de los padres. Tampoco es costumbre que los jóvenes se vayan a estudiar a otro estado o provincia y lo normal es que asistan a una universidad cercana a la zona donde residen sus padres. Sin embargo, hay una minoría de jóvenes que se independizan de los padres cuando se van a la universidad, como se hace aquí en los Estados Unidos.

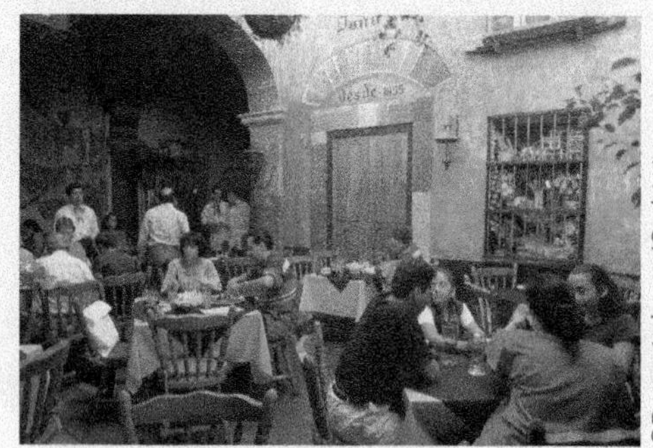

Por si acaso

El bar y el *pub*

Los estadounidenses entienden el concepto "bar" de manera diferente a los españoles. En España hay una diferencia entre "bar" y *"pub"*. El bar ofrece a los clientes una variedad de comidas y bebidas que incluye bebidas alcohólicas. El *pub* ofrece bebidas alcohólicas y no alcohólicas. Algunos establecimientos pueden servir comida, pero se limita normalmente a simples tapas o tentempiés (*finger foods or snacks*). El bar puede ser un lugar de reunión para toda la familia mientras que el *pub*, que es similar al concepto de "bar" estadounidense, es un establecimiento para adultos donde raramente se admite la entrada de niños.

4-3. ¿Comprendes? Responde a estas preguntas según la información de la lectura.

1. ¿Cómo se saludan un hombre y una mujer en España? ¿Cómo se saludan dos hombres?
2. ¿Qué costumbre tienen algunas mujeres hispano hablantes cuando caminan juntas por la calle?
3. ¿Qué es 'alternar'?
4. ¿Cuándo suelen independizarse los jóvenes españoles de sus padres?

4-4. ¿De qué hablaron? En parejas, cada persona debe hacerle las preguntas correspondientes a su compañero/a. Después, compartan sus opiniones con el resto de la clase.

Estudiante A: De las costumbres mencionadas en la entrevista, ¿cuál te parece más interesante? ¿Por qué?

Estudiante B: En la entrevista se menciona que muchos jóvenes hispanos se quedan en casa de sus padres hasta que se casan. ¿Por qué crees que los jóvenes españoles tienen esa costumbre? ¿Crees que lo hacen por elección propia o por imposición? ¿Qué ventajas y desventajas crees que tiene vivir con los padres mientras asistes a la universidad?

4-5. Vocabulario: Después de leer. En parejas, háganse estas preguntas personales.

1. ¿Cómo **saludas** a los amigos íntimos?, ¿a las amigas íntimas?
2. ¿En qué circunstancias besas a otra persona en la **mejilla**?
3. ¿Tienes alguna costumbre parecida a la costumbre española de **alternar**?
4. ¿Has probado las **tapas** alguna vez? ¿Hay alguna costumbre similar en Estados Unidos?
5. ¿Desde qué edad vives **por tu cuenta**? ¿Te gusta tu independencia o echas de menos vivir con tus padres?

Gramática

Using Relative Pronouns to Avoid Redundancy

Relative pronouns are used to join two sentences into a single sentence, resulting in a smoother, less redundant statement.

Este es el bar. **El bar** tiene tapas estupendas. — *This is the bar.* ***The bar*** *has wonderful tapas.*

Este es el bar **que** tiene tapas estupendas. — *This is the bar* ***that/which*** *has wonderful tapas.*

In English the relative pronoun can be omitted in sentences like:

I love the food that I ate in that restaurant. ➔ *I love the food I ate in that restaurant.*

In Spanish, **que** is never omitted.

Me gusta la comida **que** comí en ese restaurante.

Que

Que is the most common relative pronoun in everyday conversation, and it can mean *that, which, or who*. **Que** can refer to both singular or plural nouns and to both people and things. In the following examples, the antecedent is underlined (antecedent, i. e., the thing the relative pronoun refers back to).

Los <u>libros</u> **que** compraste eran excelentes. — *The <u>books</u>* ***that*** *you bought were excellent.*

El <u>hombre</u> **que** vino a cenar era mi jefe. — *The <u>man</u>* ***who*** *came to dinner was my boss.*

La <u>casa</u> de mi hermana, **que** tiene cuatro habitaciones, solo tiene un baño. — *My sister's <u>house</u>,* ***which*** *has four rooms, only has one bathroom.*

Mi <u>hermano</u>, **que** tiene 25 años, se casó ayer. — *My <u>brother</u>,* ***who*** *is twenty-five, got married yesterday.*

Observe that two of the relative clauses are set between commas and two of them aren't. The clauses without commas are said to be *restrictive* because they state a quality meant to single out an object or a person from a group. The clauses between commas are said to be *nonrestrictive* because they are not meant to single out. Instead, they merely provide additional information or an after thought about the object or person non-essential to the meaning of the sentence.

Quien/quienes

Quien/quienes is sometimes used to express the relative pronoun *who*.

- **Quien/quienes** may be used in nonrestrictive clauses when the antecedent is a person or people. Using **quien/quienes** creates a more formal tone than using **que**.

  El presidente, quien fue reelegido este año, está gravemente enfermo. — *The president, who was re-elected this year, is gravely ill.*

  Los organizadores de la fiesta, quienes han trabajado mucho, están orgullosos del éxito. — *The organizers of the celebration, who have worked very hard, are proud of the success.*

Lo que

Lo que means *what* or *that which*. Use **lo que** when the antecedent is an idea, an action, or a thing that is unspecified in the sentence.

Lo que me gusta hacer en España es comer tapas.	***What*** *I like to do in Spain is eat tapas.* (Eating tapas is an action.)
Me gusta mucho **lo que** compraste en el mercado.	*I really like* ***what*** *you bought in the market.* (The things you bought are unspecified in the sentence.)
No comprendí **lo que** dijo Margarita sobre su hermano.	*I didn't understand* ***what*** *Margarita said about her brother.* (What Margarita said is an idea, unspecified in the sentence.)

WileyPLUS Go to *WileyPLUS* to review this grammar point with the help of the **Animated Grammar Tutorial** and **Verb Conjugator.** See also textbook Appendices with Grammar References and verb tables. For more practice, go to the **Activities Manual.**

4-6. Identificación. Repasa el uso de los pronombres relativos en el siguiente texto. Identifica a) el antecedente y b) si la cláusula es restrictiva o no restrictiva.

Los saludos

Los saludos representan una costumbre **1. que** varía de cultura en cultura. Si visitas una parte del mundo **2. que** tiene costumbres diferentes, es recomendable conocer **3. lo que** la gente hace para saludarse.

Por ejemplo, en el mundo hispano, dos amigas **4. que** se saludan se besan en la mejilla. Las mujeres estadounidenses, **5. quienes** solo dan besos a sus amigas más íntimas, pueden sorprenderse cuando una mujer **6. que** no conocen bien las besa en la mejilla. El saludo masculino más común, **7. que** también es típico de muchas otras partes del mundo, es darse la mano.

4-7. Costumbres del mundo hispano. Selecciona el pronombre correcto para completar las oraciones.

1. Las tapas son pequeñas porciones de comida **que/lo que** se sirven en los bares.
2. El beso en la mejilla, **que/quien** es un saludo común entre mujeres, no es típico entre los hombres.
3. Los estudiantes universitarios **que/quienes** viven con sus padres se independizan después de terminar sus carreras.
4. Darse la mano es **lo que/que** hacen los hombres para saludarse.
5. Los niños españoles, **quienes/lo que** pueden entrar en los bares, suelen acompañar a sus familias.

4–8. Un viaje de fin de curso. Una costumbre común entre los estudiantes es hacer un viaje cuando finaliza el año escolar. Tu clase de español ha decidido organizar un viaje de fin de curso. Aquí tienes las notas con los planes para el viaje. Combina las frases usando pronombres relativos para evitar las repeticiones innecesarias.

MODELO

Organizaremos una gran fiesta antes de salir.
La fiesta va a durar toda la noche.
Organizaremos una gran fiesta antes de salir que va a durar toda la noche.

1. Vamos a reservar un yate. El yate tiene capacidad para muchas personas.
2. Julia y Cecilia van a traer la música latina. A la profesora le gusta la música latina.
3. Invitaremos a los mejores profesores. Los mejores profesores saben bailar salsa.
4. Vamos a contratar a un cocinero para el viaje. El cocinero sabe preparar platos de origen hispano.

4–9. Acontecimientos memorables. Imagina los momentos más interesantes del viaje y completa las siguientes oraciones con una cláusula restrictiva o no restrictiva y un pronombre relativo.

MODELO

Me gustó mucho...
Me gustó mucho la comida hispana que sirvieron en la fiesta.

1. Me gustó el yate...
2. No voy a olvidar las amistades...
3. Me encantó la música...
4. Me enfadé con un compañero...
5. Me alegró ver a los profesores...
6. No me gustó la sangría...

4–10. Las fiestas regionales. En parejas, lean las siguientes descripciones sobre algunas fiestas hispanas en EE. UU. Después, escriban una descripción adicional sobre alguna fiesta cultural que se celebre en su ciudad. Usen pronombres relativos para evitar redundancias y el *Vocabulario esencial.*

Descripción 1: El Carnaval de Miami, que se celebra durante dos semanas en marzo en la calle Ocho de la Pequeña Habana, atrae cerca de un millón de personas cada año. Las personas que participan en este carnaval acuden desde diferentes partes de EE. UU.

Descripción 2: La Fiesta Broadway, que tiene lugar en Los Ángeles en abril, presenta cada año más de cien actos artísticos que incluyen música y teatro.

Descripción 3: La Fiesta de San Antonio, que se celebra en San Antonio, Texas, dura diez días y atrae a unos tres millones de personas.

Descripción 4: ¿...?

Vocabulario esencial

Hablar de tradiciones

bandera *f*	*flag*
broma *f*	*joke*
costumbre *f*	*custom*
desfile *m*	*parade*
disfraz *m*	*costume*
fiesta *f*	*holiday, celebration*
fuegos artificiales *m*	*fireworks*
llamar a la puerta	*to knock on the door*
plato *m*	*dish (food)*
puestos *m*	*commercial stands*
reunirse	*to meet, get together*
truco *m*	*tricks*

4–11. Tradiciones de nuestra cultura. En parejas, imaginen que un estudiante de origen hispano les pide que describan algunas tradiciones de los EE. UU. Con sus propias palabras explíquenle las costumbres que se asocian con estas fiestas o tradiciones:

1. potluck dinner
2. Saint Patrick's Day
3. to kiss under the mistletoe
4. tailgate party
5. Halloween
6. Mardi Gras
7. the 4th of July
8. April Fool's Day

Vocabulario para conversar

Dar explicaciones

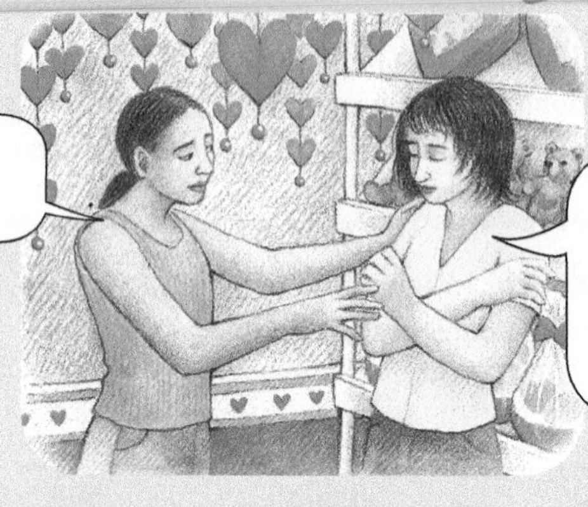

In the course of a conversation, you may be asked to explain why you did or said something. These expressions will help you offer explanations in Spanish.

porque, puesto que,	*because*
por eso, por esta razón	*for this reason*
a causa de, por motivo de, dado que	*because of, due to*
Me acosté tarde anoche y **por eso (por esa razón)** llegué tarde a clase.	*I went to bed late last night and* ***for this reason*** *I was late to class.*
Se canceló el partido de fútbol **a causa de** la lluvia.	*The game was cancelled* ***because of*** *rain.*
Me quejé de mi vecino **porque** tiene muchas fiestas por la noche.	*I complained about my neighbor* ***because*** *he throws many parties at night.*

Explanations may be expressed as a cause-effect relationship.

Dado que me distraje hablando por teléfono, no lavé los platos y **por esa razón** tuve una discusión con mi mamá.	***Since*** *I got distracted while talking on the phone, I didn't wash the dishes, and* ***for that reason*** *I had an argument with my mom.*

4–12. Palabras en acción. Usa la imaginación para escribir una explicación para cada una de estas preguntas. Intenta usar varias de las expresiones que aparecen en *Vocabulario para conversar*.

MODELO

¿Por qué no entregaste la tarea hoy?
No entregué la tarea hoy porque se me olvidó en casa.

1. ¿Por qué no estabas bien preparado hoy para la clase de español?
2. ¿Por qué saludaste a la chica hispana con un beso en la mejilla?
3. ¿Por qué le dijiste a tu jefe que sabías hablar español perfectamente?
4. ¿Por qué se te olvidó estudiar para el examen final de español?
5. ¿Por qué te enfadaste con tu compañero/a de apartamento?

4-13. Mi vecino el pesado. En parejas, sigan las instrucciones correspondientes a cada estudiante para representar esta situación.

Estudiante A:

- Inicia la conversación. Las ilustraciones representan los problemas que tienes con tu vecino.
- Explícale estos problemas a tu amigo/a y pídele consejos.

Estudiante B:

- Escucha a tu compañero/a. No mires sus dibujos.
- Si no comprendes lo que dice, pídele una aclaración.
- Dale consejos a tu compañero/a. Usa el subjuntivo cuando sea necesario.

CURIOSIDADES

La costumbre de invitar

4–14. ¿Quién paga la cuenta? ¿Qué hacen Uds. a la hora de pagar la cuenta *(bill)* en estas situaciones sociales?

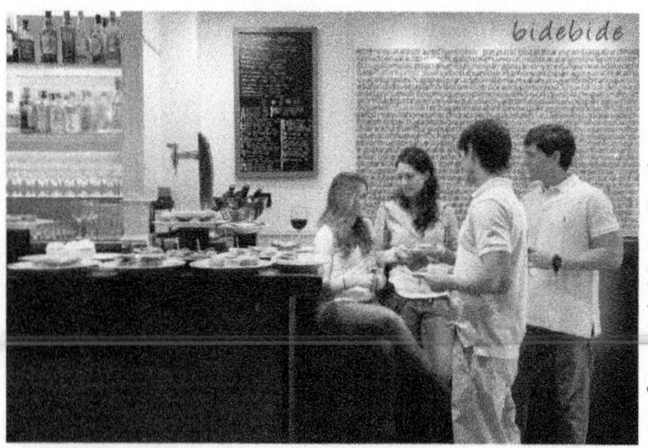

age fotostock / SuperStock

1. Cuando sales a cenar o tomar algo con dos o tres amigos:
   a) Cada uno paga lo que pidió (*"To go Dutch"*), b) Dividen la cuenta entre el número de personas que hay, para que cada uno pague la misma cantidad, o c) Una persona paga todo.
2. Cuando celebras tu cumpleaños en un restaurante con un grupo de amigos:
   a) Cada persona paga lo que pidió, y tus amigos también pagan lo que pediste tú, b) Dividen la cuenta entre el número de personas que hay, para que cada uno pague la misma cantidad, o c) Pagas tú toda la cuenta.

Si elegiste "a" para las dos preguntas, ten en cuenta al viajar a un país hispanohablante que la costumbre de pagarse lo suyo (*"Go Dutch"*), no es muy común, y ponerse a calcular en la mesa quién pidió qué y cuánto cuesta cada cosa está considerado de mal gusto en algunos lugares. La opción de dividir la cuenta por el número de personas es bastante común, sin tener en cuenta los precios de lo que haya pedido cada uno. Esa opción es frecuente cuando hay grupos grandes, o cuando estás con gente que no conoces demasiado bien. Sin embargo, en muchos casos una persona "invita", o paga la cuenta de todos. Esa sería la norma en situaciones como la número uno, con un grupo pequeño de amigos íntimos. Si un amigo te dice "invito yo" con convicción, déjale que pague, pero no te olvides de invitar en la próxima ocasión. No importa si pagas un poco más o un poco menos de lo que pagó tu amigo/a, lo importante es el gesto.

¿Y si es tu cumpleaños u otro evento especial, como tu graduación? Antes de salir a celebrar la ocasión, asegúrate de llevar suficiente dinero. ¡Hoy invitas tú! Aunque en Estados Unidos el que está de celebración suele ser invitado por los amigos, en los países hispanos es al revés.

4–15. Reflexión. Reflexionen sobre la costumbre de invitar en su cultura y las culturas hispanohablantes, y en parejas respondan a estas preguntas.

1. ¿Qué piensas de la costumbre de invitar o ser invitado en Hispanoamérica?
2. ¿Qué costumbre te parece más práctica? ¿Por qué?

Nuestras creencias

TEMA 2

Tom Owen Edmunds/The Image Bank/Getty Images

A escuchar

Entrando en materia

4–16. La Noche de las Brujas. En parejas, hablen sobre las actividades típicas de la Noche de las Brujas (*Halloween*). ¿Tienen en común las mismas tradiciones en esta fecha? Si no, ¿cuáles son las diferencias? ¿Qué significado tiene esta tradición para ustedes ahora? ¿Cómo la celebraban cuando eran pequeños/as? ¿Cómo la celebran ahora? ¿Saben cuál es el origen de esta tradición? ¿Creen que existe esta celebración en otras culturas? Den ejemplos.

Por si acaso

Expresiones útiles para comparar respuestas con otro estudiante

¿Qué tienes/ pusiste en el número 1/ 2/ 3?
Yo tengo/ puse a/ b.
Yo tengo algo diferente.
No sé la respuesta./ No tengo ni idea.
Creo que la respuesta es a/ b, pero no estoy seguro/a.
Creo que es cierto./Creo que es falso.

4-17. Actitudes hacia el tema de la muerte. El tema de esta sección es la muerte. Antes de seguir adelante, vamos a ver qué piensan sobre este tema.

1. Selecciona las palabras que mejor reflejen tu opinión personal sobre la muerte.

Hablar de la muerte es:

interesante	_____	triste	_____	importante	_____
aburrido	_____	incómodo	_____	terapéutico	_____
difícil	_____	fácil	_____		
absurdo	_____	de mal gusto	_____		

2. **¿Cuál es su actitud?** En algunas culturas la muerte se celebra con fiestas. En grupos de cuatro, dos de ustedes deben presentar razones por las que los funerales deben ser alegres y festivos. Las otras dos personas deben presentar razones por las que los funerales deben ser serios por respeto a la persona que ha muerto. ¿Qué pareja encontró los argumentos más convincentes?

MODELO

Nosotros pensamos que en los funerales se debe celebrar una gran fiesta en honor a la persona muerta porque...

Nosotros pensamos que celebrar fiestas en un funeral es una falta de respeto hacia la persona muerta porque...

4-18. Descripción de fotos. Miren las siguientes fotos de la celebración del Día de Muertos (*Day of the Dead*) en México. Escriban una breve descripción sobre lo que ven en cada foto. Comparen sus descripciones.

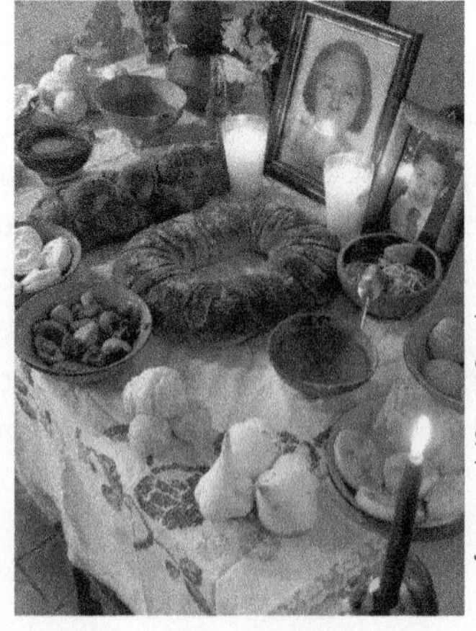

4–19. Vocabulario: Antes de escuchar. El vocabulario en negrita forma parte de la miniconferencia que vas a escuchar. Indica el significado apropiado de las palabras, seleccionando **a** o **b**.

1. Hablar de la muerte es algo que debe **evitarse** en ciertas culturas.
   a. no se debe hacer b. es común
2. El Día de Muertos los familiares **acuden en masa** al cementerio a visitar a sus familiares difuntos.
   a. van en grandes grupos b. manejan
3. **Ritualizar** la muerte significa que...
   a. se celebra con rituales b. se murió una señora que se llamaba Rita
4. Hay ciertas culturas que ven la muerte como parte **integral** de la vida.
   a. la muerte no es un tema popular en absoluto b. la muerte es normal en la vida diaria
5. En ciertas culturas, la muerte se toma a broma e incluso se cuentan **chistes** sobre ella.
   a. la gente cuenta historias sobre la muerte que hacen reír b. la gente cuenta historias de terror sobre la muerte

Estrategia: Identificar el énfasis

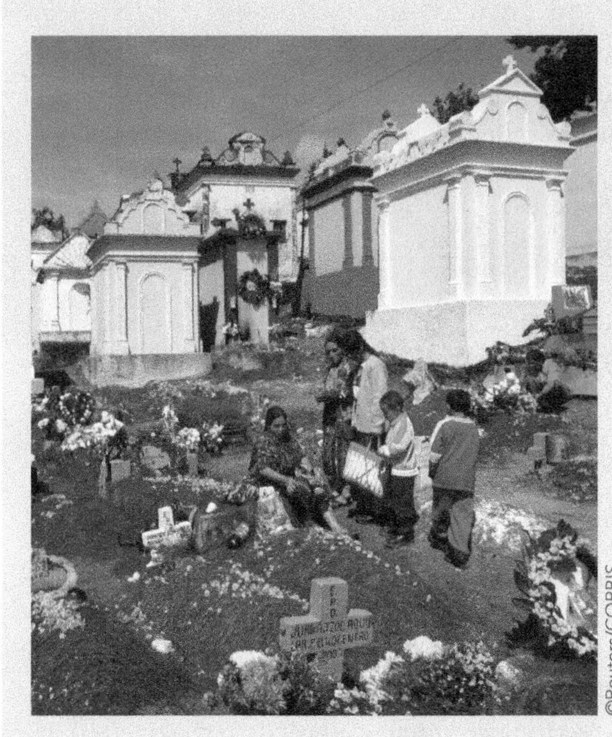
©Reuters/CORBIS

Cuando escuchas un texto por primera vez, hay muchos elementos que te pueden ayudar a comprender la idea general. Uno de esos elementos es el énfasis que el narrador pone en diferentes palabras y oraciones. Mientras escuchas, fíjate en qué palabras y expresiones enfatiza el narrador. El énfasis se puede expresar levantando la voz o cambiando el tono. Ten en cuenta esta información mientras escuchas y anota los puntos que el narrador enfatiza. Después, usa esos datos para determinar cuál es el tema principal de la narración.

MINICONFERENCIA Perspectivas sobre la muerte

Ahora su instructor/a va a presentar una miniconferencia.

4–20. ¿Comprendes? Reflexiona sobre el contenido de la miniconferencia y responde a estas preguntas.

1. ¿Cuáles son las dos perspectivas culturales que se dan sobre el tema de la muerte?
2. ¿A qué perspectiva de las mencionadas corresponden las fotos del Día de Muertos de las páginas 135, 136 y 137?
3. ¿Con cuál de las dos formas de ver la muerte te identificas? ¿Y tu familia? Explica tus respuestas.

4–21. Vocabulario: Después de escuchar. Completa las oraciones con las expresiones siguientes.

de mal gusto   en voz baja   incómodo   acudir en masa   disfraz

1. La gente suele ____________ a eventos deportivos, como el fútbol.
2. Para no molestar a otras personas en un lugar público es recomendable hablar ____________.
3. Para celebrar el día de brujas, mucha gente se pone un ____________.
4. Para algunas personas mayores, es ____________ hablar de la muerte.
5. Un comentario ____________ puede molestar a otras personas.

4–22. ¿Qué opinan? Nuestras ideas sobre la muerte están influidas por nuestra cultura, creencias y orientación espiritual. En grupos de cuatro, seleccionen uno de los temas a continuación. Cada persona debe exponer su punto de vista. Los demás deben escuchar y hacer preguntas para comprender mejor la perspectiva de cada persona.

1. el más allá: ¿existe?, ¿cómo es?
2. la reencarnación
3. la comunicación con los muertos
4. la existencia del cielo y el infierno

4–23. Controversia. En parejas, seleccionen una de las siguientes situaciones para representarla en clase. Dediquen unos minutos para preparar sus argumentos antes de hacer la representación.

Situación A: Una persona tiene una enfermedad mortal y expresa su deseo de morir para poder descansar en paz. La otra persona es el médico. El deber de un médico es salvar la vida de sus pacientes siempre que sea posible. Hablen de la situación para encontrar una solución.

Situación B: Uno de ustedes es un senador del estado que quiere imponer una ley que haga obligatoria la donación de órganos después de la muerte para salvar más vidas por medio de los transplantes. La otra persona es un senador que se opone a esta ley por razones religiosas. Intenten llegar a un acuerdo.

Situación C: Su ciudad no encuentra terreno para construir un cementerio nuevo. Uno de ustedes cree que deben incinerarse (*cremate*) todos los cadáveres para solucionar el problema. La otra persona está en contra de la incineración por razones religiosas. Busquen una solución aceptable para los dos.

Gramática

The Imperfect Subjunctive in Noun Clauses

In *Capítulo* 3 you learned the forms of the present subjunctive and how to use them. Now you will learn how to express desire, doubt and emotion in the past. To do so, you need to learn the forms of the past subjunctive. The terms "past subjunctive" and "imperfect subjunctive" are interchangeable.
To form the past/imperfect subjunctive, follow these steps:

1. take the third person plural form of the preterit, e.g., comier**on**
2. drop the **-on** → comier-
3. add **-a**, **-as**, **-a**, **-amos**, **-ais**, **-an** for all verbs

The **nosotros/as** form requires an accent in the stem. See the following chart:

INFINITIVE	THIRD PERSON PRETERIT FORM	PAST SUBJUNCTIVE	
caminar	caminar**on**	caminara	camináramos
		caminaras	caminarais
		caminara	caminaran
comer	comier**on**	comiera	comiéramos
		comieras	comierais
		comiera	comieran
escribir	escribier**on**	escribiera	escribiéramos
		escribieras	escribierais
		escribiera	escribieran

For stem-changing verbs, spelling-changing verbs and irregulars, you will still base the imperfect subjunctive on the third person preterit. For example:

estar → **estuvier**on → estuviera, -as, -a...

hacer → **hicier**on → hiciera, -as, -a...

dormir → **durmier**on → durmiera, -as, -a...

You should review preterit verb forms in *Capítulo* 1, *Tema* 3.

As you learned in *Capítulo* 3, the subjunctive occurs in the dependent clause when the independent clause includes an expression that conveys:

- advice, suggestion or request
- doubt or denial
- emotion

How do I know when to use the past subjunctive as opposed to the present subjunctive? If the verb in the independent clause expresses a past action (preterit or imperfect), the verb in the dependent clause needs to be in the past subjunctive.

Advice, Suggestion, and Request

Independent Clause: Preterit	Dependent Clause: Imperfect Subjunctive
El año pasado mi instructor **sugirió**	que escribié**ramos** una composición sobre la Noche de las Brujas.
*Last year my instructor **suggested***	*that **we write** a composition about Halloween.*
Mis padres me **pidieron**	que orde**nara** mi cuarto.
*My parents **asked** me*	*to **tidy up** my room.*

Doubt or Denial

Independent Clause: Imperfect Indicative	Dependent Clause: Imperfect Subjunctive
Mi madre **dudaba**	que yo encontrar**a** adornos para la Noche de las Brujas en agosto.
*My mom **doubted***	*that I **would find** Halloween decorations in August.*
Mis compañeros **no creían**	que hubi**era** fantasmas en nuestro apartamento.
*My roommates **did not believe***	*that **there were** ghosts in our apartment.*

Emotion

Independent Clause: Imperfect Indicative	Dependent Clause: Imperfect Subjunctive
En la Noche de las Brujas, a mi hermana le **encantaba**	que nos **dieran** tantos caramelos.
*On Halloween, my sister **loved***	*that people **gave** us so much candy.*
Cuando era pequeño me **daba miedo**	que mis padres **apagaran** la luz de mi habitación.
*When I was a child, **I was afraid***	*that my parents **would turn off** the lights in my room.*

WileyPLUS Go to *WileyPLUS* to review this grammar point with the help of the **Animated Grammar Tutorial** and **Verb Conjugator.** See also textbook Appendices with Grammar References and verb tables. For more practice, go to the **Activities Manual.**

4-24. Identificación. Marta y Margarita se escriben estos mensajes sobre una fiesta a la que fue Margarita durante la Noche de las Brujas.

Lee los mensajes e identifica a) los verbos en imperfecto del subjuntivo y b) el verbo o expresión de la cláusula independiente que requiere el uso del subjuntivo *(advice, suggestion, request, doubt, denial, emotion).*

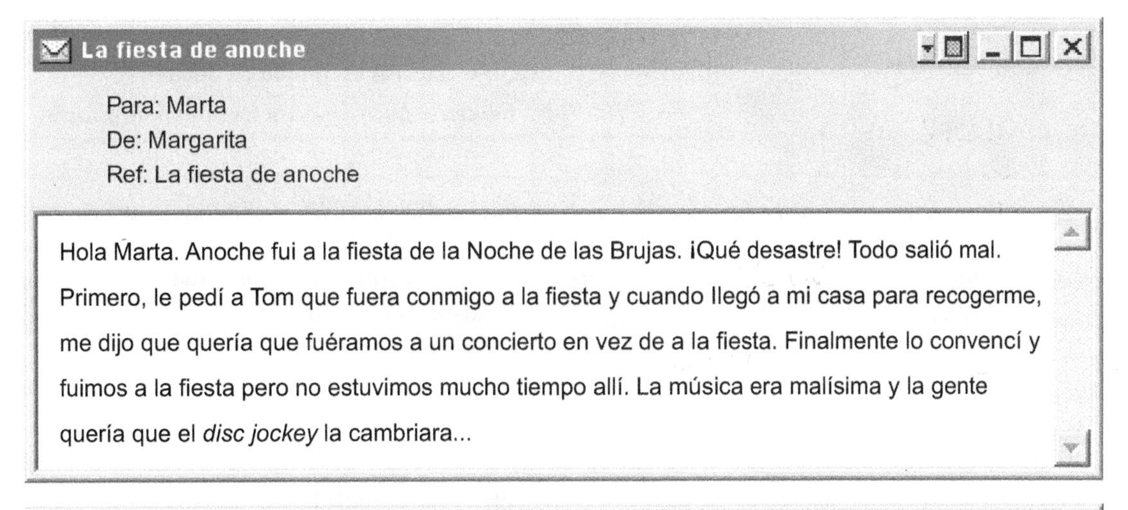
La fiesta de anoche

Para: Marta
De: Margarita
Ref: La fiesta de anoche

Hola Marta. Anoche fui a la fiesta de la Noche de las Brujas. ¡Qué desastre! Todo salió mal. Primero, le pedí a Tom que fuera conmigo a la fiesta y cuando llegó a mi casa para recogerme, me dijo que quería que fuéramos a un concierto en vez de a la fiesta. Finalmente lo convencí y fuimos a la fiesta pero no estuvimos mucho tiempo allí. La música era malísima y la gente quería que el *disc jockey* la cambriara...

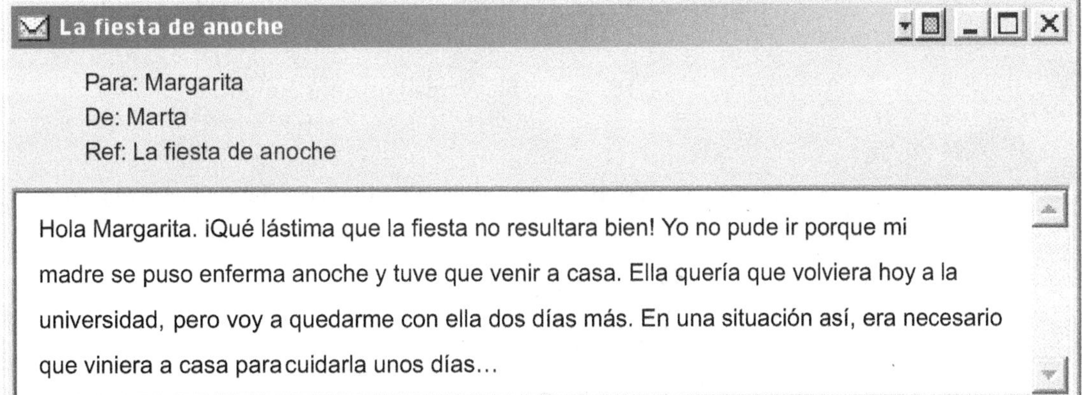
La fiesta de anoche

Para: Margarita
De: Marta
Ref: La fiesta de anoche

Hola Margarita. ¡Qué lástima que la fiesta no resultara bien! Yo no pude ir porque mi madre se puso enferma anoche y tuve que venir a casa. Ella quería que volviera hoy a la universidad, pero voy a quedarme con ella dos días más. En una situación así, era necesario que viniera a casa para cuidarla unos días...

4-25. La adivina. El primero de enero, fuiste a una adivina para saber cómo te iban a ir las cosas este año. Ella te hizo varias recomendaciones para evitar la mala suerte. Escribe la forma correcta del verbo en el imperfecto del subjuntivo para completar las recomendaciones de la adivina.

1. La adivina me recomendó que yo (evitar) los gatos negros.
2. Ella sugirió que yo (mirar) la columna de astrología en el periódico todos los días.
3. Insistió en que una quiromántica me (leer) la palma de la mano.
4. Aconsejó que yo no (salir) de casa el martes 13.
5. Me pidió que yo (consultar) con los difuntos en el más allá.

4-26. Adivinaciones. La adivina también te hizo varias adivinaciones para este año. Algunas se cumplieron (*came to pass*) y otras no. Completa las oraciones para expresar tu reacción a las adivinaciones de la adivina. ¡Ojo! Algunas oraciones requieren el imperfecto del subjuntivo y otras requieren el pretérito del indicativo.

Vocabulario esencial

Hablar de creencias y supersticiones

adivina *f*	*fortune teller*
adivinación *f*	*prediction*
adivinar	*to predict, tell the future*
apagar (la luz)	*to put out (the light)*
astrología *f*	*astrology*
cadáver *m*	*cadaver, dead body*
encantado/a	*haunted*
encender (ie) (la luz)	*to turn on (the light)*
esqueleto *m*	*skeleton*
fantasma *m*	*ghost*
más allá *m*	*the beyond*
monstruo *m*	*monster*
numerología *f*	*numerology*
oscuridad *f*	*darkness*
quiromántica *f*	*palm reader*
suerte *f*	*luck*

MODELO

Adivina:	**Este año, ganarás un millón de dólares.**
Tú:	**No fue cierto que yo ganara un millón de dólares.**

1. ADIVINA: Este año, tendrás mucha suerte.
   TÚ: No era verdad que yo...
2. ADIVINA: Tu familia se mudará a California.
   TÚ: Yo dudaba que mi familia...
3. ADIVINA: Tu novio/a romperá contigo.
   TÚ: Fue cierto que mi novio/a...
4. ADIVINA: Tus profesores te darán notas muy bajas en tus clases.
   TÚ: Yo no creía que mis profesores...
5. ADIVINA: Tus amigos tendrán mucha importancia en tu vida.
   TÚ: Fue verdad que mis amigos...

4–27. Un niño miedoso. De niño, Juan Carlos era muy supersticioso y tenía mucho miedo por la noche.

A. En parejas, combinen una cláusula independiente y una cláusula dependiente para expresar las supersticiones y miedos de Juan Carlos. Conjuguen los verbos en el pasado (indicativo o subjuntivo).

MODELO

Juan Carlos temer/que/haber brujas en la casa
Juan Carlos temía que hubiera brujas en la casa.

Juan Carlos:

tener miedo de	que	haber monstruos debajo de la cama
creer		sus padres encender la luz
estar contento de		sus padres apagar la luz
querer		su hermano dormir en su cuarto
pedir		su casa estar encantada
temer		fantasmas entrar en su cuarto
pensar		su familia estar segura en la casa
dudar [...]		

B. Comparen las supersticiones y los temores que ustedes tenían de niños con los de Juan Carlos. ¿Temían ustedes las mismas cosas? ¿Tenían las mismas supersticiones?

4–28. Antes de comenzar la universidad. Piensen en el último año de la escuela secundaria y las muchas personas que les dieron consejos. ¿Qué consejos o recomendaciones recibieron? Comparen las recomendaciones que recibieron de estas personas: amigos, padres, profesores y maestros, etc. ¿Qué consejos similares y diferentes recibieron?

Vocabulario para conversar

Expresar acuerdo y desacuerdo enfáticamente

In *Capítulo 3* you studied some expressions to react to the opinions of others showing agreement or disagreement. In this section you will learn a few expressions that are commonly used to react to others' opinions in a more emphatic way.

Expresar acuerdo enfáticamente

Eso es absolutamente / totalmente cierto.	*That is totally true.*
Le / Te doy toda la razón.	*You are absolutely right.*
Creo / Me parece que es una idea buenísima.	*I think that is a great idea.*
Por supuesto que sí.	*Absolutely.*
Lo que dice(s) tiene mucho sentido.	*You are making a lot of sense.*
Exactamente, eso mismo pienso yo.	*That is exactly what I think.*

Expresar desacuerdo enfáticamente

Eso es absolutamente / totalmente falso.	*That is totally false.*
No tiene(s) ninguna razón.	*You are absolutely wrong.*
Creo / Me parece que es una idea malísima.	*I think it is a terrible idea.*
Por supuesto que no.	*Absolutely not.*
Lo que dice(s) no tiene ningún sentido.	*You are not making any sense.*

4–29. Palabras en acción. Expresa enfáticamente tu opinión con estos comentarios. Añade información a las expresiones para justificar tu propia opinión.

MODELO

Tu compañero/a de apartamento te dice: El casero (*landlord*) me ha dicho que una vez más no has pagado tu parte del alquiler. Estoy harto/a de esta situación.

Tú dices: ¡Eso es abolutamente falso! Dejé un sobre con el dinero del alquiler en el buzón del casero hace ya una semana.

1. Un amigo hispano te dice: Los estadounidenses no saben divertirse. Los fines de semana, en vez de salir, se quedan en casa viendo películas y comiendo papitas.
2. Tu instructor de español te comenta: El español es un idioma fácil de aprender. La gramática no es complicada y se puede aprender en un mes.
3. Un compañero de clase te comenta: "Los cubanos, los mexicanos y los argentinos son todos iguales, hablan exactamente igual y comen las mismas comidas".
4. Tu padre te dice: "No es necesario aprender otro idioma porque el inglés es el idioma más importante y si hablas inglés, no necesitas saber otra lengua".

4–30. Un día cultural. Un/a amigo/a y tú están pasando un día en México. No se pueden poner de acuerdo sobre qué hacer. Lean las instrucciones de la situación y representen el diálogo.

Estudiante A: Tú inicias la conversación. Quieres ir a ver una corrida de toros (*bullfight*) porque te parece fascinante. Tu ídolo era Paquirri, uno de los grandes toreros de la historia, y la corrida de hoy es un homenaje a él. Explícale a tu compañero/a por qué quieres ir, por qué tu idea es mejor que la suya y por qué es importante que te acompañe.

Estudiante B: Tu compañero/a inicia la conversación. Estás en contra de las corridas de toros y piensas que son horribles. Explica por qué no quieres ir, expresando tu desacuerdo enfáticamente, sugiere una idea mejor e intenta llegar a un acuerdo con tu compañero/a.

CURIOSIDADES

4–31. Numerología. En algunas culturas, los números tienen un significado importante en la vida de las personas. ¿Sabes cuál es tu número personal? Sigue las instrucciones a continuación para calcularlo; después, puedes calcular el número de tus amigos. ¿Crees que la información es correcta?

Para saber el número que te corresponde debes sumar los números de tu fecha de nacimiento y reducirlos a un solo número. Por ejemplo, si has nacido el 26 de junio de 1982, debes hacer el siguiente cálculo:

2 + 6 (día) + 6 (mes) + 1 + 9 + 8 + 2 (año) = 34; 3 + 4 = 7.

El número 7 es tu número personal. Ahora ya puedes leer tu pronóstico para el próximo mes según tu propio número.

Los números 11 y 22 son números mágicos y no se pueden reducir. Si quieres aprender más sobre la numerología, haz una búsqueda en Internet escribiendo *numerología* en el buscador para saber más sobre tu destino mientras practicas español.

1. Comienza para ti una etapa muy tranquila. Es una buena época para aclarar tus dudas sobre esa persona especial que acabas de conocer. Vas a dedicar más tiempo a los estudios. Déjate llevar por tus instintos y no te preocupes por la opinión de los demás.
2. En estos días vas a conseguir todo lo que quieras. Aprovecha la ocasión para atraer a esa persona que te gusta porque no va a poder resistirse a tus encantos (*charm*).
3. ¡Qué hiperactividad! Intenta tomarte las cosas con un poco más de calma, de lo contrario, puedes tener un accidente. Tendrás una ruptura con alguien especial en tu vida: tu mejor amigo/a o tu pareja. Pero esta ruptura te dejará aliviado/a (*relieved*).
4. ¡Muchos cambios en tu vida! Todos los cambios serán positivos. Es un buen momento para dedicarte a los estudios plenamente.
5. Necesitas cultivar tus dotes diplomáticas para conseguir tus objetivos. Tendrás que hacer el papel de mediador/a entre dos personas cercanas a ti.
6. Todo va muy bien. Tienes una actitud muy positiva y alegre. Eso siempre ayuda a la hora de hacer amigos. Vas a conocer a mucha gente nueva y vas a ser el centro de atención. Habrá tantas personas interesadas en ti que no sabrás a quién escoger.
7. ¡Bla! Todo te parece muy lento en estos días. Necesitas aplicarte una buena dosis de realismo y dejar de soñar despierto/a.
8. Estás lleno/a de energía. Las cosas te van de perlas (*very well*) y este mes vas a tener muchas ofertas divertidas: fiestas, viajes, excursiones, etc. Quizás cambies de ciudad o hagas un viaje en el que conocerás a gente muy interesante.
9. Mira a tu alrededor porque muy cerca de ti encontrarás a tu amor ideal. Esta relación va a ser muy seria. Tu único problema serán los estudios, así que concéntrate si no quieres reprobar (*fail*) tus clases.

TEMA 3

Nuestras celebraciones

©Danny Lehman/Corbis Images

Lectura

Entrando en materia

4–32. Celebrar un día especial. Indiquen un día especial que asocien con las siguientes actividades:

- beber champán
- comer pavo
- dar y recibir regalos
- reunirse con la familia
- ir de picnic

En parejas, hablen sobre estas celebraciones. ¿Cuál prefieren? ¿Por qué? ¿Hacen las mismas actividades en estas fechas? ¿Qué diferencias hay entre la forma en que las celebran?

Por si acaso

Expresiones útiles para comparar respuestas con otro estudiante

¿Qué tienes/ pusiste en el número 1/ 2/ 3?
Yo tengo/ puse a/ b.
Yo tengo algo diferente.
No sé la respuesta./ No tengo ni idea.
Creo que la respuesta es a/ b, pero no estoy seguro/a.
Creo que es cierto./Creo que es falso.

4–33. Religiones y símbolos. ¿Con qué religión asocias estos lugares, personas y objetos?

	Religión
1. el Corán	judaísmo
2. la Biblia	islam
3. el Papa	catolicismo
4. el pastor (*minister*)	budismo
5. una mezquita	protestantismo
6. México	
7. Hanukkah	
8. la Navidad	
9. una estatua de Buda	
10. la Tora	

4–34. Vocabulario: Antes de leer. A continuación vas a leer unas frases que aparecen en la lectura. Presta atención a las palabras en negrita y al contexto e indica cuál es la definición más apropiada.

1. La diversidad de **días festivos** y celebraciones dentro del mundo hispano refleja la **idiosincrasia** de cada uno de los países que lo componen.

   días festivos

   a. día en el que los estudiantes de una fraternidad tienen una fiesta
   b. día en el que no hay que trabajar porque hay alguna celebración nacional

   idiosincrasia

   a. personalidad o características únicas
   b. una persona que no habla lógicamente
2. Una de las tradiciones de la fiesta son los **tamales** oaxaqueños que preparan los responsables de organizar la fiesta.

   a. sinónimo de la expresión "está mal"
   b. un tipo de comida
3. En algunos pueblos de Galicia, una región del noroeste de España, se celebra el día de San Juan **asando** sardinas en la playa por la noche.

   a. cocinar en una sartén con muy poco aceite o en contacto directo con el fuego
   b. cocinar con agua
4. El Santo Patrón puede proteger a personas que tienen una característica específica, por ejemplo, a las mujeres **embarazadas**.

   a. mujeres que están esperando un bebé
   b. mujeres que trabajan en la cocina
5. Sus padres eran **campesinos** muy pobres que no pudieron enviar a su hijo a la escuela.

   a. personas que trabajan en la ciudad
   b. personas que trabajan en el campo

6. Isidro se levantaba muy de **madrugada** y nunca empezaba su día de trabajo sin haber asistido antes a misa.

   a. Se levantaba muy tarde por la mañana.
   b. Se levantaba muy temprano por la mañana.

7. A los 43 años de haber sido sepultado, en 1173, sacaron de la **tumba** su cadáver y este estaba incorrupto.

   a. el lugar donde descansan los muertos en el cementerio
   b. sinónimo de la palabra "también"

8. Por todos sus milagros, la iglesia católica lo **canonizó** como San Isidro en el año 1622.

   a. El Papa le dio a Isidro el título de santo.
   b. El Papa construyó una iglesia en su honor.

Por si acaso

Religiones del mundo hispano

El catolicismo es la religión predominante en el mundo hispano. Sin embargo, también se practican otras religiones, aunque de forma minoritaria. Estas religiones incluyen el protestantismo, el judaísmo, el islam y una variedad de religiones indígenas y de origen africano. Las siguientes cifras reflejan porcentajes de algunas de estas religiones. Para obtener más información sobre otras religiones en Internet puedes usar tu buscador favorito.

Países	Católicos	Protestantes	Otras
Argentina	92%	2%	4%
Bolivia	95%	5% evangélica metodista	
Chile	70%	15% evangélica	1% testigos de Jehová, 4.6% otras
Colombia	90%		10%
Costa Rica	76%	13.7%	1.3% testigos de Jehová, 4.8% otras
Cuba	85%		15%
Ecuador	95%	5%	
El Salvador	83%	17%	
España	94%	6%	
Guatemala	50%	25%	25% mayas y otras
Honduras	97%	3%	
México	76%	6.3%	1.4% pentecostal, 1.1% testigos de Jehová, 13.8% sin especificar
Nicaragua	73%	15.1% evangélica, 1.5% morava	1.9%
Panamá	85%	15%	
Paraguay	89%	6%	3%
Perú	81%		1.4% adventista del séptimo día, 16.3% sin especificar
Puerto Rico	85%	15%	
República Dominicana	95%	5%	
Uruguay	66%	2%	31%
Venezuela	96%	2%	2%

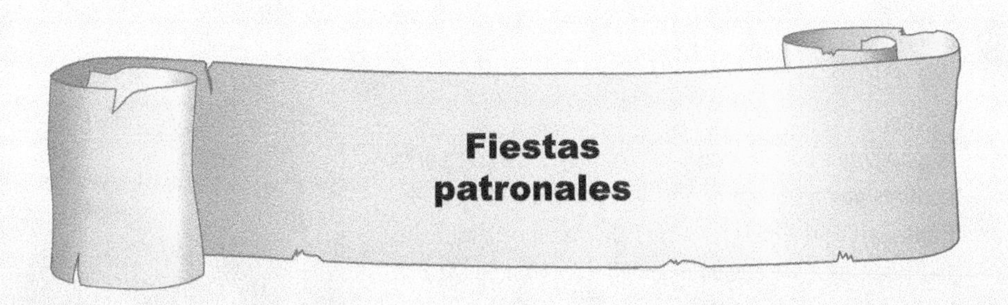

Fiestas patronales

La diversidad de **días festivos** y celebraciones dentro del mundo hispano refleja la **idiosincrasia** de cada uno de los países que lo componen. Algunas de las celebraciones giran alrededor de un tipo de producto o comida típicos de una región; otras celebraciones son semejantes a las de otros países no hispanos, como la Navidad y el Año Nuevo; y hay otro grupo de días festivos que tienen como propósito conmemorar o recordar a la Virgen María o a algún santo del calendario católico. A este tipo de celebración pertenecen las llamadas *fiestas patronales*. Las fiestas patronales varían mucho de país a país y de región a región, sin embargo, todas tienen algunas características en común. Por ejemplo, generalmente hay algún tipo de comida que se come durante esas fechas, puede haber competiciones deportivas, hay presentaciones de bailes regionales y puede haber música y baile en la plaza del pueblo. En Comotinchan, un pueblo ubicado en el Estado de Oaxaca, México, una de las fiestas más importantes tiene lugar el 15 de mayo en honor del patrón del pueblo, San Isidro Labrador. Una de las tradiciones de la fiesta son los **tamales** oaxaqueños que preparan los responsables de organizar la fiesta.

En algunos pueblos de Galicia, una región del noroeste de España, se celebra el día de San Juan **asando** sardinas en la playa por la noche.

Momento de reflexión

¿Cierto o falso?

__ 1. Las celebraciones religiosas en el mundo hispano son iguales.
__ 2. Se mencionan tres tipos de días festivos.
__ 3. Las fiestas patronales tienen características en común en el mundo hispano.
__ 4. Hay una sola manera de celebrar una fiesta patronal.

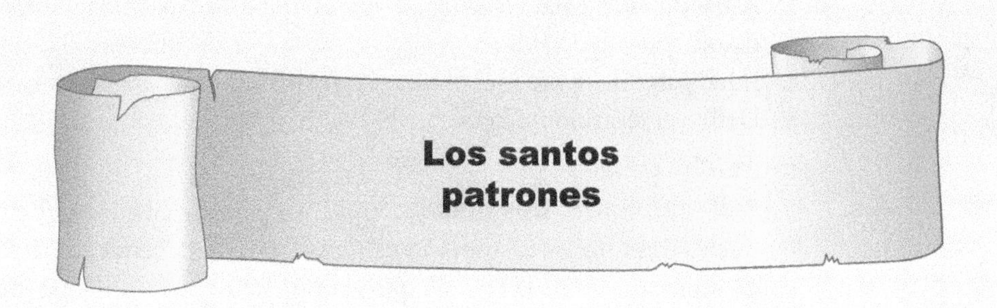

Los santos patrones

Un santo patrón es un santo protector. El santo patrón puede proteger a personas que tienen un tipo de trabajo, por ejemplo, a los agricultores. Puede proteger a personas que tienen una característica específica, por ejemplo, a las mujeres **embarazadas**, o puede proteger una ciudad o un pueblo.

Momento de reflexión

¿Cierto o falso?

__ 1. El santo patrón tiene como función principal la protección de ciertas comunidades.

San Isidro Labrador

15 de mayo

San Isidro es el patrón de los agricultores del mundo. Sus padres eran **campesinos** muy pobres que no pudieron enviar a su hijo a la escuela. Pero en su casa le enseñaron principios religiosos. Cuando tenía diez años, San Isidro se empleó como peón de campo en una finca cerca de Madrid, donde pasó muchos años trabajando las tierras.

Se casó con una campesina que también llegó a ser santa y ahora se llama Santa María de la Cabeza (no porque ese fuera su apellido, sino porque su cabeza se saca en procesión cuando pasan muchos meses sin llover).

San Isidro se levantaba muy de **madrugada** y nunca empezaba su día de trabajo sin haber asistido antes a misa. El dinero que ganaba, lo distribuía en tres partes: una para la iglesia, otra para los pobres y otra para su familia (él, su esposa y su hijo).

San Isidro murió en el año 1130. A los 43 años de haber sido sepultado, en 1173, sacaron de la **tumba** su cadáver y este estaba incorrupto. La gente consideró esto como un milagro. Por este y otros muchos milagros, la iglesia católica lo **canonizó** como San Isidro Labrador en el año 1622.

4–35. ¿Comprendes? Antes de continuar, contesta estas preguntas para asegurarte de que comprendes toda la información importante de la lectura.

1. ¿Cuál de estas palabras describe mejor el texto sobre San Isidro: diario personal, biografía, novela?
2. ¿A qué tipo de personas protege San Isidro?
3. ¿Cuál de estas palabras describe mejor a San Isidro: trabajador, alegre, triste?
4. ¿Qué parte del texto indica que San Isidro era una persona muy religiosa?
5. Define el término *milagro.*

4–36. Vocabulario: Después de leer. En parejas, imaginen que acaban de presenciar un milagro. Ahora tienen que escribir un pequeño párrafo explicándole al resto de la clase lo que vieron. Para que resulte más interesante, deben usar las palabras que se incluyen abajo y toda la creatividad posible. ¡Lo más probable es que el resultado sea bastante cómico!

tumba madrugada campesino embarazada tamales día festivo asar

4-37. Su opinión. En parejas, preparen una encuesta para entrevistar a los estudiantes de su clase. Tienen que averiguar qué porcentaje de los encuestados celebra el día de su santo, qué religión es la más popular entre los estudiantes, cuántos participantes en la encuesta asisten a celebraciones religiosas, con qué frecuencia, y cuál es su celebración favorita. Después, analicen los datos para presentarlos oralmente en clase.

Gramática

Formal and Informal Commands to Get People to Do Things for You or Others

The command forms fulfill the same functions in English and Spanish. Those situations that call for a command form in English will call for a command form in Spanish. In this dialogue between Margarita and Tomás, several command forms are used. Can you identify them?

T: Por favor, Margarita, dame la receta para los tamales.

M: ¿Vas a hacer tamales para la fiesta de San Isidro?

T: Pues sí.

M: Compra tomates verdes, cilantro... Si necesitas ayuda, llámame.

T: Gracias, así lo haré.

Command forms vary according to the level of familiarity that you have with the person you are speaking to. Formal commands and negative informal commands use verb forms you learned in the context of the present subjunctive in *Capítulo* 3.

	Formal (usted, ustedes)	**Informal (tú, vosotros)**
caminar	(no) camine	camina, no camines
	(no) caminen	caminad, no caminéis (vosotros/as)
comer	(no) coma	come, no comas
	(no) coman	comed, no comáis (vosotros/as)
escribir	(no) escriba	escribe, no escribas
	(no) escriban	escribid, no escribáis (vosotros/as)

The **vosotros/as** form is only used in Spain. The rest of the Spanish-speaking countries use **ustedes** forms in both formal and informal situations.

You also need to pay attention to direct-object pronouns accompanying the command; when they occur they need to be attached to the end of the affirmative command.

Prepara la mesa. → Prepára**la**.

Set up the table. → *Set it up.*

Place the pronoun in front of the verb if the command is negative.

No **la** prepares.

Do not set it up.

Irregular formal and negative informal commands parallel the irregular present subjunctive verb forms. You will need to learn irregular affirmative *tú* commands as separate vocabulary items.

Irregular Formal Commands		**Irregular Informal Commands**	
decir		**decir**	
(Ud.) diga	no diga	(tú) di	no digas
(Uds.) digan	no digan	(vos.) decid	no digáis
hacer		**hacer**	
(Ud.) haga	no haga	(tú) haz	no hagas
(Uds.) hagan	no hagan	(vos.) haced	no hagáis
ir		**ir**	
(Ud.) vaya	no vaya	(tú) ve	no vayas
(Uds.) vayan	no vayan	(vos.) id	no vayáis
poner		**poner**	
(Ud.) ponga	no ponga	(tú) pon	no pongas
(Uds.) pongan	no pongan	(vos.) poned	no pongáis
salir		**salir**	
(Ud.) salga	no salga	(tú) sal	no salgas
(Uds.) salgan	no salgan	(vos.) salid	no salgáis
ser		**ser**	
(Ud.) sea	no sea	(tú) sé	no seas
(Uds.) sean	no sean	(vos.) sed	no seáis
tener		**tener**	
(Ud.) tenga	no tenga	(tú) ten	no tengas
(Uds.) tengan	no tengan	(vos.) tened	no tengáis
venir		**venir**	
(Ud.) venga	no venga	(tú) ven	no vengas
(Uds.) vengan	no vengan	(vos.) venid	no vengáis

WileyPLUS Go to *WileyPLUS* to review this grammar point with the help of the **Animated Grammar Tutorial** and **Verb Conjugator.** See also textbook Appendices with Grammar References and verb tables. For more practice, go to the **Activities Manual.**

4-38. Identificación. La sangría es una bebida típica de las celebraciones del mundo hispano. Lee la receta de sangría e identifica los mandatos.

En una jarra, mezcle cuatro vasos de vino tinto, cuatro vasos de agua, un vaso de azúcar y un vaso de jugo de lima. Con una cuchara, revuelva el líquido varias veces. Añada una naranja en rodajas y medio vaso de trocitos de melocotón y piña. Ponga la sangría en el refrigerador. Añada cubitos de hielo y sírvala bien fría.

4–39. La comida típica de los estudiantes.

A. **Sopa de pollo.** Usa mandatos formales ***de usted*** para completar esta receta.

Abrir una lata de sopa de pollo concentrada. ***Echarla*** en una cacerola. ***Añadir*** una taza de agua. ***Revolverla*** varias veces. ***No hervirla. Servirla*** caliente con pan o galletas saladas.

B. **Pasta con salsa de tomate.** Usa mandatos formales ***de usted*** para escribir la receta de este plato típico entre los estudiantes. Ingredientes: un paquete de espaguetis, agua, un tarro de salsa de tomate.

4–40. ¿Qué les pedimos a los santos patrones?

Lean la información sobre estos dos santos patrones y preparen una lista de peticiones con mandatos afirmativos y negativos. Recuerden que tenemos una relación personal con los santos y usamos mandatos informales para hablar con ellos.

Verbos posibles: abandonar, ayudar, dar, guiar, hacer, proteger, etc.

San Valentín: Santo patrón de los enamorados, 14 de febrero. Murió decapitado en Roma en el año 270. Su martirio fue conmemorado con la construcción de una iglesia cerca de Ponte Mole, Italia. Es el santo patrón de los enamorados porque las aves comienzan a buscar sus parejas el 14 de febrero.

Santo Tomás: Santo patrón de los estudiantes, 28 de enero. Nació en Italia en 1225 en una familia aristócrata. Optó por una vida religiosa a la edad de 19 años y sus superiores lo mandaron a estudiar a París. Llegó a ser doctor y enseñar en la Universidad de París. Al volver a Italia, ocupó el puesto de Rector de la Universidad de Nápoles. Es el santo patrón de los estudiantes por su inteligencia, su profesión de profesor y sus muchos escritos académicos.

Vocabulario esencial

Escribir recetas y hablar de celebraciones

añadir	*to add*
calentar (ie)	*to heat*
echar	*to put in*
hervir (ie)	*to boil*
mezclar	*to mix, combine*
poner	*to put*
revolver (ue)	*to stir*
servir (i)	*to serve*

Hablar de celebraciones

amanecer *m*	*dawn*
artesanía *f*	*handicrafts*
asistir a	*to attend*
concierto *m*	*concert*
corrida *f*	*bullfight*
espectáculo *m*	*performance*
feria *f*	*festival*
probar (ue)	*to try (food)*
santo patrón *m*	*patron saint*

4–41. El santo patrón de la universidad.

Inventen un santo patrón para la universidad donde ustedes estudian. ¿Cómo se llama? ¿Qué le piden los estudiantes de la universidad? Usen mandatos afirmativos y negativos en sus peticiones.

4–42. La Feria de San Marcos.

En Aguascalientes, una ciudad de México, se celebra la Feria Nacional de San Marcos. En parejas, lean el artículo y preparen una lista de mandatos informales (afirmativos y negativos) para animar a otro/a estudiante a divertirse en la fiesta.

MODELO

Escucha los conciertos de mariachis.

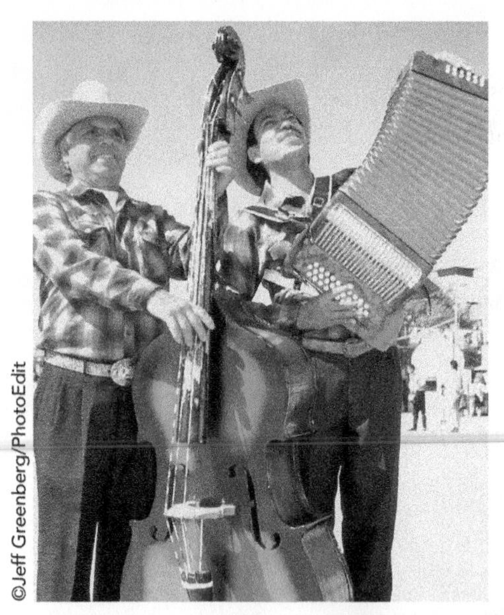
©Jeff Greenberg/PhotoEdit

Origen: La festividad tuvo su origen con la fundación del pueblo de San Marcos en el año 1604, que todos los años celebraba al santo patrón San Marcos. Con el paso del tiempo este pueblo se fue uniendo a la ciudad de Aguascalientes, y ahora esta ciudad es el centro de esta festividad que se llama Feria Nacional de San Marcos.

Descripción: Esta feria es considerada la mejor de todo México. Empieza la tercera semana de abril y dura hasta la primera semana de mayo. Se llevan a cabo doce corridas de toros. Tienen también lugar el Encuentro Internacional de Poetas, conciertos de mariachis, obras de teatro, exposiciones de artesanía y juegos infantiles. La diversión en la feria empieza temprano y concluye al amanecer del día siguiente.

Comida típica: los tamales

Otras actividades: Aguascalientes tiene diversos museos y un centro histórico de gran interés con hermosos monumentos coloniales.

Vocabulario para conversar

Expresar compasión, sorpresa y alegría

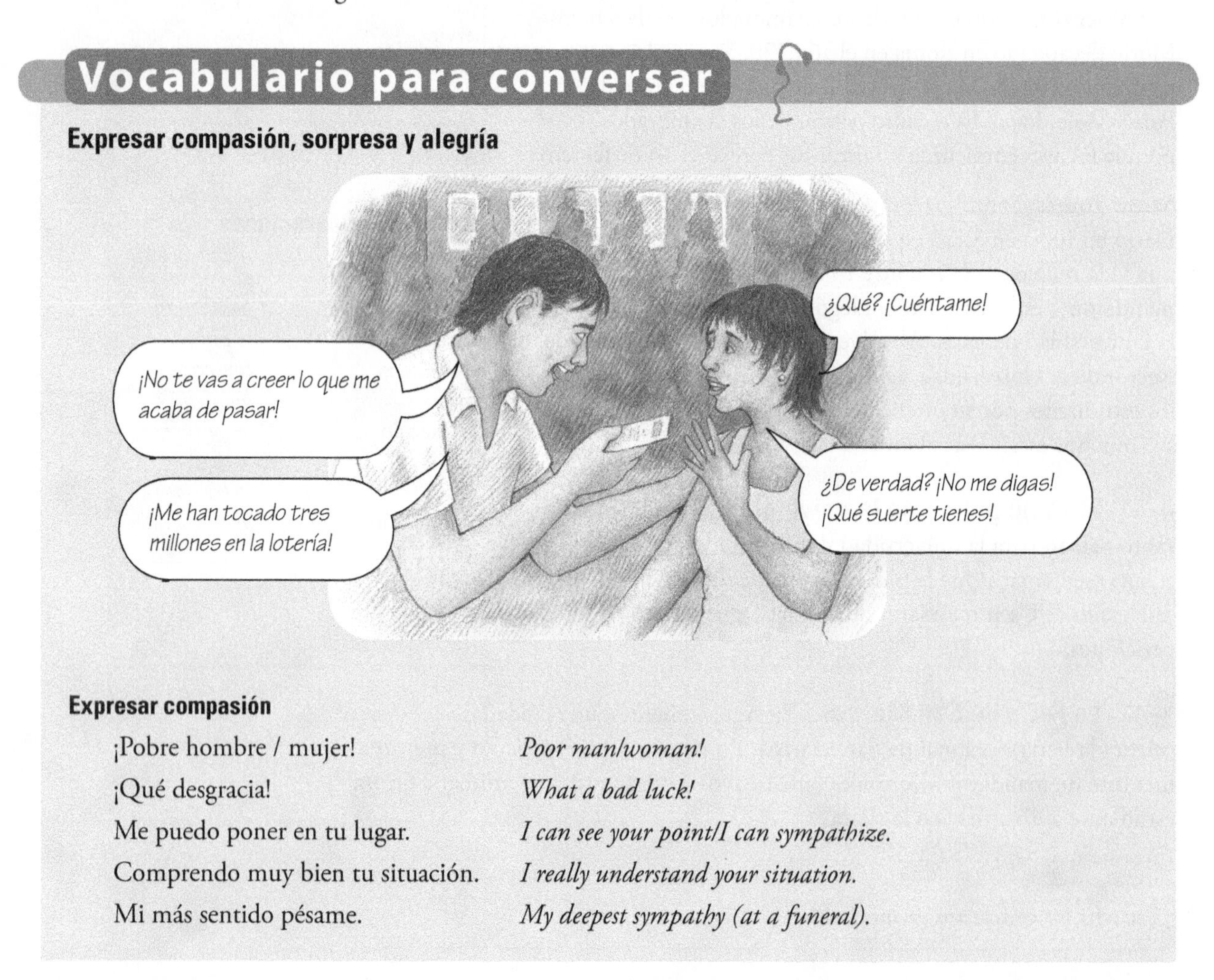

Expresar compasión

¡Pobre hombre / mujer!	*Poor man/woman!*
¡Qué desgracia!	*What a bad luck!*
Me puedo poner en tu lugar.	*I can see your point/I can sympathize.*
Comprendo muy bien tu situación.	*I really understand your situation.*
Mi más sentido pésame.	*My deepest sympathy (at a funeral).*

Expresar sorpresa

¿De verdad?	*Really?*
¿En serio?	*Are you serious? Really?*
¡No me digas!	*No way! Get out of here!*

Expresar alegría

¡Cuánto me alegro!	*I'm so glad!*
¡Qué bueno! ¡Qué bien!	*Great!*
Pues, me alegro mucho.	*Well, I'm really glad.*

4-43. **Palabras en acción.** ¿Cómo respondes a estos comentarios?

1. Tu amigo/a: Cuando venía a clase me caí y me rompí una pierna.
2. Tu abuela de 70 años: ¡Estoy embarazada!
3. Tu madre: ¡Nos ha tocado la lotería!
4. Tu profesor: Has sacado una A en el examen.
5. Un/a amigo/a especial: ¿Te quieres casar conmigo?

4-44. **Reacciones.** En parejas, sigan las instrucciones a continuación para describir algunas situaciones interesantes con las que practicar las expresiones anteriores.

Estudiante A: Tú inicias la actividad. Descríbele los dibujos a tu compañero/a y escucha su reacción a cada descripción. ¿Te parecen adecuadas sus reacciones?

Estudiante B: Tu compañero/a inicia la actividad. Escucha sus descripciones y reacciona con una expresión apropiada. Después, descríbele tus dibujos a tu compañero/a e indica si las expresiones que usó te parecen apropiadas o no.

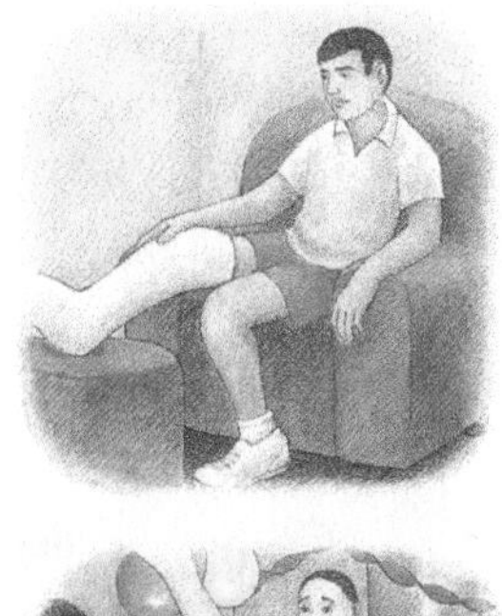

COLOR Y FORMA

La Sagrada Familia con Santa Ana y el niño Juan Bautista, de El Greco (Domenikos Theotokopoulos)

Conocido como El Greco, Domenikos Theotokopoulos nació en Creta, Grecia, hacia el año 1541. En 1577 se documentó por primera vez su presencia en Toledo, España, ciudad en la que permaneció hasta su muerte en 1614. Puede decirse que la mitad de su vida transcurrió en Toledo.

4–45. Mirándolo con lupa. En parejas, observen el cuadro con atención y después, respondan a las siguientes preguntas.

1. Describan a las personas que ven en el cuadro: ¿dónde está cada persona con respecto a la persona más cercana?, ¿qué tipo de ropa llevan?, ¿cómo es la expresión de las caras de estas personas?
2. Describan los colores: ¿son predominantemente oscuros o claros?, ¿qué color o gama de colores predomina?
3. El tema de este cuadro, ¿es religioso o secular? Justifiquen su respuesta.
4. ¿Qué sentimiento les producen o comunican las imágenes de este cuadro?, ¿alegría?, ¿tristeza?, ¿tensión?, ¿paz? ¿Les inspira contemplación espiritual? ¿Sienten lo mismo al mirar el cuadro? Si no es así, ¿cuáles son las diferencias?

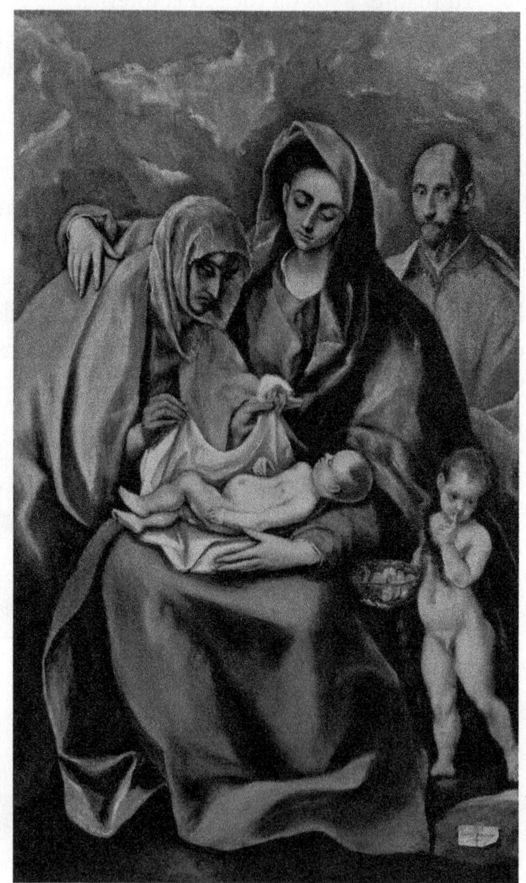

La Sagrada Familia con Santa Ana y el niño Juan Bautista, de El Greco, Museo de Santa Cruz, en Toledo, España.

Redacción

4-46. Un artículo sobre turismo. El periódico *La Feria* te ha encargado que escribas un artículo con recomendaciones para el visitante a Madrid durante la feria de San Isidro. Los lectores de tu artículo pueden ser turistas estadounidenses o de otros lugares del mundo. Tu artículo tiene como objetivo informar al lector sobre la feria y su historia y debe incluir una sección de consejos prácticos para que el turista saque el mayor partido de su visita. Para escribir este artículo debes convertirte primero en un "experto" en la feria de San Isidro de Madrid. Consulta Internet u otras fuentes en la biblioteca para poder ampliar tus conocimientos sobre esta fiesta.

Preparación

1. Determina cuáles son los objetivos de este artículo:
   _____ describir la realidad cultural estadounidense
   _____ analizar la actitud de la gente hacia esta celebración
   _____ persuadir al lector para que visite la feria de San Isidro
   _____ narrar la historia de San Isidro
   _____ informar al lector sobre lo que se puede hacer en esta feria
   _____ una combinación de dos o más de los objetivos listados arriba
2. Decide a qué tipo de lector va dirigido el artículo:
   _____ el público en general
   _____ estudiantes de español
   _____ turistas estadounidenses
   _____ turistas de todo el mundo
   _____ estudiantes de antropología
   _____ profesores de Historia
   _____ otros ______________________________
3. Con base en la información obtenida en tu investigación sobre el tema, ¿qué información vas a incluir en tu artículo? Escribe una lista con estas ideas.
4. Piensa cómo vas a organizar las ideas:
   a. ¿Cuál es el título de mi artículo?
   b. ¿Qué información voy a incluir en la introducción?
   c. ¿Qué tema/s voy a incluir en cada párrafo?
   d. ¿Qué información voy a incluir en la conclusión?
   e. ¿Quiero usar imágenes? ¿Cuáles voy a incluir?

A escribir

1. Escribe una introducción que capte el interés del lector.

MODELO

Es 15 de mayo y, como todos los años, madrileños y visitantes se preparan para disfrutar la celebración del santo patrón, San Isidro Labrador.

2. Desarrolla el cuerpo de tu artículo. Puedes seguir la estructura siguiente:
   a. Describe la historia de la feria en detalle.
   b. Resume los eventos más importantes de la feria.
   c. Ofrécele al lector una serie de recomendaciones para disfrutar al máximo de su visita.
3. Escribe una conclusión resumiendo el tema.

MODELO

Espero que el lector tenga ya la información necesaria para sentirse cómodo en la feria. Ahora solo le falta hacer las maletas y presentarse en Madrid el 15 de mayo.

Revisión

Escribe el número de borradores que te indique tu instructor/a y revisa tu artículo usando la guía de revisión del Apéndice C. Escribe la versión final y entrégasela a tu instructor/a.

Ven a conocer

4-47. Anticipación. ¿En qué piensan cuando oyen la palabra "Pamplona"? ¿Han visto imágenes de los Sanfermines y sus emblemáticos encierros en la televisión o en la red? Lean el texto para saber más acerca de una de las fiestas más famosas de España.

Por si acaso

Los Sanfermines

La fiesta de San Fermín, o los Sanfermines, se celebra todos los años en Pamplona, España. La feria dura una semana y su componente más conocido es el encierro. La fiesta es popular a nivel internacional y son varios los estadounidenses que han participado en el encierro.

7 de julio, San Fermín

La historia

El origen de esta fiesta se pierde en la historia. Hay crónicas de los siglos XIII y XIV que ya hablan de los Sanfermines, que hasta el siglo XVI se celebraron en octubre, coincidiendo con la festividad del santo, pero que se trasladaron a julio debido a que el clima en octubre era bastante impredecible.

La conmemoración de San Fermín evolucionó a través de los siglos, incorporando nuevos elementos como música, danzas, teatro y corridas de toros.

En el siglo XX los Sanfermines alcanzaron su máxima popularidad. La novela *The Sun Also Rises (Fiesta)*, escrita por Ernest Hemingway en 1926, animó a personas de todo el mundo a participar en las fiestas de Pamplona y vivir de cerca las emociones descritas por el escritor norteamericano. El interés que hoy despiertan los Sanfermines es tan grande que la aglomeración es uno de los principales problemas de esta celebración.

El encierro (o la encerrona)

El encierro es el evento que más se conoce de los Sanfermines y el motivo por el que muchos extranjeros llegan a Pamplona el 6 de julio. Básicamente consiste en correr delante de los toros un tramo de calle convenientemente vallada, y tiene como fin trasladar a los toros desde los corrales de Santo Domingo hasta los de la Plaza de Toros donde, por la tarde, serán toreados. En total corren seis toros de lidia y dos manadas de toros mansos, y el trayecto, que transcurre por diferentes calles del Casco Viejo de la ciudad, mide 825 metros de largo. La peligrosa carrera, que se celebra todas las mañanas del 7 al 14 de julio, comienza a las 8:00 de la mañana, aunque los corredores deben estar preparados para el recorrido antes de las 7:30 de la mañana.

La carrera tiene una duración media de tres minutos, que se prolongan si alguno de los toros se separa de la manada. Aunque todos los tramos son peligrosos, la curva de la calle Mercaderes y el tramo comprendido entre la calle Estafeta y la plaza son los que más riesgo representan.

Actualmente, la aglomeración es uno de los principales problemas del encierro y aumenta el peligro de la carrera, en la que los participantes no deberán correr más de 50 metros delante de los toros. El resto del recorrido deben hacerlo detrás de los toros.

Todos los tramos del recorrido están vigilados por un amplio dispositivo de seguridad y atención médica. No obstante, la peligrosidad de la carrera ha hecho que entre 1924 y 1997 se haya registrado un total de 14 muertos y más de 200 heridos.

Por si acaso

corrales	*cattle pen*
corridas de toros	*bullfights*
lidia	*bullfighting*
manadas	*herds*
mansos	*tame*
pregón	*announcement*
riesgo	*risk*
taurino	*related to bulls*
tramo	*section*
trayecto	*distance*
vallada	*fenced in*

CONSEJOS ÚTILES

Además de ser el evento más conocido de los Sanfermines, el encierro también es el más peligroso. Para procurar que la carrera transcurra fluidamente y evitar peligros, conviene que los espectadores y los corredores tengan en cuenta unas mínimas normas que garanticen el normal transcurso del encierro.

1. Se prohíbe la presencia en el trayecto de menores de 18 años, con exclusión absoluta del derecho a correr o participar.
2. Se prohíbe desbordar las barreras policiales.
3. Es necesario situarse exclusivamente en las zonas y lugares que expresamente señalen los agentes de la autoridad.
4. Está absolutamente prohibido resguardarse en rincones, ángulos muertos o portales de casas antes de la salida de los toros.
5. Todos los portales de las casas en el trayecto deben estar cerrados, siendo responsables de ellos los propietarios.
6. Se prohíbe permanecer en el recorrido bajo los efectos del alcohol, de drogas o de cualquier forma impropia.
7. Se debe llevar vestuario o calzado adecuado para la carrera.
8. No se debe llamar la atención de los toros en el itinerario o en el ruedo de la plaza.
9. Se prohíbe pararse en el recorrido y quedarse en el vallado, barreras o portales, de forma que se dificulte la carrera o defensa de los corredores.

Hemingway y los Sanfermines

Loomis Dean/Time & Life Pictures/ Getty Images

Ernest Hemingway (1899–1961) llegó por primera vez a Pamplona, procedente de París, el 6 de julio 1923, recién iniciadas las fiestas de San Fermín. El ambiente de la ciudad y, en particular, el juego gratuito del hombre con el toro y con la muerte le impactaron tanto que la eligió como escenario de su primera novela importante *The Sun Also Rises (Fiesta)*, publicada tres años después. El estadounidense regresó a los Sanfermines en ocho ocasiones más, la última en 1959, cinco años después de obtener el premio Nobel de Literatura y dos años antes de poner fin a su vida en Ketchum, Idaho.

El Ayuntamiento de Pamplona rindió un homenaje a Ernest Hemingway el 6 de julio de 1968, con la inauguración de un monumento en el paseo que lleva su nombre, junto a la Plaza de Toros, acto al que asistió su última esposa, Mary Welsh.

4–48. ¿Comprendieron? En grupos de cuatro, respondan oralmente a todas las preguntas de la tabla. Tienen cinco minutos para preparar sus respuestas. Después, su instructor/a va a hacer preguntas. El grupo que primero responda a cinco preguntas gana.

La historia	El encierro	Consejos útiles	Hemingway
¿De qué siglos son las primeras crónicas que hablan de los Sanfermines?	¿En qué consiste el encierro?	¿Quiénes pueden participar en el encierro?	¿Cuándo visitó el escritor la feria por primera vez?
¿Por qué se cambió la fecha de la feria de octubre a julio?	¿En qué fechas se celebra la carrera?	¿Por qué está prohibido pararse o meterse en portales durante la carrera?	¿Qué obra suya está inspirada en la feria?
¿Qué hecho motivó la popularidad internacional de los Sanfermines?	¿A qué hora tienen que estar preparados los corredores?	¿Es aceptable llamar la atención de los toros durante el trayecto? ¿Por qué?	¿Cuántas veces visitó Hemingway Pamplona durante la feria?
	¿Qué distancia deben correr los participantes?		¿Quién asistió al homenaje que le hizo al escritor el Ayuntamiento de Pamplona?
	¿Por qué es la aglomeración un problema en los Sanfermines?		

4–49. Recomendaciones para los Sanfermines. Su amigo/a está planeando participar en la encerrona de los Sanfermines este año. Escriban una lista de 4 consejos o recomendaciones para su amigo/a usando mandatos. Pueden consultar la sección de "consejos útiles" de la lectura.

MODELO

Lleva ropa y zapatos muy cómodos.

No toques o molestes a los toros.

Viaje virtual

Busca información en la red sobre la Tomatina en Buñol, España. Prepara un informe oral de unas 50–100 palabras. Tu informe debe incluir lo siguiente: 1) una descripción de la fiesta y su historia, 2) las reglas de la Tomatina, 3) tu opinión sobre esta tradición.

El escritor tiene la palabra

Sor Juana Inés de la Cruz (1651–1695)

Sor Juana Inés de la Cruz es una de las pocas escritoras de su tiempo. Nació en México y se crió entre los libros de la biblioteca de su abuelo. Ya desde muy joven, antes de cumplir los veinte años, decidió dedicarse a la vida religiosa e ingresó en un convento de la orden de San Jerónimo. Su escritura se clasifica dentro del periodo literario llamado Barroco, que se caracteriza por el uso frecuente de dobles sentidos. Estos dobles sentidos aparecen en el soneto *En perseguirme, Mundo, ¿qué interesas?*

Portrait of Sor Juana Inés de la Cruz, 1750 oil on canvas, Cabrera, Miguel 1695-1768/ Museo Nacional de Historia, Castillo de Chapultepec, Mexico/Jean-Pierre Courau/ The Bridgeman Art Library

4–50. Entrando en materia.

1. Identifica qué actividades de la siguiente lista se relacionan con los conceptos "valores espirituales" y "valores materiales":
   - a. mantener la forma física
   - b. leer sobre temas filosóficos
   - c. practicar una religión
   - d. hacer trabajo voluntario
   - e. pensar en el dinero
   - f. buscar la fama
2. Lee el título. La pregunta "¿qué interesas?" está dirigida (*addressed*) a:
   - a. una persona específica
   - b. nadie específicamente
3. Lee la segunda estrofa (*stanza*). Selecciona la opción que explica mejor esta estrofa.
   - a. La poeta está interesada en cosas materiales.
   - b. La poeta no quiere pensar en cosas materiales.

EN PERSEGUIRME, MUNDO, ¿QUÉ INTERESAS?

En **perseguirme**[1], Mundo, ¿qué interesas?
¿En qué te ofendo, cuando solo intento
poner bellezas en mi **entendimiento**[2]
y no mi entendimiento en las bellezas?

Yo no estimo tesoros ni riquezas;
y así, siempre me causa más contento
poner riquezas en mi pensamiento
que no mi pensamiento en las riquezas.

Y no estimo **hermosura**[3] que, **vencida**[4],
es **despojo civil**[5] de las edades,
ni riqueza me agrada **fementida**[6],

teniendo por mejor, **en mis verdades**[7],
consumir vanidades de la vida
que consumir la vida en vanidades.

En perseguirme, ¿Mundo, qué interesas?, by Sor Juana Inés de la Cruz. Méndez Plancarte, Alfonso (Editor) (1957). *Obras Completas de Sor Juana Inés de la Cruz.* México: Fondo de Cultura Económica. Reprinted with permission D. R. ©2009 Fondo de Cultura Económica, Carretera Picacho-Ajusco 227, C.P. 14738, México, D.F.

1. *to hound* 2. *thoughts, mind* 3. *physical beauty* 4. *defeated* 5. *mundane refuse* 6. *deceiving* 7. *in my values*

4-51. Nuestra interpretación de la obra. Lean el poema y respondan a las siguientes preguntas.

1. Identifiquen las expresiones que están relacionadas con valores materiales.
2. Identifiquen las expresiones que están relacionadas con valores espirituales.
3. La palabra "bellezas" aparece en la primera estrofa con dos significados, uno material y otro espiritual, ¿puedes identificar cuál tiene un significado material?
4. En la segunda estrofa, ¿qué expresión es casi sinónima de "gustar"?
5. En la tercera estrofa hay dos palabras que son casi sinónimas de "gustar", ¿cuáles son?
6. ¿Con qué estrofa o estrofas asocian estas afirmaciones?
   a. para la poeta la apariencia física no es importante
   b. para la poeta el dinero no es importante
   c. la poeta quiere enriquecer su pensamiento

4-52. Ustedes tienen la palabra. Reescriban una de las estrofas cambiando algunas palabras o expresiones con palabras o expresiones sinónimas. Después, lean su estrofa a la clase.

WileyPLUS

Go to *WileyPLUS* to see these **videos,** and to find the **video activities** related to them.

Videoteca

La feria de San Isidro en Madrid

En el Tema 3, leíste sobre San Isidro Labrador, santo patrón de los agricultores y también de la ciudad de Madrid. Ahora vas a ver cómo la capital española festeja el día de su santo cada mes de mayo. Además de fiesta religiosa, la feria de San Isidro es una celebración de la cultura madrileña, con los trajes, comidas y bailes que han formado parte de su cultura desde hace siglos. Madrid, "la ciudad que nunca duerme", está más animada que nunca al celebrar la feria de su santo.

Un paseo por Madrid

En este video vas a conocer Madrid, la ciudad que nunca duerme. Capital de España desde el siglo XVI, es una ciudad llena de historia y cultura. Darás un paseo por la Plaza Mayor, el Palacio Real, la Puerta del Sol, el barrio de Malasaña, entre otros. Con sus museos, teatros, fiestas, gastronomía y sus barrios emblemáticos, Madrid ofrece algo para todos.

Vocabulario

Ampliar vocabulario

acudir en masa	*to flock to*
agarrar	*to hold*
alternar	*to socialize*
asar	*to roast*
campesino/a	*peasant*
canonizar	*canonize*
chiste *m*	*joke*
de mal gusto *m/f*	*bad taste*
día festivo *m*	*holiday*
embarazada *f*	*pregnant*
evitarse	*to avoid*
idiosincrasia *f*	*idiosincrasy*
incómodo/a	*uncomfortable*
integral *m/f*	*integral, essential*
madrugada *f*	*dawn, daybreak*
mejilla *f*	*cheek*
por su cuenta	*on his/her own*
ritualizar	*to make into a ritual*
saludar	*to greet*
tamal *m*	*tamale*
tapas *f*	*snacks, appetizers*
tumba *f*	*grave, tomb*
voz baja (en)	*low voice*

Vocabulario esencial
Hablar de tradiciones

bandera *f*	*flag*
broma *f*	*joke*
costumbre *f*	*custom*
desfile *m*	*parade*
disfraz *m*	*costume*
fiesta *f*	*holiday, celebration*
fuegos artificiales *m*	*fireworks*
llamar a la puerta	*to knock on the door*
plato *m*	*dish (food)*
puestos *m*	*commercial stands*
reunirse	*to meet, get together*
truco *m*	*tricks*

Hablar de creencias y supersticiones

adivina *f*	*fortune teller*
adivinación *f*	*prediction*
adivinar	*to predict, tell the future*
apagar (la luz)	*to put out (the light)*
astrología *f*	*astrology*
cadáver *m*	*cadaver, dead body*
encantado/a	*haunted*
encender (ie) (la luz)	*to turn on (the light)*
esqueleto *m*	*skeleton*
fantasma *m*	*ghost*
más allá *m*	*the beyond*
monstruo *m*	*monster*
numerología *f*	*numerology*
oscuridad *f*	*darkness*
quiromántica *f*	*palm reader*
suerte *f*	*luck*

Escribir recetas y hablar de celebraciones

añadir	*to add*
calentar (ie)	*to heat*
echar	*to put in*
hervir (ie)	*to boil*
mezclar	*to mix, combine*
poner	*to put*
revolver (ue)	*to stir*
servir (i)	*to serve*

Hablar de celebraciones

amanecer *m*	*dawn*
artesanía *f*	*handicrafts*
asistir a	*to attend*
concierto *m*	*concert*
corrida *f*	*bullfight*
espectáculo *m*	*performance*
feria *f*	*festival*
probar (ue)	*to try (food)*
santo patrón *m*	*patron saint*

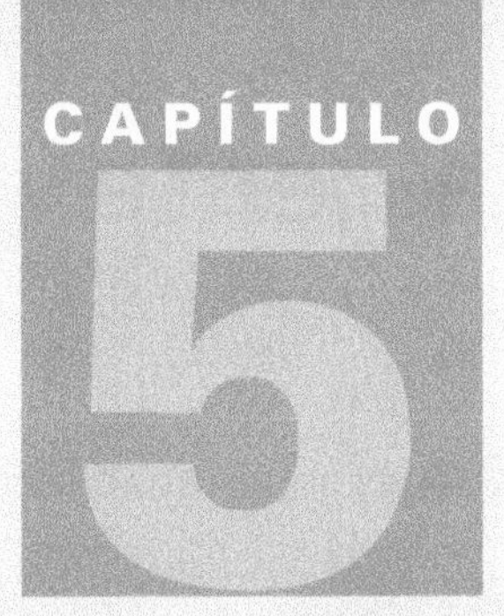

CAPÍTULO 5

WileyPLUS ADDITIONAL ACTIVITIES FOR EACH TEMA AND ANIMATED GRAMMAR TUTORIALS AVAILABLE ONLINE.

NUESTRA HERENCIA INDÍGENA, AFRICANA Y ESPAÑOLA

Objetivos del capítulo

En este capítulo vas a...

- ampliar tus conocimientos sobre el significado del llamado descubrimiento de América.
- describir y narrar en el futuro.
- hablar sobre acontecimientos posibles.
- expresar hipótesis.
- iniciar y mantener una discusión, debatir un tema y convencer a otras personas.
- escribir una narración en el futuro.

TEMA

1 Antes de 1492: La gente de América 166

LECTURA: América no fue descubierta en 1492 167

GRAMÁTICA: The Future to Talk About Plans 169

(Vocabulario esencial: Hablar de descubrimientos) 171

VOCABULARIO PARA CONVERSAR: Convencer o persuadir 172

CURIOSIDADES: Los números mayas 173

2 1492: El encuentro de dos mundos 174

A ESCUCHAR

MINICONFERENCIA: Los instrumentos de exploración, el viaje al continente desconocido y el nombre de América 176

GRAMÁTICA: Future and Present with *si* Clauses to Talk About Possibilities or Potential Events 177

(Vocabulario esencial: Hablar de guerras e invasiones) 178

VOCABULARIO PARA CONVERSAR: Acusar y defender 179

CURIOSIDADES: Menú de a bordo 181

3 El crisol de tres pueblos 182

LECTURA: Hispanoamérica y su triple herencia 183

GRAMÁTICA: The Conditional and Conditional Sentences to Talk About Hypothetical Events 185

John & Lisa Merrill/The Image Bank/Getty Images

Esta mujer guatemalteca de ascendencia maya pasa parte del día tejiendo, como lo vienen haciendo las mujeres de su cultura desde hace siglos. ¿Qué sabes tú sobre las culturas indígenas antes y después del descubrimiento de América?

(Vocabulario esencial: Hablar de fenómenos sociales) 187

VOCABULARIO PARA CONVERSAR: Iniciar y mantener una discusión 188

COLOR Y FORMA: *La conquista de México*, de Diego Rivera 190

Más allá de las palabras 191

REDACCIÓN: Diario de a bordo 191

VEN A CONOCER: México. D.F.: El Zócalo 192

EL ESCRITOR TIENE LA PALABRA: "Carta de Don Cristóbal Colón a su hijo Don Diego Colón", de Cristóbal Colón 194

VIDEOTECA: De la conquista a la independencia; Identidad y nombres 196

TEMA 1

Antes de 1492: La gente de América

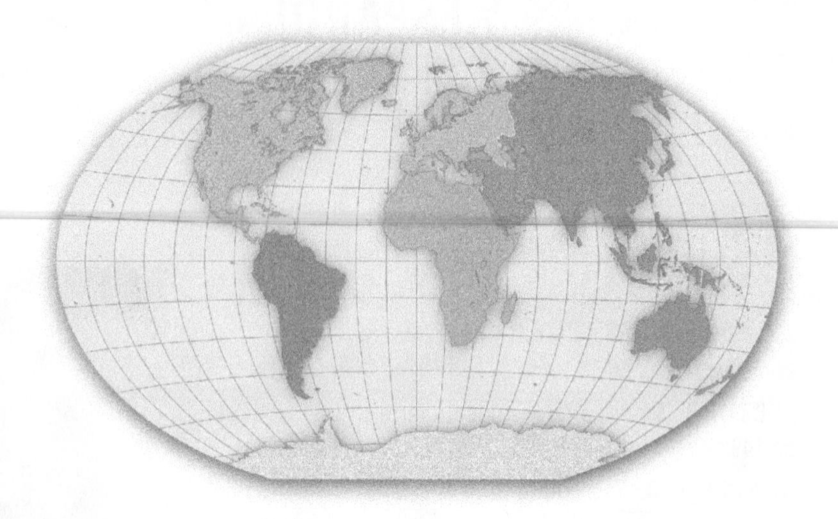

Lectura

Entrando en materia

5–1. Repaso de geografía. En parejas, primero identifiquen todos los continentes del mapa ("Este es...." o "Aquí está..."). Después, cada persona debe hacer una comparación entre dos de los mares y océanos según la extensión (más grande/pequeño). Finalmente, cada persona debe hacer una observación sobre la posición relativa de un continente y un mar u océano (estar al sur/norte/este/oeste de...).

Los continentes: Norteamérica, Sudamérica, Asia, África, Europa, Oceanía, Antártida

Los océanos y mares: Atlántico, Pacífico, Mediterráneo, Caribe

Por si acaso

Expresiones útiles para comparar respuestas con otro estudiante

¿Qué tienes/ pusiste en el número 1/ 2/ 3?
Yo tengo/ puse a/ b.
Yo tengo algo diferente.
No sé la respuesta./ No tengo ni idea.
Creo que la respuesta es a/ b, pero no estoy seguro/a.
Creo que es cierto./ Creo que es falso.

5-2. Vocabulario: Antes de leer. Selecciona el significado de la palabra en negrita. Si es necesario, consulta la lectura o el vocabulario al final del capítulo.

1. El continente americano estaba **habitado** por una gran variedad de grupos étnicos.
   a. poblado   b. organizado
2. El **descubrimiento** de América no ocurrió en 1492.
   a. la llegada de Cristóbal Colón   b. la inmigración
3. Los aztecas tenían una organización social **compleja**.
   a. primitiva   b. sofisticada
4. La **variedad** cultural de estos grupos era enorme.
   a. diversidad   b. migración
5. Los mayas, los incas y los aztecas eran sociedades **precolombinas**.
   a. posteriores a la llegada de Cristóbal Colón
   b. anteriores a la llegada de Cristóbal Colón
6. La civilización maya tenía una cultura muy **avanzada**.
   a. simple   b. compleja

América no fue descubierta en 1492

Antes de 1492, el continente americano estaba **habitado** por una gran variedad de grupos étnicos, a los que se les llamó "indios". Cristóbal Colón llamó "indios" equivocadamente a los habitantes que encontró al llegar a América, y llamó al territorio Las Indias, creyendo que había llegado a ese lugar. Colón murió con esta idea errónea sobre las tierras que había encontrado.

La historia de los llamados indios empieza más de 30,000 años a. C. (antes de Cristo). Por consiguiente, el **descubrimiento** de América ocurrió literalmente en esta

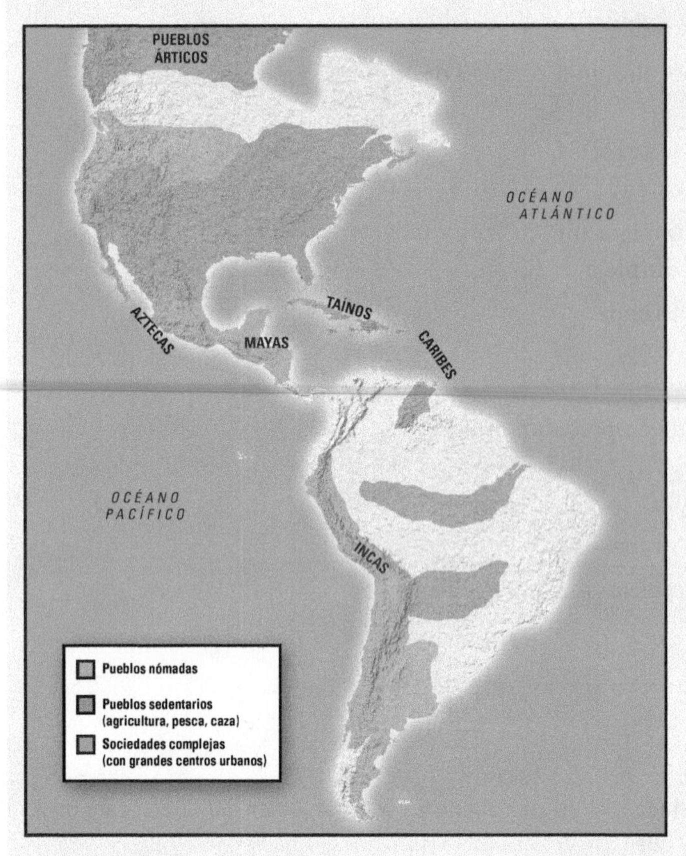

América antes de 1492

fecha y no en 1492. América comenzó a habitarse cuando unos nómadas asiáticos pasaron por un brazo de tierra que unía Asia y América. Estos primeros habitantes bajaron por el continente americano en dos o tres grandes migraciones durante un período de miles de años y así surgieron cientos de culturas diferentes. M[1]

[1] Momento de reflexión

Marca con una X la oración correcta.

❑ *1. El descubrimiento de América ocurrió realmente hace unos 30,000 años.*

❑ *2. Colón sabía que las tierras a las que llegó no eran Las Indias.*

La **variedad** cultural de estos grupos se manifiesta en el gran número de idiomas que hablaban. Estos pueblos indígenas hablaban un total de dos mil lenguas diferentes cuando los europeos llegaron al continente americano. Estos idiomas tenían diferencias comparables a las que existen entre el árabe y el inglés; es decir, eran muy diferentes entre sí.

La enorme diversidad de estos grupos indígenas también se manifiesta en el tipo de sociedades que desarrollaron. Los aztecas, por ejemplo, tenían una organización social **compleja** y estratificada de guerreros, comerciantes, sacerdotes, gente común y esclavos. El nacimiento determinaba el estatus del individuo y no había movilidad social. Sin embargo, otras sociedades indígenas se organizaban de forma más sencilla, sin muchas distinciones sociales rígidas. Los mayas, los incas y los aztecas constituían las sociedades **precolombinas** más **avanzadas**. Sus ciudades tenían una población mayor que los centros urbanos europeos de la época y eran más limpias, con sistemas sofisticados de agua corriente. Los avances tecnológicos de arquitectura, agricultura y astronomía son también notables. Los mayas usaban una escritura jeroglífica, representaciones de palabras por medio de símbolos y figuras, y establecieron un sistema de numeración basado en veintenas que incluía el número cero. M[2]

[2] Momento de reflexión

Marca con una X la oración correcta.

❑ *1. Las diferentes lenguas indígenas eran muy similares.*

❑ *2. Algunos pueblos indígenas tenían una organización social muy compleja.*

5-3. ¿Comprendes? Responde a estas preguntas sobre la lectura.

1. Explica por qué América no fue descubierta en 1492.
2. ¿Por qué el término *indio* es un término inexacto?
3. ¿Cuántas lenguas hablaban los pueblos indígenas?
4. ¿Qué tipo de distinciones sociales tenían los aztecas?
5. ¿Qué diferencias se mencionan entre las ciudades indígenas y las ciudades europeas?
6. ¿Qué avances tecnológicos fueron importantes en las sociedades precolombinas avanzadas?

5-4. Vocabulario: Después de leer. En parejas, háganse unos a otros estas preguntas. Intenten usar el vocabulario en negrita en sus respuestas.

1. ¿Por qué comunidades o grupos étnicos está **habitada** tu ciudad de origen?
2. ¿Tiene tu ciudad una gran **variedad** de lugares de diversión?
3. ¿Puedes dar un ejemplo de un **descubrimiento** científico importante?
4. ¿Qué debes hacer para alcanzar (*reach*) un nivel **avanzado** de español?
5. ¿Qué tareas de la clase de español te parecen más **complejas**?

5-5. Más detalles. En parejas, hagan una tabla con información de la lectura acerca de los cuatro temas que aparecen a continuación. Incluyan tantos detalles como sea posible.

- Origen de los primeros habitantes de América
- Cuándo ocurrió el descubrimiento de América
- Ejemplos de variedad cultural entre los pueblos indígenas
- Ejemplos de sociedades avanzadas

Gramática

The Future to Talk About Plans

In this section you will learn how to talk about future events and plans using the future tense. You already know a way to talk about future occurrences. Do you remember?

To form the future tense:

1. take the infinitive of a verb
2. add the endings **-é, -ás, -á, -emos, -éis, -án**

Regular Verbs

-ar verbs		-er verbs		-ir verbs	
hablar**é**	hablar**emos**	beber**é**	beber**emos**	escribir**é**	escribir**emos**
hablar**ás**	hablar**éis**	beber**ás**	beber**éis**	escribir**ás**	escribir**éis**
hablar**á**	hablar**án**	beber**á**	beber**án**	escribir**á**	escribir**án**

The irregular verbs shown below take the same future endings as the regular verbs. Note the changes in the stem.

Irregular Verbs

Drop last vowel in the infinitive			**Replace last vowel in the infinitive with *d***			**Other**		
haber	→	**habr-**	poner	→	**pondr-**	decir	→	**dir-**
poder	→	**podr-**	salir	→	**saldr-**	hacer	→	**har-**
querer	→	**querr-**	tener	→	**tendr-**			
saber	→	**sabr-**	valer	→	**valdr-**			
			venir	→	**vendr-**			

When to Use the Future Tense

- Use the future tense in the same situations you would use future tense in English.
  Mañana mi hermana **visitará** el Museo de Historia Precolombina.
  *Tomorrow my sister **will visit** the Pre-Columbian History Museum.*
- The future tense and the expression **ir + a +** *infinitive* are interchangeable.
  Mañana mi hermana **va a visitar** el Museo de Historia Precolombina.
  *Tomorrow my sister **is going** to the Pre-Columbian History Museum.*

WileyPLUS Go to *WileyPLUS* to review this grammar point with the help of the **Animated Grammar Tutorial** and **Verb Conjugator.** See also textbook Appendices with Grammar References and verb tables. For more practice, go to the **Activities Manual.**

5-6. Identificación. El astrólogo consejero de Moctezuma hizo algunas profecías sobre el destino de su pueblo. Lee las profecías e identifica los verbos en tiempo futuro.

"Nuestros reinos sufrirán terribles calamidades. Los invasores destruirán nuestras ciudades y nosotros seremos sus esclavos; la muerte dominará en nuestras ciudades. Tú verás toda esta destrucción porque todas estas cosas ocurrirán durante tu reinado".

5-7. ¿Qué aprenderemos? ¿Qué vas a aprender en este capítulo sobre el descubrimiento de América? Completa el párrafo con verbos de la lista.

encontrar poner venir poder querer tener escuchar hacer

En este capítulo yo (1) ________________ información sobre el nombre de América. Mis compañeros y yo (2) ________________ hablar sobre la historia del descubrimiento. Después, el instructor (3) ________________ un video sobre las culturas maya y azteca. Cuando estudiemos el Tema 2, toda la clase (4) ________________ una miniconferencia sobre los instrumentos de exploración. Finalmente, al terminar el capítulo, yo (5) ________________ una composición usando el tiempo futuro.

5-8. Los aztecas atacados. Los aztecas y sus vecinos eran guerreros feroces. Imagina que una ciudad vecina (*neighboring city*) ataca a los aztecas. Conjuga los verbos en el futuro para describir las responsabilidades de los distintos residentes.

1. Los guerreros: *tener* que defender su territorio *y salir* al encuentro del enemigo
2. La gente común: *querer* proteger a sus familias
3. Los agricultores: no *poder* trabajar en los campos
4. Los comerciantes: *saber* negociar con los invasores
5. Los sacerdotes: *hacer* la paz con los invasores y *poner* su fe en los dioses

5-9. Un joven guerrero azteca. A los ocho años de edad, los varones aztecas iban al *techpocalli*, la escuela de entrenamiento para guerreros. A continuación tienen algunos detalles de su entrenamiento. En parejas, usen esta información y representen un diálogo entre un padre y un hijo, quien se prepara para asistir al *techpocalli*.

MODELO

Hijo: ¿Qué haré los primeros días?
Papá: Los primeros días te entrenarás con armas de madera.

Durante los primeros días, los jóvenes se entrenan con armas de madera y cuando su entrenamiento está más avanzado, acompañan a los guerreros expertos como ayudantes. En general, la vida de los aprendices es muy dura. Tienen que aprender a ser humildes, haciendo trabajos de todo tipo y no se quejan por miedo a ser castigados. Los jóvenes pueden ir a sus casas durante algunas horas al día, pero incluso allí no pueden descansar, ya que tienen que ayudar a sus padres. En la escuela, aprenden canciones y danzas religiosas. Allí también estudian las leyes de la comunidad.

La mayoría de los aprendices tiene un comportamiento excelente, sobre todo porque se castiga con espinas (*thorns*) a los desobedientes o perezosos.

5-10. Un descubrimiento en el espacio exterior. En parejas, usen el *Vocabulario esencial* para expresar sus predicciones sobre la vida en otros planetas. ¿Colonizaremos otro planeta? ¿Descubriremos una sociedad compleja con habitantes extraterrestres en el espacio exterior? ¿Encontraremos otras formas de vida extraterrestre? ¿En qué año? ¿Cómo la descubriremos?

Vocabulario esencial

Hablar de descubrimientos

colonia *f*	*colony*
colonizar	*to colonize*
descubrir	*to discover*
espacio exterior *m*	*outer space*
establecer	*to establish*
extraterrestre *m/f*	*alien*
galaxia *f*	*galaxy*
habitantes *m*	*inhabitants*
nave espacial *f*	*space ship*
planeta *m*	*planet*
población *f*	*population*
sistema solar *m*	*solar system*
sociedad *f*	*society*
territorio *m*	*territory*

Vocabulario para conversar

Convencer o persuadir

We employ convincing or persuading when our points of view or desires enter in competition with those of someone else. We can persuade others by offering something in exchange on the spot, promising delivery of something in the near future, by simply presenting logical reasoning, by flattering our opponent or a combination of the four strategies. Below are some expressions that you can use while trying to persuade.

Proponer algo

Te/Le propongo este plan...	*I propose this plan . . .*
Yo te/le doy... y a cambio tú/usted me da(s)...	*I give you . . . and in exchange you give me . . .*
Te/Le invito a cenar (en mi casa/ en un restaurante).	*Please come to dinner (at my house/at a restaurant).*

Prometer

Te/Le prometo que...	*I promise you that . . .*

Razonar en forma lógica

Tu/Mi plan tendrá consecuencias graves/ negativas/ positivas/ beneficiosas para...	*Your/My plan will have grave/negative/positive/ beneficial consequences for . . .*
Creo que mi idea es acertada porque...	*I believe my idea is right because . . .*
Esto nos beneficiará a los dos porque...	*This will work well/be advantageous to us both because . . .*
Piensa/e lo que pasará si...	*Think about what will happen if . . .*

Halagar

Admiro tu/su inteligencia/ valentía/ dinamismo.	*I admire your intelligence/bravery/energy.*
Como siempre, tu/su lógica es admirable/ impecable.	*As usual, your ability to reason is remarkable/flawless.*
¡Qué guapo/a está(s)!	*You look great!*
Te/Le queda muy bien ese traje/ sombrero.	*That suit/hat looks great on you.*
¡Qué buen trabajo has/ha hecho!	*What a nice job you've done!*

5-11. Palabras en acción. ¿Qué expresión será apropiada para cada una de las siguientes situaciones?

1. Tu padre comenta: Ya estoy harto de tus malas notas en la clase de español.
   Tú: ____
2. Tu compañero/a de apartamento: He decidido que me voy a cambiar de apartamento porque tú nunca quieres hablar en español conmigo y estoy cansado/a de hablar siempre en inglés.
   Tú: ____
3. Tu instructor/a: Me temo que si no preparas un buen informe sobre los mayas vas a reprobar esta clase...
   Tú: ____
4. Tu novio/a: Como no te gusta el desorden, he decidido limpiar el apartamento y ordenarlo todo. Así, tú puedes descansar.
   Tú: ____

5-12. El futuro de nuestra civilización. En parejas, representen la siguiente situación, utilizando las expresiones de la página anterior cuando sea necesario.

Estudiante A: Eres un marciano. Has llegado al planeta Tierra con intenciones hostiles. Tienes una conversación "ciberespacial" con el presidente de la Organización de las Naciones Unidas en la que le comunicas tus planes (le dices las cosas que harás). Tienes una debilidad: te gustan los nachos pero tu gente no sabe hacerlos.

Estudiante B: Eres el/la presidente/a de la Organización de las Naciones Unidas. Tienes que convencer al marciano hostil para que no destruya tu civilización. El marciano tiene una debilidad: le gustan los nachos, pero su gente no sabe hacerlos. Intenta llegar a un acuerdo pacífico y satisfactorio para ambas partes.

CURIOSIDADES

Los números mayas

Los mayas tenían un sistema de numeración vigesimal, es decir que el número 20 era la unidad básica, mientras que nuestro sistema es un sistema decimal, es decir que el 10 es la unidad básica. Otra diferencia entre el sistema maya y el nuestro se encuentra en los símbolos que usaban para representar los números.

0	1	2	3	4
5	6	7	8	9
10	11	12	13	14
15	16	17	18	19
20	21	22	23	24

5-13. Contemos. Estudia el sistema de números mayas. Observa que al llegar a 20, hay dos niveles de símbolos: el nivel superior representa el número de unidades de 20, el nivel inferior representa el número de unidades 0–20. Debes escribir la respuesta (o una posible respuesta) a estas preguntas, según el sistema numérico maya: 1) ¿Cuántos años tienes? 2) ¿Cuánto pagas por una comida para dos en un restaurante elegante? 3) ¿Cuántos estudiantes se gradúan de tu escuela secundaria en un año típico? 4) ¿Cuántos años tiene el presidente actual de Estados Unidos? Ahora, léele a la clase las respuestas de un/a compañero/a. (James tiene 19 años. James cree que el presidente tiene 52 años, etc.)

TEMA 2

1492: El encuentro de dos mundos

A escuchar

Entrando en materia

Por si acaso

Expresiones útiles para comparar respuestas con otro estudiante

¿Qué tienes/ pusiste en el número 1/ 2/ 3?
Yo tengo/ puse a/ b.
Yo tengo algo diferente.
No sé la respuesta./ No tengo ni idea.
Creo que la respuesta es a/ b, pero no estoy seguro/a.
Creo que es cierto./ Creo que es falso.

5–14. **Anticipar ideas.** Mira el título de la miniconferencia en la página 176. ¿Qué tema crees que tratará la miniconferencia? ¿Has estudiado antes las exploraciones al Nuevo Mundo? ¿Qué sabes sobre este tema? ¿Sabes cómo se guiaban los barcos en el siglo XV?

5–15. **Vocabulario: Antes de escuchar.**

A. **Objetos de navegación.** Lee las definiciones y después determina qué dibujo le corresponde a cada una.

a.

d.

b.

e.

c.

f.

1. Se llaman **cuerpos celestes** porque están en el cielo. Solo se ve un objeto celeste durante el día y se ven muchos objetos celestes durante la noche.
2. Se llama **brújula** y es un instrumento que sirve para determinar la posición del norte, sur, este y oeste.

3. Se llama **vela** y forma parte del mecanismo de los barcos que utilizan el viento como energía.
4. Se llama **reloj de arena** y sirve para medir el tiempo.
5. Se llama **mástil** y es un palo vertical que sirve para sostener la vela de un barco.
6. Se llama **reloj de sol** y sirve para determinar la hora según la luz del sol.

B. Palabras en contexto. Lee estos segmentos que aparecen en la miniconferencia. Presta atención a las palabras en negrita y trata de adivinar su significado seleccionando *a* o *b*. También puedes consultar el vocabulario al final del capítulo.

1. Las **naves** se dirigieron primero a Canarias, de donde salieron el 9 de septiembre.
   a. los barcos　　b. los conquistadores
2. ... porque Colón pensaba que había llegado a las Indias Orientales, es decir, al territorio que **comprendía** India, Indochina y Malasia.
   a. conocía　　b. incluía
3. La Pinta, la Niña y la Santa María son **embarcaciones**.
   a. instrumentos de navegación　　b. barcos
4. Al conocer a los indígenas, Colón les **obsequió** regalos para agradarlos.
   a. dio　　b. pidió
5. Los regalos eran **collares de cuentas** que los indígenas podían usar para adornar el cuello.
   a. adornos para el cuello　　b. adornos para los pies

Estrategia: ¿Qué sabes ya del tema?

Piensa en las predicciones una vez más. ¿Qué puedes predecir sobre el contenido del texto que vas a escuchar? Por ejemplo, el título indica que tratará sobre los instrumentos de exploración. Piensa en lo que aprendiste en tus clases de historia. ¿Qué tipo de instrumentos crees que usaban Colón y sus hombres? Después, piensa en lo que aprendiste sobre los orígenes de tu país. ¿Crees que el nombre de Amerigo Vespucci se mencionará en el texto? Dedica unos minutos a anotar tus predicciones acerca de este contenido, teniendo en cuenta lo que aprendiste sobre el tema en otras clases. Después de escuchar, vuelve a leer tu lista y modifica las predicciones que no eran correctas.

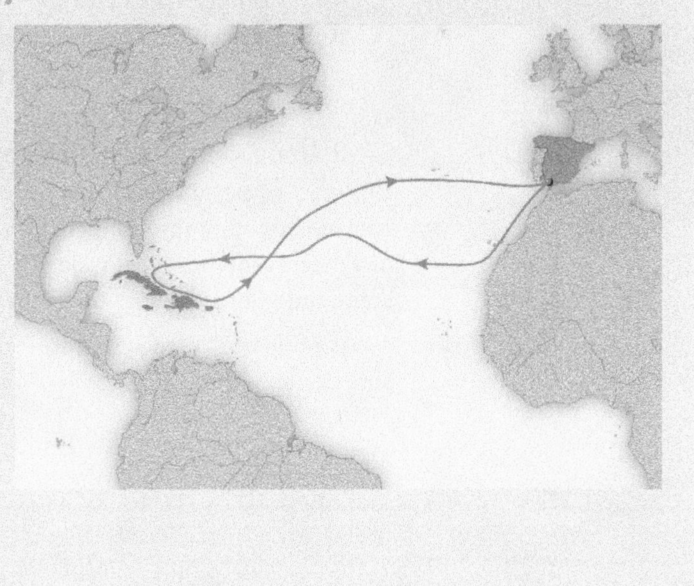

MINICONFERENCIA Los instrumentos de exploración, el viaje al continente desconocido y el nombre de América

Ahora su instructor/a va a presentar una miniconferencia.

Por si acaso

Fragmento del "Diario de a bordo" de Colón

Primeras impresiones sobre los indígenas

[...] Ellos andan todos desnudos como su madre los parió, y también las mujeres, aunque no vide más de una harto moza, y todos los que yo vi eran todos mancebos, que ninguno vide de edad de más de 30 años, muy bien hechos, de muy hermosos cuerpos y muy buenas caras, los cabellos gruesos casi como sedas de cola de caballo y cortos [...]

Fuente: Cristóbal Colón. Diario de a bordo. En **Crónicas de América.** *Vol. 9. Edición de Luis Arranz. Madrid. Historia 16, 1985.*

5-16. Detalles. Contesta estas preguntas sobre la miniconferencia para verificar tu comprensión.

Christopher Columbus, by Sebastiano del Piombo, photo by Eric SA House - Carle/SuperStock /Getty Images

1. ¿Cuánto tiempo tardó Colón en llegar a América desde su salida del Puerto de Palos?
2. Según su diario, ¿cuál fue la primera impresión de Colón al llegar al Nuevo Mundo?
3. ¿Por qué Colón llamó "indios" a los habitantes de estas tierras?
4. ¿Descubrió Colón que no había llegado a Asia sino a un continente desconocido para los europeos?
5. ¿Por qué eran las carabelas embarcaciones ideales para el primer viaje de Colón?
6. ¿Cómo sabían Colón y su tripulación (*crew*) dónde se encontraban sus embarcaciones cuando estaban en medio del Atlántico?

5-17. Vocabulario: Después de escuchar. Imagina que acompañas a Colón en su expedición, y que tienes que enviar una nota a la reina Isabel hablando de tus impresiones del viaje y la llegada al Nuevo Mundo. Escribe una descripción breve del viaje y de tus primeras impresiones del continente, incluyendo tantas palabras de la lista como sea posible.

cuerpos celestes	embarcaciones	obsequiar	collares de cuentas
reloj de sol	brújula	comprender	

Gramática

Future and Present with *si* Clauses to Talk about Possibilities or Potential Events

You are already familiar with the present indicative tense, and you just learned the future tense in *Tema 1*. When you want to talk about an event that will happen only if certain conditions are met, you will use both the present and the future tenses in one sentence. These sentences have the following characteristics:

- In both English and Spanish, these sentences have two clauses, one in the present tense and one in the future.
- The two clauses are joined by **if** in English and **si** in Spanish.
- The **if / si** clause expresses the condition to be met.
- The remaining clause expresses the consequences.

Estados Unidos **colonizará** Marte en el futuro **si** la NASA **tiene** suficiente dinero.
future present

*The United States **will colonize** Mars in the future* **if** *NASA **has** enough money.*
future present

Can you express the sentence above switching the position of the clauses?

WileyPLUS Go to *WileyPLUS* to review this grammar point with the help of the **Animated Grammar Tutorial** and **Verb Conjugator.** See also textbook Appendices with Grammar References and verb tables. For more practice, go to the **Activities Manual.**

5-18. Identificación. Las siguientes personas están expresando posibilidades en el futuro. Identifica a) la cláusula con "si", que expresa la condición en el presente y b) la cláusula en el futuro, que expresa la consecuencia.

1. La reina Isabel: "España será más rica si Colón encuentra una ruta directa a las Indias".
2. Colón: "Si cruzo el Atlántico, llegaré a las Indias".
3. La tripulación: "Si usamos la brújula, no nos perderemos en el mar".
4. Colón: "Los indios no nos atacarán si les obsequiamos con collares de cuentas".

5-19. Conflicto con los caribes. A continuación leerás un fragmento imaginario del diario de Colón con planes para combatir la hostilidad de los caribes, una tribu guerrera indígena que Colón encuentra en su segundo viaje. Conjuga los verbos *en cursiva* en el presente o en el futuro para expresar posibilidades en el futuro.

Creo que la guerra con los caribes es inevitable, pero no será difícil defendernos si nosotros 1) *luchar* desde las carabelas. Si los caribes nos 2) *atacar* con flechas, nosotros 3) *poder* responder con los cañones desde las embarcaciones. Si nosotros 4) *luchar* con nuestras armas, seguramente 5) *ganar*. Si muchos caribes 6) *escapar*, 7) *volver* después con sus compañeros, pero no matarán a muchos de mi tripulación.

5-20. Conquistadores disidentes. Imaginen que ustedes son prisioneros indígenas que quieren escapar de la opresión de los españoles. El dibujo de abajo representa diferentes rutas para escapar. Todas las rutas menos una tienen un obstáculo. En parejas, usen el *Vocabulario esencial* para explicar qué pasará si siguen las diferentes rutas e indiquen cuál es la mejor.

MODELO

Si usamos la ruta 1 para escapar, dos serpientes nos atacarán.

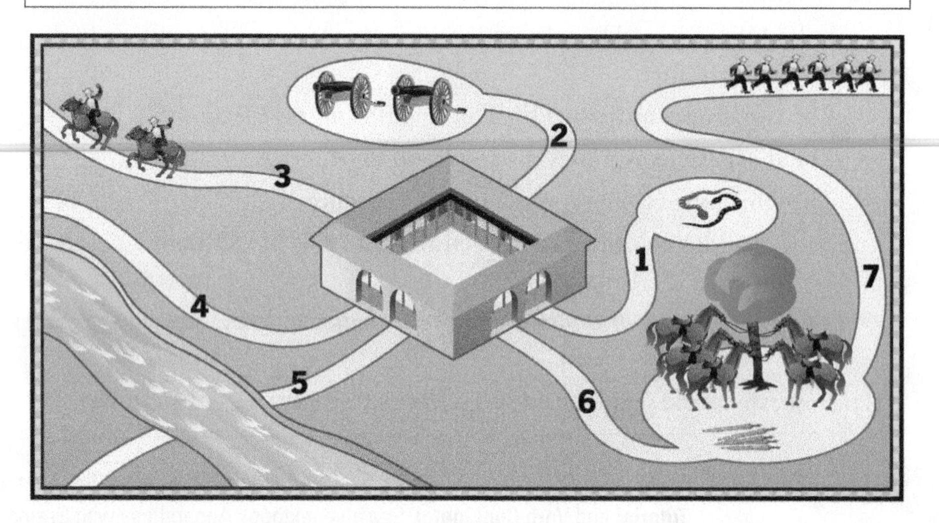

Vocabulario esencial

Hablar de guerras e invasiones

armas *f*	*weapons*
atacar	*to attack*
cañón *m*	*cannon*
conquistador/a	*conqueror*
conquistar	*to conquer*
defenderse	*to defend oneself/selves*
destruir	*to destroy*
ejército *m*	*army*
escapar	*to escape*
flechas *f*	*arrows*
guerra *f*	*war*
guerreros *m*	*warriors*
invadir	*to invade*
luchar	*to fight*
matar	*to kill*
morir (ue)	*to die*
muerte *f*	*death*
muerto/a	*dead person*
paz *f*	*peace*
rendirse (i)	*to surrender*

5-21. El indígena exige respeto. El texto a continuación es parte de un discurso escrito para explicar las consecuencias de las acciones de los conquistadores y animar a los indígenas a defender sus derechos. En grupos de tres, deben completarlo y después, presentarlo frente a la clase. ¡Sean tan creativos como puedan!

Queridos compañeros:

Nos dirigimos a ustedes para comunicarles el gran peligro que corremos si continuamos tratando al hombre europeo como nuestro amigo. Si estos hombres nos roban nuestro oro... Nuestra raza no será pura si... Además, nuestra lengua nativa... Otro aspecto a considerar es la salud de nuestro pueblo, si permitimos que los europeos nos transmitan sus enfermedades... Por último, debemos hablar de nuestra religión, si...

Vocabulario para conversar

Acusar y defender

Controversial issues lend themselves to debate. When a person is the center of controversy, people involved in a debate play roles similar to those of defending attorneys and prosecutors. In addition to the debaters, there's usually a moderator whose role is to maintain the debate within the limits of a civil discussion and to inquire further in order to clarify a point made by the debaters. Here are some expressions that you can use in a debate.

Acusar

La moralidad de... es muy cuestionable.	*The morality of . . . is very questionable.*
Esta persona es inmoral.	*This person has no morals.*
Las acciones de... son/ fueron irracionales.	*The actions of . . . are/were irrational.*
Las acciones de... son/ fueron inexcusables.	*The actions of . . . are/were inexcusable.*

Defender

Esa es una acusación injustificada.	*That is a groundless accusation.*
Su/Tu argumento no es convincente.	*Your argument is not convincing.*
Su/Tu argumento es débil.	*Your argument is weak.*
La información que tienes/tiene es incompleta.	*The information you have is incomplete.*
Eso no es verdad.	*That is not true.*
Eso es verdad pero...	*That's true but . . .*

Moderar

Es tu/su turno. Te toca a ti (le toca a usted).	*It's your turn.*
Por favor, modere/a sus/tus palabras.	*Please, moderate your words.*
¿Puede/s explicar mejor su/tu argumento?	*Can you elaborate more?*
Tengo una pregunta para ti/usted/ustedes...	*I have a question for you . . .*

5-22. Palabras en acción. Como saben, los indígenas tenían su propio sistema legal. Aunque las leyes cambian de un lugar a otro, en todos los juicios hay un acusado y un demandante o acusador. Teniendo en cuenta lo que ya saben de las culturas indígenas, completen estos diálogos con las respuestas que podría dar cada persona. Usen las expresiones anteriores siempre que sea necesario.

1. ACUSADO: No fui a cazar esta mañana porque estaba muy cansado.
   ACUSADOR: ...
2. ACUSADOR: Usted es una mentirosa, todo lo que ha dicho hasta ahora son mentiras.
   ACUSADA: ...
   MODERADOR: ...
3. ACUSADOR: Usted estuvo ayudando a los conquistadores mientras dormíamos...
   ACUSADO: Usted es un egoísta y un desconsiderado. La ley no prohíbe ayudar a los demás...
   MODERADOR: ...
4. ACUSADOR: Usted sabe que nuestras leyes prohíben que los europeos se casen con nuestras mujeres y aún así, ¡usted lo hizo!
   ACUSADA: ...
5. ACUSADOR: Nuestro pueblo ha sufrido mucho y la moralidad de este gobierno ha sido muy cuestionable. Por eso...
   ACUSADO: Déjeme responder. Usted ha hablado mucho tiempo de cosas sobre las que no sabe nada...
   MODERADOR: ...

5-23. Colón en el banquillo (*bench*). En grupos de cuatro, preparen una representación de un juicio del año 1500. Colón está siendo juzgado por los indígenas, por los daños que causó a su tierra y a su pueblo. Un/a estudiante va a representar a Colón; otro/a va a hacer de abogado/a defensor/a; la tercera persona va a ser el/la fiscal (*prosecutor*) y la cuarta persona será el/la juez. Preparen sus argumentos y después, representen su juicio frente a la clase (la clase será el jurado que tomará la decisión final sobre la sentencia de Colón).

Estudiante A: Eres el/la abogado/a defensor/a de Colón. Aquí tienes notas para argumentar tu defensa.

Trajo a América animales domésticos: caballos, cerdos, ovejas, pollos, perros y gatos.
Llevó a Europa papas, maíz, tomates, chocolate, tabaco.
El comercio del tabaco enriqueció a muchas personas.
Llevó mucho oro a Europa.
Aumentaron los conocimientos geográficos.
El oro permitió la construcción de muchos edificios históricos.
...?

Estudiante B: Eres el/la fiscal. Aquí tienes notas para argumentar tu acusación.

Llevó tabaco a Europa.
Los indígenas perdieron sus tierras.
Muchos indígenas murieron por malos tratos y enfermedades.
Los indígenas tuvieron que aprender español.
Los indígenas perdieron su religión.
...?

Estudiante C: Eres el/la juez (*judge*). Debes moderar el debate, indicar cuándo es el turno de cada persona, hacer preguntas y escuchar la decisión del jurado (la clase) sobre si Colón es inocente o culpable, y determinar una sentencia apropiada.

Estudiante D: Eres Cristóbal Colón. Expresa tu reacción a los comentarios de los abogados y el/la juez. Pide la palabra y defiende tu espíritu aventurero. Explícale al jurado todas las dificultades por las que pasaste y háblale sobre todos los hombres que murieron en el trayecto.

CURIOSIDADES

Menú de a bordo

(Adaptado de "La dieta colombina". *El Universal* Madrid, España, jueves 22 de junio de 2006)

¿Qué comían durante sus viajes los miembros de la tripulación colombina? El historiador Julio Valles publicó un libro titulado *Saberes y sabores del legado colombino* y en su capítulo II, "Comer en el mar", relata lo que se comía en las naves de Colón.

dos mil arrobas* de vino
ochocientos quintales* de bizcocho (*biscuits*)
doscientos tocinos (*salt pork*)
ocho barriles de aceite
ocho barriles de vinagre
ochenta docenas de pollos
sesenta docenas de pescados
dos mil quesos
doce cahíces* de garbanzos (*dried chick peas*)
ocho cahíces* de habas (*dried beans*)
mostaza (*mustard*), ajos (*garlic*) y cebollas (*onions*)

La Santa María, embarcación que en 1492 llevó a Colón al Nuevo Mundo.

** 1 arroba = 15 litros; 1 quintal = 100 lbs.; 1 cahiz = 1521 lbs*

5-24. La dieta colombina. Estudien la lista de alimentos que se llevaron en el cuarto viaje de Colón y comenten las preguntas siguientes.

1. ¿Tuvo la tripulación de Colón una dieta equilibrada durante este viaje? Expliquen.
2. Imaginen que reciben a Colón al otro lado del Atlántico en las colonias españolas americanas y le preparan a él y a su tripulación su primera comida. Escriban el menú incluyendo comidas típicas de América.

TEMA 3

El crisol de tres pueblos

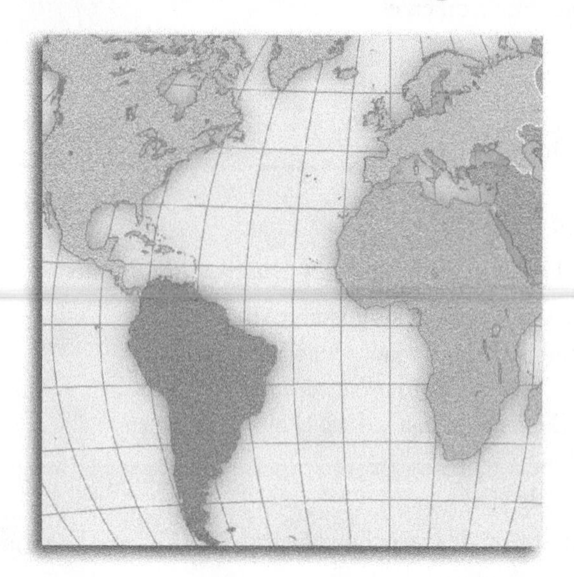

Lectura

Entrando en materia

5–25. Anticipar ideas. Miren el título de la lectura de la página 183. ¿A qué se refiere "su triple herencia"? ¿Cuáles son los tres grupos que componen la herencia hispanoamericana? Miren el título de la lectura de la página 184. ¿Cuál es la importancia de la fecha 1992? ¿A qué se refiere la palabra "controversia"? ¿Por qué fue controvertido 1992?

Por si acaso

Expresiones útiles para comparar respuestas con otro estudiante

¿Qué tienes/pusiste en el número 1/2/3?
Yo tengo/ puse a/ b.
Yo tengo algo diferente.
No sé la respuesta./ No tengo ni idea.
Creo que la respuesta es a/ b, pero no estoy seguro/a.
Creo que es cierto./Creo que es falso.

5–26. Vocabulario: Antes de leer.

A. Estos fragmentos aparecen en la lectura. Presta atención a las palabras en negrita y selecciona la definición que corresponde a cada palabra según su contexto.

Expresiones en contexto	Definiciones
1. Después de tres siglos de dominación española... Hispanoamérica es hoy el resultado de la **mezcla** de tres culturas: la europea, la indígena y la africana.	a. sinónimo de **pedir**
2. La herencia africana está presente fundamentalmente en las áreas **cercanas** al mar Caribe.	b. antónimo de **libertad**
3. ... el indígena y el negro **reclaman** que seamos críticos de las consecuencias negativas de la invasión europea: **esclavitud** y genocidio.	c. sinónimo de **próximas, adyacentes**
	d. sinónimo de **combinación**

B. Cognados. Estas palabras se encuentran en la segunda lectura y tienen cognados en inglés. ¿Sabes cuáles son?

1. oposición
2. celebración
3. centenario
4. controversia
5. conmemoración
6. genocidio

Hispanoamérica y su triple herencia

Cuando llegaron los europeos al Nuevo Mundo en 1492, había en tierras americanas de 60 a 70 millones de habitantes. La mayoría poblaba la zona central de la cordillera de los Andes y la región que se encuentra entre Centroamérica y México. Se trataba de los pueblos inca, maya y azteca.

Cincuenta años después, más de la mitad de esta población indígena había perecido y, después de un siglo, solo quedaba un cuarto de la población original. La muerte de tantos indígenas se ha atribuido a la crueldad y malos tratos de los españoles. Sin embargo, ciertas enfermedades importadas de Europa, como la viruela y el sarampión, también contribuyeron a la desaparición de la población indígena, la cual no tenía defensas inmunológicas contra tales enfermedades.

©Bettmann/Corbis Images

Con el fin de obtener más mano de obra, los portugueses y españoles llevaron esclavos africanos a América. Durante los tres siglos anteriores a 1850, se llevaron 14 millones de esclavos africanos a Latinoamérica, comparado con los 500,000 que se llevaron a Estados Unidos. Las zonas de mayor concentración africana fueron el norte de Brasil y las islas del Caribe, donde estos esclavos trabajaban en plantaciones de azúcar.

Después de tres siglos de dominación, España perdió sus últimas colonias americanas, Puerto Rico y Cuba, en 1898. Después de cinco siglos, Hispanoamérica es hoy el resultado de la **mezcla** de tres culturas: la europea, la indígena y la africana. Junto a la lengua española, se hablan otras lenguas indígenas. Entre 20 y 25 millones de indígenas hablan su lengua nativa además del español. Aunque la mayoría de la población indígena es bilingüe, existen comunidades en las que solo se habla la lengua indígena. Las lenguas nativas más habladas son el quechua y aimara en Perú, Bolivia y Ecuador; el chibcha en Colombia, el mam y quiché en Guatemala, y el náhuatl y el maya en México. La herencia africana está presente fundamentalmente en las áreas **cercanas** al mar Caribe y su influencia se observa en rituales religiosos y en manifestaciones artísticas como la música, el baile y las esculturas de madera.

SuperStock

1992: Controversia después de 500 años

En 1992 se celebró el V **Centenario** del descubrimiento de América. Esta **celebración** no fue bienvenida por todos, ya que encontró **oposición** entre varios grupos que consideran el descubrimiento de América como una invasión más que como un descubrimiento.

"La **controversia** sobre la **conmemoración**, que ha causado tantas reacciones diversas, reside en nosotros mismos. Mientras el español que llevamos dentro quiere que celebremos el *V Centenario*, el indígena y el negro **reclaman** que seamos críticos de las consecuencias negativas de la invasión europea: **esclavitud** y **genocidio**".

(*Fuente:* "El otro punto de vista", *Más*, mayo-junio 1992, vol. IV, No. 3, p. 75)

5-27. ¿Comprendieron? Repasen la lectura y decidan si estas afirmaciones son ciertas o falsas. Si la afirmación es falsa, díganle la versión correcta a su compañero/a.

1. Cuando los europeos llegaron al Nuevo Mundo en 1492, las tierras americanas estaban poco pobladas por comunidades indígenas.
2. La crueldad de los españoles, así como las enfermedades que trajeron de Europa, contribuyeron a la desaparición de más de la mitad de la población indígena original.
3. El número de esclavos que llegó a los Estados Unidos fue mucho mayor que el número de esclavos que llegó a Latinoamérica.
4. La dominación española de las colonias americanas duró 300 años.
5. Hispanoamérica es el resultado de la mezcla de las culturas indígena y africana.
6. La dominación española dio lugar a la desaparición de todas las lenguas indígenas.

5-28. Vocabulario: Después de leer. En parejas, háganse estas preguntas. Intenten usar las palabras en negrita en sus respuestas.

1. Menciona una ocasión en la que tuviste que **reclamar** algo. ¿Qué pasó?
2. ¿Qué ejemplos históricos de **genocidio** conoces?
3. ¿Cuándo terminó la **esclavitud** en los Estados Unidos?
4. ¿A cuántos años se refiere la palabra "**centenario**"?
5. ¿Cuál es tu **celebración** favorita del año? ¿Por qué?

5-29. Hablemos del tema. La lectura menciona que hay un grupo de personas que no está de acuerdo con la celebración del llamado "descubrimiento" de América. Lean la última parte de la lectura y háganse estas preguntas para hablar del tema.

1. ¿Por qué hay un grupo de personas que se opone a la celebración del V Centenario?
2. ¿Cuáles son las objeciones de este grupo a la celebración?
3. ¿Estás de acuerdo con ese punto de vista? Explícale a tu compañero/a tu opinión.

Gramática

The Conditional and Conditional Sentences to Talk About Hypothetical Events

In this section you will learn how to use the conditional tense. The forms of the conditional are easy to learn because the stems are the same as those for the future. To form the conditional tense:

1. take the infinitive of a verb
2. add the endings **-ía, -ías, -ía, -íamos, -íais, -ían**

Regular Verbs

-ar verbs	-er verbs	-ir verbs
hablar**ía**	beber**ía**	escribir**ía**
hablar**ías**	beber**ías**	escribir**ías**
hablar**ía**	beber**ía**	escribir**ía**
hablar**íamos**	beber**íamos**	escribir**íamos**
hablar**íais**	beber**íais**	escribir**íais**
hablar**ían**	beber**ían**	escribir**ían**

The irregular verbs shown below take the same conditional endings as the regular verbs.

Irregular Verbs

Drop last vowel in the infinitive			Replace last vowel in the infinitive with *d*			Other		
haber	→	**habr-**	poner	→	**pondr-**	decir	→	**dir-**
poder	→	**podr-**	salir	→	**saldr-**	hacer	→	**har-**
querer	→	**querr-**	tener	→	**tendr-**			
saber	→	**sabr-**	valer	→	**valdr-**			
			venir	→	**vendr-**			

Conditional Tense and Past Subjunctive in Conditional Sentences

You use the conditional:

1. To speculate about consequences to situations that are hypothetical or contrary to fact.

   The conditional expresses what would happen given a situation that doesn't exist now or is unlikely to occur. Use a **si** clause with imperfect subjunctive to express the hypothetical situation and the conditional to express the consequences.

   Si yo **fuera** explorador, no **invadiría** nuevas tierras. — *If I **were** an explorer, I **would not invade** new lands.*

   Viviríamos en paz si no **hubiera** discriminación. — *We **would live** in peace if **there weren't** discrimination.*

   Si la ciudad **tuviera** mejores programas de entrenamiento, el paro **disminuiría**. — *If the city **had** better training programs, unemployment **would decrease**.*

2. To express the result of a condition expressed with a prepositional phrase.

Con un millón de dólares, yo **invertiría** en expediciones a Marte.	*With a million dollars, I* ***would invest*** *in expeditions to Mars.*
Sin la mezcla de razas, Latinoamérica **sería** menos diversa.	*Without the mix of races, Latinamerica* ***would be*** *less diverse.*
Para poder vivir en Perú, **tendrías que** hablar español.	*In order to live in Peru, you* ***would need*** *to speak Spanish.*

3. To make a polite request or suggestion with verbs like **deber, desear, gustar, poder, preferir** and **querer.**

¿**Podrías** ayudarme con mi tarea?	***Would/Could*** *you help me with my homework?*
Me **gustaría** pedirte un favor.	*I* ***would like*** *to ask you a favor.*
Preferiríamos tomar agua.	*We* ***would prefer*** *to drink water.*

WileyPLUS Go to *WileyPLUS* to review this grammar point with the help of the **Animated Grammar Tutorial** and **Verb Conjugator.** See also textbook Appendices with Grammar References and verb tables. For more practice, go to the **Activities Manual.**

5–30. Identificación. Lee los ejemplos siguientes e identifica el uso del condicional: a) resultado de una condición no real *(contrary to fact)* (expresada con imperfecto del subjuntivo en una cláusula con "si"), b) resultado de una condición expresada con una frase preposicional, c) petición cortés.

1. Con un billete de avión, llegaríamos a Cuzco en diez horas.
2. Me gustaría leer más sobre los aztecas. ¿Podría usted sugerir un buen libro?
3. Si pudiera conversar con Colón, le preguntaría sobre las condiciones sanitarias en las carabelas.
4. Antes de viajar a México, yo estudiaría las civilizaciones indígenas precolombinas.
5. Nos perderíamos en mar abierto si no tuviéramos instrumentos de navegación sofisticados.
6. ¿Preferirías tomar una clase de historia medieval europea o historia precolombina?

5-31. Una nueva administración universitaria. El texto a continuación describe una situación hipotética en tu universidad. Lee el texto y conjuga los verbos en cursiva en el condicional o el imperfecto del subjuntivo.

Si yo (1) *ser* presidente de la universidad, (2) *hacer* muchos cambios. Para darles más tiempo libre a los estudiantes, no (3) *haber* clases los viernes. Si los profesores (4) *asignar* demasiada tarea, la administración de la universidad (5) *protestar*. Nosotros (6) *cancelar* clases si la temperatura (7) *subir* a 70 grados en febrero. Con todos estos cambios, los estudiantes de nuestra universidad (8) *estar* más contentos.

5-32. Situaciones hipotéticas. Cada una de las siguientes situaciones representa una condición no real (*contrary to fact*). Por lo tanto, todas se expresan con una cláusula con "si" y un verbo en el imperfecto del subjuntivo. Imaginen una consecuencia para cada situación hipotética y escríbanla.

1. Si los conquistadores se interesaran por las culturas indígenas,...
2. Si los seres humanos no discriminaran a las diferentes razas,...
3. Si Colón estuviera vivo hoy en día,...
4. Si todos compartiéramos un idioma universal,...
5. Si los indígenas tuvieran armas nucleares,...
6. Si nadie matara en nombre de la religión,...

Vocabulario esencial

Hablar de fenómenos sociales

adicción *f*	*addiction*
aumentar	*to increase*
cooperación *f*	*cooperation*
crimen *m*	*crime*
derechos *m*	*rights*
paro *m*	*unemployment*
discriminación *f*	*discrimination*
disminuir	*to diminish*
empleo *m*	*employment*
enseñanza *f*	*teaching*
entrenamiento *m*	*training*
estabilidad *f*	*stability*
orientación sexual *f*	*sexual orientation*
prejuicio *m*	*prejudice*
título *m*	*diploma*
violencia *f*	*violence*

5-33. Conversar con cortesía. En parejas, inventen un breve diálogo para representar una de las situaciones a continuación. Usen el condicional y los verbos *poder, querer, desear, gustar* o *preferir* para mantener un alto nivel de cortesía.

Situación 1: Van a comer en un restaurante.

Estudiante A: No tienes dinero pero sí tienes hambre.

Estudiante B: No quieres gastar mucho dinero y tratas de convencer a tu amigo/a de no comer/beber mucho.

Situación 2: Buscan un hotel en Tegucigalpa, Honduras.

Estudiante A: Quieres estar cómodo/a y prefieres los hoteles de 4 estrellas. (****)

Estudiante B: Prefieres un hotel modesto o un hostal y tratas de disuadir a tu amigo/a.

5-34. Una sociedad ideal. En grupos de cuatro, imaginen la oportunidad de desarrollar una sociedad ideal. Usen el *Vocabulario esencial* para describir esa sociedad.

MODELO

En la nueva sociedad, la discriminación racial no existiría.

1. Dos de ustedes deben hacer una lista de cuatro elementos que NO habría en la sociedad ideal y dos de ustedes deben hacer una lista de cuatro características que tendría la sociedad. Para redactar su lista, piensen en las categorías siguientes: educación, relaciones raciales, trabajo, economía, justicia/crimen, gobierno.
2. Los dos grupos deben comparar sus listas para encontrar ideas similares en las diferentes categorías usando las siguientes expresiones:

   ¿Tienen ustedes una idea para la educación/gobierno/etc.? ¿Cuál es?

   Nosotros también dijimos que habría.../las personas tendrían.../etc.
3. Compartan con la clase dos de sus ideas similares.

 **5-35. Reacción en cadena.** En grupos de cuatro personas, siéntense formando un círculo. Van a jugar un juego en el que cada persona inventa una consecuencia de una situación. La situación original es "ganarse la lotería". Una persona comienza la cadena diciendo "Si me ganara la lotería..." y añade una consecuencia con el verbo en el condicional. La siguiente persona usa la información de la consecuencia como la nueva situación e inventa otra consecuencia, y así sucesivamente.

MODELO

Estudiante A: Si me ganara la lotería, yo me compraría una casa en Chile.
Estudiante B: Si me comprara una casa en Chile, invitaría a mis amigos.
Estudiante C: Si invitara a mis amigos, invitaría también a mis padres.
Estudiante D: Si invitara a mis padres, mi madre reorganizaría todos mis muebles.
Estudiante E: Si ...

Vocabulario para conversar

Iniciar y mantener una discusión

Iniciar y mantener una discusión

¿Qué piensa/s de...?	*What is your opinion of . . .?*
¿(No) Cree/s que...?	*Do (Don't) you believe that . . .?*
¿No te/le parece un buen tema?	*Doesn't it seem like a good topic?*
¿Cuál es tu/su reacción ante...?	*What is your reaction to . . .?*
Es un tema muy controvertido pero...	*It is a very controversial topic, but . . .*
Es verdad.	*It's true.*
Es exactamente lo que pienso yo./ Eso mismo pienso yo.	*That's exactly what I think / That's what I think.*

Mira...	*Look . . .*
¿Bueno?	*OK?*
¿Verdad?	*Is it?, Isn't it?, Does it?, Doesn't it?*
Perdona, pero...	*Pardon me, but . . .*

5-36. Expresiones en contexto. Carmen y Mariam están hablando acerca de un problema que tiene una amiga común. Reconstruye la conversación completando los espacios en blanco con las expresiones correspondientes de la lista anterior u otras que aprendiste antes.

CARMEN: Ayer estuve toda la tarde hablando con Cristina y su novio.

MARIAM: (1) ________________ yo no sabía que Cristina tuviera novio...

CARMEN: Sí, es un chico español, es encantador. Pero la pobre Cristina está muy disgustada porque a su familia no le gusta que salga con él. Y él tiene el mismo problema con su propia familia.

MARIAM: ¿Por qué?

CARMEN: Las dos familias son muy cerradas. A la de él no le gusta que el hijo tenga una novia dominicana y de alta sociedad, y la de ella no quiere que su hija se case con un chico de la clase trabajadora.

MARIAM: ¿(2) ________________ eso es un poco exagerado? (3) ________________

CARMEN: (4)________________ yo no lo veo exagerado, lo veo absurdo, increíble. Cristina intentó hablar con su madre, pero ese (5)________________ en su familia, no quieren ni hablar de ello.

MARIAM: ¿Y (6) ________________ de Cristina y su novio (7)________________ esta situación?

CARMEN: Ellos van a seguir intentando que sus familias vean las cosas de otro modo. Pero pase lo que pase, no piensan separarse.

MARIAM: ¿Tú (8) ________________ eso?

CARMEN: Creo que es lo mejor que pueden hacer. (9) ________________

MARIAM: (10) ________________

CARMEN: ¿Crees que podríamos ayudarlos?

MARIAM: Yo creo que si todos se conocieran... (11) ________________

CARMEN: ¡Pues vamos a pensar en algo!

5-37. Una discusión. En grupos de seis personas, representen una situación en la que se reúnen las dos familias del diálogo anterior. Dos personas van a representar a Cristina y a Esteban, su novio español. Otras dos personas, a los padres de Cristina, y otras dos, a los padres de Esteban. Sigan los siguientes pasos.

1. La pareja de novios debe presentar a su familia a los miembros de la otra familia.
2. Después, los padres de cada persona deben presentar las razones por las que no quieren que su hijo/a salga con la otra persona.

3. A continuación, Cristina y Esteban deben presentar su punto de vista y explicar las razones por las que no están de acuerdo con las opiniones de sus respectivas familias.
4. Finalmente, deben hablar sobre el tema y sugerir ideas para resolver el conflicto, hasta que encuentren una solución satisfactoria para todos.

COLOR Y FORMA

La conquista de México, de Diego Rivera

Diego Rivera, muralista y pintor mexicano, nació en 1886 y murió en 1957. Aparte de su arte, es conocido por la relación tumultuosa que tuvo con su esposa, la artista Frida Kahlo. La obra de Rivera se encuentra representada en museos de arte moderno en varios continentes, pero quizá su contribución más significativa al arte fue el Muralismo, un movimiento tanto artístico como sociopolítico que Rivera y otros intelectuales mexicanos establecieron a principios del siglo XX. Rivera se interesó en la historia y en las condiciones sociales de la gente indígena y la clase trabajadora de su país, y sus murales intentaban comunicar mensajes de contenido sociopolítico a las masas. Además de influir en la conciencia nacional mexicana, la obra de Rivera influyó en movimientos muralistas de todo el mundo.

Historia de México: de la conquista al futuro, 1929–35 de Diego Rivera, Palacio Nacional, Ciudad de México.

 **5-38. Mirándolo con lupa.** En parejas, observen el cuadro y completen las siguientes tareas.

1. Describan los objetos, personas y colores que observan en el cuadro.
2. Expliquen la relación que existe entre las imágenes del cuadro y el título.
3. Inventen un título diferente para el cuadro y expliquen por qué es más adecuado que el título real.
4. Finalmente, ¿cuál creen que es la relación entre el tema de este cuadro y el tema de este capítulo?

Redacción

5–39. Diario de a bordo. Eres miembro de la tripulación de la Pinta y anotas las experiencias de tu viaje en un diario. La vida a bordo es bastante monótona y todos los días la tripulación de esta carabela hace las mismas cosas. Escribe una entrada en tu diario haciendo predicciones futuras sobre lo que ocurrirá en los próximos días de la travesía. Antes de escribir, repasa lo que aprendiste en el *Tema 2* de este capítulo sobre Colón y consulta la caja de *Por si acaso* de esta página para saber cuáles eran las actividades diarias de la tripulación de Colón.

Preparación

1. Piensa en los siguientes puntos:
   a. ¿Cuáles serán tus quehaceres en la carabela en los próximos días?
   b. ¿Qué instrumentos o herramientas usarás?
   c. ¿Qué comerás para desayunar, almorzar y cenar?
   d. ¿Qué actividades harás durante la mañana, la tarde y la noche?
   e. ¿Qué harás con los otros tripulantes?
   f. ¿Qué harás cuando extrañes a la familia?
   g. ¿Qué encontrarás cuando llegues al Nuevo Mundo?

A escribir

1. Empieza tu entrada de diario con el día, la fecha y una introducción interesante.

MODELO

Lunes, 10 de octubre de 1492
La vida en el barco es monótona y todos estamos bastante cansados de la travesía. Mañana no será muy diferente de hoy. Así que mañana, para comenzar el día...

2. Al escribir el resto de la entrada recuerda lo que has aprendido en este capítulo sobre el tiempo futuro.
3. Las expresiones de la lista te servirán para hacer transiciones entre diferentes ideas.

a diferencia de, en contraste con	*in contrast to*
igual que	*the same as, equal to*
mientras	*while*
al fin y al cabo	*in the end*
en resumen	*in summary*
después de todo	*after all*
sin embargo	*however*

Por si acaso

¿Qué hacían diariamente los miembros de la tripulación de Colón?

- Rezaban antes del amanecer y al caer la noche (rezar era obligatorio).
- Se lavaban con agua salada, pero no todos los días.
- Fregaban las cubiertas del barco con agua salada.
- Movían las velas varias veces para aprovechar la fuerza del viento.
- Almorzaban a las 11 de la mañana, la única comida caliente del día.
- Conversaban con los compañeros de viaje.
- Pescaban cuando hacía buen tiempo.
- Lavaban su ropa con agua salada.
- Se quitaban los piojos unos a otros.
- Se sentaban en la cubierta a charlar o añorar a sus seres queridos.
- Cenaban y contaban historias.
- Se acostaban al anochecer después de rezar.

Revisión

Para revisar tu redacción usa la guía de revisión del Apéndice C. Después de hacer el número de revisiones que te indique tu instructor/a, escribe la versión final y entrega tu redacción.

Ven a conocer

5-40. Anticipación. ¿Recuerdan la miniconferencia del *Capítulo 1* sobre las plazas de las ciudades hispanas? En parejas, piensen en lo que aprendieron en esa miniconferencia para escribir respuestas a estas preguntas: ¿Cuál es el edificio más común de una plaza típica? ¿Cuáles son las actividades comúnmente asociadas con las plazas? Después, lean el texto que aparece abajo. ¿Se mencionan en la lectura los elementos que ustedes recordaron de la miniconferencia? ¿Qué otros edificios se mencionan en la lectura?

México, D.F.:

El Zócalo

Esta plaza, con casi siete siglos de historia, constituye la sede del poder político, económico y religioso del México actual y también representa un espacio donde se mezclan el pasado indígena y el pasado colonial. En tiempos prehispánicos este sitio formaba el centro de la capital del imperio azteca, Tenochtitlán. En sus templos tenían lugar los ritos y ceremonias religiosas aztecas y en su palacio vivía el emperador Moctezuma. Los españoles conservaron la función religiosa y administrativa del lugar y construyeron su catedral sobre los restos del Templo Mayor azteca y en el lugar del palacio de Moctezuma, edificaron el Palacio del Virrey, la autoridad suprema de Nueva España. La catedral, en su forma contemporánea, es sede de la Arquidiócesis de México y constituye la iglesia más grande de Latinoamérica. El actual Palacio Nacional es sede del poder ejecutivo mexicano. En el Zócalo se llevan a cabo las celebraciones del Día de la Independencia, bienvenidas a jefes de estado, protestas, fiestas y otros eventos culturales. De esa manera el Zócalo de la Ciudad de México es símbolo de la contemporaneidad y la herencia cultural mexicana.

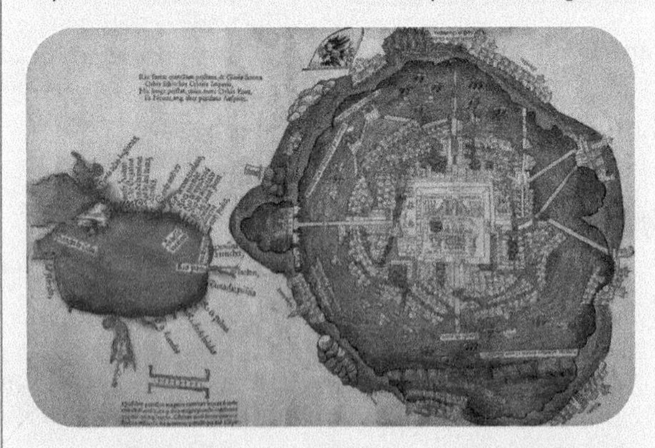

Mapa de Tenochtitlán y el lago de México, de '*Praeclara Ferdinadi Cortesii de Nova maris Oceani Hyspania Narratio*', de Hernán Cortés (1485–1547), 1524 (litografía, siglo XVI) / Newberry Library, Chicago, Illinois, USA, /The Bridgeman Art Library International

ZONA ARQUEOLÓGICA Y MUSEO DEL TEMPLO MAYOR

La zona arqueológica del Templo Mayor azteca fue descubierta en la segunda mitad del siglo XX, durante las obras de construcción del metro de la Ciudad de México. Han quedado al descubierto las capas más antiguas de la pirámide que antes sostenía el doble templo de alrededor de 60 metros de altura. Fue aquí donde se encontraban los adoratorios de las más importantes deidades aztecas: Tláloc, dios de la Lluvia y por lo tanto de la agricultura, y Huitzilopochtli, dios del Sol y de la guerra. En la mitología azteca, Huitzilopochtli guió al pueblo mexica a fundar Tenochtitlán y es él quien exige el sacrificio humano. En el museo se observan los artefactos encontrados entre las ruinas del Templo Mayor: ofrendas funerarias, enormes estatuas de piedra, máscaras, cráneos de los sacrificados y objetos del comercio y para adorno personal de gran belleza artística.

CATEDRAL METROPOLITANA

La Catedral Metropolitana fue construida a lo largo de tres siglos y así engloba los distintos estilos de la época virreinal: renacentista, barroco, gótico y neoclásico. Hernán Cortés colocó la primera piedra, la cual formaba antes parte del Templo Mayor azteca. En el siglo XVI, se realizó la demolición del edificio original y se iniciaron los trabajos en el interior del nuevo: la sacristía, el coro con sus dos órganos monumentales, las catorce capillas y los altares principales. El visitante puede apreciar los diversos tesoros religiosos y varias pinturas murales de la época colonial. Las obras en el exterior de la catedral se finalizaron en 1813 cuando el arquitecto Manuel Tolsá concluyó las fachadas y campanarios.

PALACIO NACIONAL

Desde épocas prehispánicas y hasta la actualidad, el lugar que hoy ocupa el Palacio Nacional en el lado este del Zócalo ha sido el centro político de mayor importancia en México. Además de su papel como edificio de ceremonias presidenciales, sus galerías están abiertas al público. Allí se guardan los famosos murales de Diego Rivera, pintados entre 1929 y 1945, que representan vívidamente la historia de México a través de miles de personajes plasmados en las paredes. El patio central del palacio también merece una visita para ver una fuente del siglo XVII, adornada con la figura mitológica de Pegaso, quien encarna las tres virtudes que deben formar parte del carácter de quien ocupe el palacio y gobierne al país: el valor, la prudencia y la inteligencia.

5-41. Recomendaciones para la visita. Ustedes van a viajar a México, D.F. con una excursión organizada por la agencia Viajes Mexica, S.A. El tercer día de la excursión visitarán el Zócalo. Ya que saben mucho sobre esta plaza, deben escribir una pequeña nota a los otros participantes con recomendaciones para su visita. A continuación tienen la lista de los participantes y sus intereses principales. Para cada individuo o pareja, incluyan dos o tres frases en su nota: las recomendaciones (Recomendamos/Sugerimos/Aconsejamos que...) y una explicación (... porque...).

Viaje virtual

Busca más información en la red sobre Tenochtitlán, la capital azteca que ocupaba el lugar que hoy es El Zócalo. Escribe un párrafo sobre un aspecto de Tenochtitlán que te interese. Aquí tienes algunas ideas: 1) el plano físico y la organización de la ciudad, 2) los palacios de Moctezuma y sus animales, 3) Tenochtitlán visto por los españoles.

PARTICIPANTES	INTERÉS PRINCIPAL
Los señores Martin & Lucille Copeland	el arte
William Fludd	la arquitectura
Los hermanos Walsh (Robert & Alfred)	la historia
Virginia Silva	la arqueología

El escritor tiene la palabra

Cristóbal Colón (c. 1450-1506)

Cristóbal Colón nació en Génova, Italia, en el seno de una familia de la clase media. Antes de salir para "las Indias" en 1492, Colón y los Reyes Católicos firmaron un acuerdo sobre cómo repartir los territorios y riquezas por descubrir. Una década después de partir en su primer viaje, Colón había sido nombrado Virrey y Gobernador de las Indias, para luego perder ambos puestos y ser enviado de vuelta a España tras acusaciones de abuso de poder y maltrato a los indígenas. En España quiso conseguir que los Reyes Católicos cumpliesen con su parte del contrato, tema que trata con su hijo en la carta que sigue. La carta está firmada casi dos años antes de su muerte en la ciudad de Sevilla, donde hoy está enterrado.

5-42. Anticipación. Fíjense en el título completo de la obra de donde proviene esta carta: "Cristóbal Colón: cartas que escribió sobre el descubrimiento de América y testamento que hizo a su muerte". ¿Qué tipo de carta escribiría una persona al final de su vida? ¿Qué mensajes querría comunicar? Piensen en algunas posibilidades.

5-43. Entrando en materia.

1. Lee la primera y la última línea del texto. ¿Te parece que el autor tiene una buena relación con su hijo? ¿Qué palabras te lo indican?
2. ¿Cuál de estas descripciones crees que corresponde a Cristóbal Colón?
   a. Fue una persona humilde que no se promocionaba.
   b. Fue una persona orgullosa que luchó contra sus detractores.
3. En la carta, Colón se defiende y le da a su hijo información que puede ayudarle a ganar la disputa con los Reyes Católicos. Con esto en mente, ¿qué piensas que Colón haya incluido en la carta?
   ——— una lista de sus faltas
   ——— una mención de otras personas culpables (*guilty*)
   ——— una defensa de sus intenciones siempre honestas
   ——— una confesión de su culpa (*guilt*)

CARTA DE DON CRISTÓBAL COLÓN A SU HIJO DON DIEGO COLÓN

Muy querido hijo: Recibí tu carta con el correo. Hiciste bien en quedarte allá y atender a nuestros negocios. El señor obispo de Palencia siempre, desde que llegué a Castilla, me ha favorecido y deseado fortuna. Ahora es el momento de suplicarle que sus **Altezas**[1] pongan remedio a mis **agravios**;[2] y que sus Altezas manden cumplir los acuerdos y promesas que me comunicaron en sus cartas.

[...]

Me complació mucho leer tu carta y lo que el rey dijo, por lo cual le besarás sus manos reales. Es cierto que yo he servido a sus Altezas con tánta diligencia y amor, o todavía más, como para ganar el paraíso; y si en algo ha habido **falta**[3], habrá sido un imposible o porque mis fuerzas e inteligencia no han podido hacer más. En tal caso, Dios nuestro Señor no quiere de las personas salvo la **voluntad**[4].

[...]

Llevé conmigo a dos hermanos, que se llaman Porras, **por ruego del**[5] señor tesorero Morales. Uno de ellos tuvo el cargo de capitán y el otro tuvo el cargo de contador. Ninguno de ellos tenía las cualificaciones necesarias para los puestos que ocupaban y tuve que hacer su trabajo por consideración a quien me los recomendó. Allá se volvieron más vanos de lo que ya eran. Les traté con más deferencia que a mi propia familia. Eran de tal naturaleza que merecían un castigo mayor que la reprensión verbal.

[...]

Fecha en Sevilla a 21 de noviembre de 1504

Tu padre que te ama más que a sí mismo

"Carta de Don Cristóbal Colón a su hijo Don Diego Colón." Adapted from "Biblioteca Universal: Colección de los autores antiguos y modernos, Nacionales y extranjeros" Vol. 97.

5-44. Identificación de ideas. Encuentra las palabras en la carta que expresan las siguientes ideas.

1. El servicio diligente de Colón a los reyes.
2. La incompetencia de los hermanos Porras.
3. El apoyo que recibe Colón de un miembro de la Iglesia.
4. Colón siempre ha hecho todo lo posible con todas sus fuerzas.
5. La petición de Colón para que Diego suplique a los reyes.

5-45. Nuestra interpretación de la obra. En parejas, comenten estas preguntas.

1. ¿Qué imagen de Cristóbal Colón presenta esta carta? ¿Coincide con la imagen de Colón que ustedes tienen?
2. Describan la intención de Colón en esta carta. ¿Qué estrategias emplea para lograr su intención? ¿Son estrategias típicas de las personas acusadas?
3. Piensen en las personas mencionadas en la carta (Colón, Diego, los reyes, los hermanos Porras, el obispo de Palencia). ¿A quiénes atribuye Colón faltas y quiénes no tienen faltas según Colón? ¿Cuál es el motivo de Colón al asociar faltas con ciertas personas y no con otras?
4. En la biografía introductoria a la lectura sabemos que Colón fue acusado de abusar del poder y de maltratar a los indígenas. Escriban otra carta a Diego Colón desde la perspectiva de un defensor de los indígenas.

---

1. *Their Highnesses;* 2. *grievances;* 3. *fault, offense;* 4. *will, willingness* 5. *At the request of*

WileyPLUS

Go to *WileyPLUS* to see these **videos,** and to find the **video activities** related to them.

Videoteca

De la conquista a la independencia

En este capítulo aprendiste que la llegada de Colón a las Américas en 1492 cambió para siempre dos continentes. En este video vas a aprender qué pasó después, y cómo fueron las relaciones entre España y sus colonias en los siglos siguientes, hasta independizarse y formar sus propias naciones. La influencia española ha dejado una huella permanente en Latinoamérica, y hasta hoy los dos continentes comparten un mismo idioma y muchos elementos culturales en común.

Identidad y nombres

¿Cuál es la diferencia entre los términos "hispano" y "latinoamericano"? Entre los latinoamericanos existen multitud de culturas y etnias, aunque hay elementos comunes a todos ellos. Mira este video para ampliar tus conocimientos sobre la identidad hispana y sobre la enorme variedad de culturas y etnias que la forman.

Vocabulario

Ampliar vocabulario

avanzado/a	*advanced*
brújula *f*	*compass*
celebración *f*	*celebration*
centenario *m*	*centennial*
cercano/a	*close, nearby*
collar de cuentas *m*	*bead necklace*
complejo/a	*complex*
comprender	*to comprise*
conmemoración *f*	*commemoration*
controversia *f*	*controversy*
cuerpo celeste *m*	*celestial object*
descubrimiento *m*	*discovery*
embarcación *f*	*ship*
esclavitud *f*	*slavery*
genocidio *m*	*genocide*
habitar	*to inhabit*
mástil *m*	*mast*
mezcla *f*	*mixture*
nave *f*	*vessel (maritime)*
obsequiar	*to give (as a present)*
oposición *f*	*opposition*
precolombino/a	*pre-columbian*
reclamar	*to demand*
reloj de arena *m*	*hourglass*
reloj de sol *m*	*sundial*
variedad *f*	*variety*
vela *f*	*sail*

Vocabulario esencial

Hablar de descubrimientos

colonia *f*	*colony*
colonizar	*to colonize*
descubrir	*to discover*
espacio exterior *m*	*outer space*
establecer	*to establish*
extraterrestre *m/f*	*alien*
galaxia *f*	*galaxy*
habitantes *m*	*inhabitants*
nave espacial *f*	*space ship*
planeta *m*	*planet*
población *f*	*population*
sistema solar *m*	*solar system*
sociedad *f*	*society*
territorio *m*	*territory*

Hablar de guerras e invasiones

armas *f*	*weapons*
atacar	*to attack*
cañón *m*	*cannon*
conquistador/a	*conqueror*
conquistar	*to conquer*
defenderse	*to defend oneself/selves*
destruir	*to destroy*
ejército *m*	*army*
escapar	*to escape*
flechas *f*	*arrows*
guerra *f*	*war*
guerreros *m*	*warriors*
invadir	*to invade*
luchar	*to fight*
matar	*to kill*
morir (ue)	*to die*
muerte *f*	*death*
muerto/a	*dead person*
paz *f*	*peace*
rendirse (i)	*to surrender*

Vocabulario

Hablar de fenómenos sociales

adicción *f*	*addiction*
aumentar	*to increase*
cooperación *f*	*cooperation*
crimen *m*	*crime*
derechos *m*	*rights*
paro *m*	*unemployment*
discriminación *f*	*discrimination*
disminuir	*to diminish*
empleo *m*	*employment*
enseñanza *f*	*teaching*
entrenamiento *m*	*training*
estabilidad *f*	*stability*
orientación sexual *f*	*sexual orientation*
prejuicio *m*	*prejudice*
título *m*	*diploma*
violencia *f*	*violence*

Grammar Reference Chapter 1

Demonstrative Adjectives and Pronouns

Demonstrative Adjectives					
Close to the Speaker		Farther from the Speaker		Far from the Speaker	
masculine	feminine	masculine	feminine	masculine	feminine
este *(this)*	esta *(this)*	ese *(that)*	esa *(that)*	aquel *(that)*	aquella *(that)*
estos *(these)*	estas *(these)*	esos *(those)*	esas *(those)*	aquellos *(those)*	aquellas *(those)*

Demonstrative adjectives always precede a noun and agree in gender and number with that noun.

Estas casas son bonitas. *These houses are nice.*

Este profesor enseña bien. *This professor teaches well.*

Esos estudiantes de allá son aplicados. *Those students over there are very diligent.*

Demonstrative Pronouns*								
Close to the Speaker			Farther from the Speaker			Far from the Speaker		
masculine	feminine	neuter	masculine	feminine	neuter	masculine	feminine	neuter
éste (*this one*)	ésta (*this one*)	esto (*this*)	ése (*that one*)	ésa (*that one*)	eso (*that*)	aquél (*that one*)	aquélla (*that one*)	aquello (*that*)
éstos (*these ones*)	éstas (*these ones*)	—	ésos (*those ones*)	ésas (*those ones*)	—	aquéllos (*those ones*)	aquéllas (*those ones*)	—

*NOTE: According to the latest spelling rules published by the Real Academia Española, demonstrative pronouns should not carry an accent mark unless the sentence is ambiguous, such as **¿Por qué compraron aquéllos libros usados?**, where **aquéllos** (those students/people) is the subject but could be interpreted as a demonstrative adjective accompanying **libros** without an accent mark. Otherwise, by default, demonstrative pronouns do not carry an accent mark.

Demonstrative pronouns replace the noun they refer to and agree in gender and number with that noun.

Esa casa es más bonita que **aquéllas.** *This house is nicer than **those**.*

The neuter forms do not refer to anything specific whose gender or noun can be identified; they refer to a situation, an idea, a concept, or a statement. Neuter forms are always singular.

Yo nunca dije **eso**. *I never said **that**.*

Possessive Adjectives and Pronouns

Short Form Adjectives		Long Form Adjectives and Pronouns	
mi/s	*my*	mío/a/os/as	*my/mine*
tu/s	*your* (informal)	tuyo/a/os/as	*your* (informal)/ *yours* (informal)
su/s	*your* (formal)	suyo/a/os/as	*your* (formal)/ *yours* (formal)
su/s	*his, her, its*	suyo/a/os/as	*his, her, its/ his, hers, its*
nuestro/a/os/as	*our*	nuestro/a/os/as	*our/ours*
vuestro/a/os/as	*your* (informal)	vuestro/a/os/as	*your* (informal)/ *yours* (informal)
su/s	*your* (formal)	suyo/a/os/as	*your* (formal)/ *yours* (formal)
su/s	*their*	suyo/a/os/as	*their/theirs*

Possessive Adjectives

Possessive adjectives always accompany a noun. All of them have a singular and plural form, which agrees with the thing that is possessed. Some forms also show gender, which agrees with the thing that is possessed. The short-form possessive adjectives are the most frequently used.

Mi casa es grande. *My house is big.*

The long forms are used after the verb **ser** and after a noun to convey emphasis.

Esta casa es **mía**. *This house is mine.*

Un proyecto **mío** es pasar un año en Puerto Rico. *A project of mine is to spend a year in Puerto Rico.*

Possessive Pronouns

The possessive pronouns replace nouns. Their forms are the same as the long-form possessive adjectives. A definite article usually precedes the possessive pronoun.

Éste es tu cuarto y aquél es **el mío**. *This is your room and that one is mine.*

Gustar and Similar Verbs

Sentences with **gustar** do not follow the same pattern as English sentences expressing *to like.* Notice that the Spanish construction has an indirect object and that the verb agrees in number with the subject.

Indirect Object	**Verb**	**Subject**
Me	gusta	mi vecino.
Subject *I*	Verb *like*	Direct Object *my neighbor.*

Me gusta mi vecino. *I like my neighbor.*

Me gustan mis vecinos. *I like my neighbors.*

If the indirect object is a noun or proper name, the preposition **a** precedes the noun or name and the indirect-object pronoun follows.

A mi esposo **le** gusta nuestro vecino. *My husband likes our neighbor.*

The preposition **a** + *prepositional pronoun* (**mí, ti, él/ella, usted, nosotros/as, vosotros/as, ustedes**) + *indirect object pronoun* (**me, te, le, nos, os, les**) is used for emphasis or clarification.

A él le gusta nuestro vecino. *He likes our neighbor.*

The verbs below follow the **gustar** pattern.

convenir	*to suit*	molestar	*to bother*
doler	*to hurt*	parecer	*to seem*
fascinar	*to fascinate*	preocupar	*to worry*
interesar	*to interest*	sorprender	*to surprise*

Indefinite and Negative Words

Adjective	Negative Adjective
algún/a/os/as *some, any*	ningún/a *any, none*
Pronouns	**Negative Pronouns**
algo *something, anything* alguien *someone, somebody, anybody* alguno/a/os/as *some, any*	nada *nothing, anything* nadie *nobody, anybody, no one* ninguno/a *any, none*
Adverbs	**Negative Adverbs**
siempre *always* también *also, too, as well*	nunca *never* tampoco *neither, either*

Negative words can precede or follow the verb.

- In general, when the negative word follows the verb, use **no** in front of the verb.
  No tengo tiempo **nunca** para estudiar. *I never have time to study.*
- If the negative word appears before the verb, do not include the word **no.**
  Nunca tengo tiempo para estudiar. *I never have time to study.*
- The personal **a** is placed in front of indefinite and negative words that refer to people.
  Conozco **a alguien** que habla alemán. *I know someone who speaks German.*

Alguno and *Ninguno*

They agree in gender and number with the noun they accompany or refer to. **Ninguno** is always used in singular.

Este semestre no tengo **ninguna** clase de filosofía, ¿tienes **alguna**? *This semester I don't have any philosophy classes, do you have any?*

Alguno and **ninguno** drop the **-o** when they function as adjectives, that is, when they accompany a masculine noun.

No tengo **ningún** interés en la clase de geografía. *I have no interest in the geography class.*

Algún día hablaré español muy bien. *Some day I'll speak Spanish very well.*

Ser and Estar

Some adjectives can never be used with **estar**. Below is a partial list.

crónico	*chronic*
efímero	*ephemeral*
eterno	*eternal*
inteligente	*intelligent*

Some adjectives can never be used with **ser**. Below is a partial list.

ausente	*absent*
contento	*happy*
enfermo	*sick*
muerto	*dead*
presente	*present*
satisfecho	*satisfied*

Some adjectives have different meanings when used with **ser** or **estar**.

	ser	**estar**
aburrido	*boring*	*bored*
bueno	*good (personality)*	*in good health*
interesado	*selfish*	*interested*
listo	*clever*	*ready*
malo	*bad (personality)*	*in poor health*
molesto	*bothersome*	*bothered*
nuevo	*just made*	*unused*
seguro	*safe*	*sure*
vivo	*lively*	*alive*

Noun-Adjective Agreement

Adjectives agree in gender and number with the nouns they modify.

Tengo un carr**o** roj**o**.

Tengo dos carr**os** roj**os**.

Tengo una cas**a** roj**a**.

Tengo dos cas**as** roj**as**.

Noun-Adjective Gender Agreement

Many adjectives end in **-o** when they are in the masculine form and in **-a** when they are in the feminine form. However, the endings of some adjectives are the same for each.

Mi profesor es **cortés**.	*My (male) professor is courteous.*
Mi profesora es **cortés**.	*My (female) professor is courteous.*

Examples:

audaz	*audacious*
canadiense	*Canadian*
cortés	*courteous (but inglés/ ingles**a**)*
cursi	*corny*
interesante	*interesting*
mejor	*better*
útil	*useful*

Adjectives of nationality that end in a consonant are made feminine by adding **-a**.

Mi profesor no es inglés.	*My (male) professor is not English.*
Mi profesora no es ingles**a**.	*My (female) professor is not English.*

Examples:

alemán/alemana	*German*
español/española	*Spanish*

The adjectives whose masculine form ends in **-n** and **-dor** take an **-a** to form the feminine.

Mi hermano es habla**dor**.	*My brother is talkative.*
Mi hermana es habla**dora**.	*My sister is talkative.*

Examples:

holgazán/holgazana	*lazy*
juguetón/juguetona	*playful*
pequeñín/pequeñina	*tiny*
soñador/soñadora	*dreamer*
trabajador/trabajadora	*hard-working*

Some adjectives have an invariable **-a** ending whether they accompany a feminine or a masculine noun.

Mi profesor es **israelita**.	*My (male) professor is an Israeli.*
Mi profesora es **israelita**.	*My (female) professor is an Israeli.*

Examples:

belga	*Belgian*	pesimista	*pessimistic*
hipócrita	*hypocritical*	realista	*realistic*
optimista	*optimistic*	socialista	*socialist*

Some adjectives drop the **-o** when they precede the noun.

Éste es mi **primer** año de español.	*This is my first year of Spanish.*

Examples:

bueno	➔	buen
malo	➔	mal
primero	➔	primer
tercero	➔	tercer

Noun-Adjective Number Agreement

Adjectives ending in a vowel usually form the plural by adding an -s.

Mi hermano es inteligente, pesimist**a** y alt**o**.	*My brother is intelligent, pessimistic, and tall.*
Mis hermanos son inteligente**s**, pesimista**s** y alto**s**.	*My brothers are intelligent, pessimistic, and tall.*

Adjectives ending in **-í** and **-ú** are an exception to the previous rule as they add **-es** to form the plural.

Tengo una amiga marroqu**í**.	*I have a Moroccan (female) friend.*
Tengo dos amigas marroquí**es**.	*I have two Moroccan (female) friends.*
Tengo una amiga hind**ú**.	*I have an Indian (female) friend.*
Tengo dos amigas hindú**es**.	*I have two Indian (female) friends.*

Adjectives ending in a consonant form the plural by adding **-es**.

Esta clase es úti**l**.	*This class is useful.*
Estas clases son úti**les**.	*These classes are useful.*
Mi hermana es auda**z**.	*My sister is audacious.*
Mis hermanas son auda**ces**.	*My sisters are audacious.*

(Note the spelling change **z c**.)

Personal Direct Object + A + Prepositional Pronoun

For clarification or emphasis, if the direct object is a person, it is sometimes reinforced with the presence of **a mí, a ti, a usted, a él/ella, a nosotros, a ustedes**.

¿Viste a María y a Juan ayer?	*Did you see María and Juan yesterday?*
Sí, **la** vi **a ella** solamente; él no estaba en casa.	*Yes, I only saw her; he was not home.*

Note that **Vi a ella** would not be a grammatical sentence. If **a ella** functions as a direct object, **la** needs to be added, as in: **La vi a ella**. However, if instead of **a ella**, we say **a María**, **la** is not needed, as in: **Vi a María**.

Grammar Reference Chapter 2

Passive Voice

Passive-voice sentences look like the sentences below.

Grammatical Subject and Received of the Action	Passive-Voice Verb ser (conjugated) + Past Participle	Doer
Esta novela	fue escrita	por Hemingway.
This novel	*was written*	*by Hemingway.*

The active-voice counterparts look like the sentences below.

Grammatical Subject and Doer	Active-Voice Verb	Direct Object
Hemingway	escribió	esta novela.
Hemingway	*wrote*	*this novel.*

In passive-voice sentences, the receiver of the action is the actual grammatical subject. If the doer of the action is explicitly stated, it is preceded by the preposition **por** (by). In active-voice sentences, the roles of grammatical subject and the doer are played by the same part of the sentence.

The passive-voice construction requires a conjugated form of **ser** plus the past participle of a verb. The past participle agrees in gender and number with the grammatical subject. The passive voice is common in Spanish in historical topics, academic writing, and journalistic writing.

Resultant State

In order to express the result of an action, in Spanish you use **estar** plus the past participle of a verb. In this structure (**estar** + *past participle*), the past participle behaves just like an adjective when **estar** + adjective describes a characteristic that is not permanent.

La ventana **está rota** porque ayer hubo una explosión. (**estar** + *part participle*)
The window is broken because yesterday there was an explosion.

Notice that **estar** + *past participle* is used only when there is no adjective to describe the condition. For instance, although there is a past participle form, **ensuciado** (soiled) from the verb **ensuciar**, the example below uses **sucia**, which is the adjective that describes the condition of being dirty or soiled.

La ventana **está sucia** porque ayer hubo una tormenta de polvo.
(**estar** + *adjective*)
The window is dirty because there was a dust storm yesterday.

No-Fault *se*

With a number of verbs, you can use a **se** structure to convey unplanned or unexpected events.

Se	Verb in Third-Person Singular or Plural	Subject
Se *The document got lost.*	perd**ió**	el documento.
Se *The documents got lost.*	perd**ie**ron	los documentos.

In order to indicate who is affected by the event, you may use an indirect-object pronoun (**me, te, le, nos, os, les**) right after **se**.

Se	Indirect-Object Pronoun	Verb in Third-Person Singular or Plural	Subject
Se *I lost the document.*	**me**	perdió	el documento.
Se *I lost the documents.*	**me**	perdieron	los documentos.

The verbs below are usually associated with this structure.

acabar	*to run out*
caer	*to fall*
escapar	*to escape*
estropear	*to go bad; to break*
olvidar	*to forget*
perder	*to lose*
quedar	*to be left*
romper	*to break*

Hacer in Time Expressions

To express an action whose effect is still going on, use the structure below.

Hace + *time expression* + **que** + *verb in present tense*

Hace dos días **que** estudio para mi examen de español.
I've been studying for my Spanish exam for two days.

To express the time elapsed since an action was completed, use the structure below.

Hace + *time expression* + **que** + *verb in preterit tense*

Hace dos días **que** vi a Juan.
I saw Juan two days ago.

Preterit and Imperfect

Some verbs convey different meanings when used in the preterit or the imperfect.

conocer

- It means *to meet for the first time* when used in the preterit.

  Ayer **conocí** a mi instructora de francés. — *I met my French instructor yesterday.*

- It means *to be acquainted with* (know) when used in the imperfect.

  El año pasado no **conocía** a mis compañeros de clase bien, pero este año sí. — *Last year I didn't know my classmates well, but I do this year.*

haber

- It means to *occur* when used in the preterit.

  Hubo tres muertos en el accidente. — *Three fatalities occurred in the accident.*

- When used in the imperfect, it means *there was/were* in the sense of what a witness can see on the scene.

  Había dos médicos y una ambulancia en el lugar del accidente. — *There were two doctors and an ambulance on the scene of the accident.*

poder

- It means to succeed in when used in the preterit.

  No **pude** visitar a mis padres este semestre. — *I couldn't visit my parents this semester.*

- It means *to be able to* when used in the imperfect.

  Ella no **podía** lavar los platos por causa de su alergia al detergente. — *She couldn't wash the dishes because of her allergy to the detergent.*

querer

- In the preterit, it means to try if the verb is affirmative, and to refuse if the verb is negative.

  Ayer **quise** estudiar con María, pero ella **no quiso**. *Yesterday, I tried to study with María, but she refused.*

- In the imperfect, it means to want or to wish.

  Ayer yo **quería** estudiar con María, pero ella **quería** ir de compras. *Yesterday, I wanted to study with María, but she wanted to go shopping.*

saber

- In the preterit, it means to find out.

  Ayer **supe** la nota del examen de historia del arte. *Yesterday, I found out the grade for the Art History exam.*

- In the imperfect, it means to have knowledge, to know, to be aware.

  Antes de tomar la clase de español, no **sabía** mucho vocabulario. *Before taking the Spanish class, I didn't know much vocabulary.*

Direct- and Indirect-Object Pronoun Placement

When the direct- and the indirect-object pronouns occur together, the direct-object pronoun follows the indirect-object pronoun, regardless of the form of the verb. However, the form of the verb determines whether the pronouns appear before or after the verb. You have studied the position of both pronouns when accompanied by a conjugated verb.

Yo quería flores y mi padre **me las** compró. *I wanted flowers and my father bought them for me.*

Attach both pronouns to the verb after an affirmative command form.

Pása**me** la sal. *Pass me the salt.* Pása**mela**. *Pass it to me.*

Place both pronouns before the verb that expresses a negative command.

No **me la** pases. *Don't pass it to me.*

With a conjugated verb plus infinitive or present participle, you have a choice of placement. Place both pronouns before the conjugated verb or attach them to the infinitive or present participle.

María quiere pasarme la sal. *María wants to pass the salt to me.*
María **me la** quiere pasar. *María wants to pass it to me.*
María quiere pasár**mela**. *María wants to pass it to me.*
María está pasándome la sal. *María is passing me the salt.*
María **me la** está pasando. *María is passing it to me.*
María está pasándo**mela**. *María is passing it to me.*

Grammar Reference Chapter 3

Infinitive vs. Subjunctive

Using the infinitive or the subjunctive depends on whether or not there is a new subject in the dependent clause. With impersonal expressions that convey doubt, emotion, and recommendation the verb in the dependent clause is in the subjunctive.

Es necesario que estudies más.	*It is necessary for you to study more.*

However, if there is no subject in the dependent clause, the verb is used in the infinitive form.

Es necesario estudiar más.	*It is necessary to study more.*

After an independent clause bearing a verb of doubt, emotion, or recommendation, use the subjunctive if the subject noun or pronoun changes in the dependent clause. Use the infinitive if the subject stays the same. Compare these two sentences.

Yo quiero que **mi hermana** estudie más.	*I want my sister to study more.*
Yo quiero estudiar más.	*I want to study more.*

Indicative vs. Subjunctive Following *Decir*

Decir causes the use of the indicative in the dependent clause when it means to state, but **decir** causes the use of subjunctive in the dependent clause when it means *to suggest* or *to request*. Compare the two sentences below.

Ella dice que su hermano viene mañana.	*She says that her brother is coming tomorrow.*
Ella dice que comencemos la fiesta a las nueve de la noche.	*She says (suggests) that we start the party at nine in the evening.*

Grammar Reference Chapter 4

Relative Pronouns

Que

Que can be used in both restrictive (no commas) and nonrestrictive (with commas) clauses.

Éste es el carro **que** me compré ayer.	*This is the car that I bought myself yesterday.*

Mi carro, **que** ahora está en reparación, costó poco dinero. — *My car, which is now at the mechanic's, cost little money.*

El que, la que, los que, las que are used when a preposition (e.g., **a, de, con, entre**) precedes them.

Éstos son los estudiantes **de los que** te hablé.
These are the students about whom I talked to you.
These are the students that I talked to you about. (Note: Placing the preposition at the end of the clause is not grammatical in Spanish.)
These are the students I talked to you about. (Note: In English the relative pronoun can be omitted, but in Spanish the relative pronoun always has to be present.)

El que, la que, los que, las que are also used to mean he who, she who, those who, and the one(s) who.

El que quiere, puede. — ***He who** wants, can.*

Cual

El cual, la cual, los cuales, las cuales are used when preceded by a preposition (e.g., **a, de, con, entre**), whether the clause is restrictive or not. If they are not preceded by a preposition, they can only be used in nonrestrictive clauses. These pronouns convey a more formal tone.

Éstos son los estudiantes **de los cuales** te hablé.
These are the students about whom I talked to you.
Estos estudiantes, **de los cuales** te hablé ayer, son muy diligentes.
These students, about whom I talked to you yesterday, are very diligent.
Mi carro, **el cual** ahora está en reparación, costó poco dinero.
My car, which is now at the mechanic's, cost little money.

Quien, Quienes

Quien, quienes are used to refer back to people exclusively and apply to both genders. They are used when preceded by a preposition (e.g., **a, de, con, entre**), whether the clause is restrictive or not. If they are not preceded by a preposition, they can only be used in nonrestrictive clauses.

These pronouns convey a more formal tone.
Ésta es la estudiante **con quien** estudio siempre.
This is the student with whom I always study.
María, **con quien** estudio siempre, está enferma hoy.
María, with whom I always study, is sick today.
María, **quien** está en nuestro grupo de estudio, está enferma hoy.
María, who is in our study group, is sick today.

Grammar Reference Chapter 5

Future to Indicate Probability in the Present

The future tense can be used to express conjecture about an event that may be happening in the present. With non-action verbs such as **ser, estar, parecer** and **tener** the simple future is used.

¿Dónde está tu hermana?	*Where is your sister?*
No sé, **estará** en casa de su mejor amiga.	*I don't know, she may be at her best friend's house.*

With action verbs such as **correr, escribir, caminar, viajar, llegar,** and the like the progressive future is used. The progressive form of any tense is formed by conjugating the verb **estar** in the desired tense and using the target verb in the present participle form (stem + -**ando** or -**iendo**).

Me pregunto si mi amigo Miguel **estará llegando** a Puerto Rico ahora.
I wonder whether my friend Miguel may be arriving in Puerto Rico right now.

Conditional to Indicate Probability in the Past

To express probability or conjecture in the past the conditional tense is used. With non-action verbs such as **ser, estar, parecer** and **tener** the simple conditional is used; with action-verbs such as **correr, escribir, caminar, viajar, llegar,** and the like the progressive conditional is used.

¿Qué hora **sería** cuando Juan regresó anoche?
What time could it have been when Juan returned last night?
¿Qué **estaría haciendo** Juan ayer a las doce de la noche?
What could Juan have been doing yesterday at midnight?

Grammar Reference Chapter 6

Predictable Spelling Changes in the Preterit

Some verbs experience predictable spelling changes in the preterit as well as in other tenses. These changes can be predicted by applying the spelling/pronunciation rules that are used for any word in Spanish.

- Infinitive ending in **-car c** changes to **qu** before **e**

dedi**qué**	dedicamos
dedicaste	dedicasteis
dedicó	dedicaron

acercar, calificar, colocar, criticar, destacar, educar, embarcar, erradicar, indicar, masticar, modificar, pescar, practicar, sacrificar, tocar, unificar

- Infinitive ending in **-gar g** changes to **gu** before **e**

pa**gu**é	pagamos
pagaste	pagasteis
pagó	pagaron

apagar, castigar, colgar, delegar, desligar, divulgar, entregar, fregar, investigar, jugar, juzgar, llegar, madrugar, negar, obligar, plagar, prolongar, rasgar, rogar, tragar

- Infinitive ending in **-guar gu** changes to **gü** before **e**

averi**gü**é	averiguamos
averiguaste	averiguasteis
averiguó	averiguaron

aguar, fraguar

- Infinitive ending in -**zar z** changes to **c** before **e**

memori**c**é	memorizamos
memorizaste	memorizasteis
memorizó	memorizaron

alcanzar, amenazar, analizar, avanzar, cazar, comenzar, destrozar, empezar, gozar, localizar, memorizar, mobilizar, paralizar, rezar, rechazar, rizar

- Infinitive ending in **-aer, -eer, -uir** Unstressed **-i-** becomes **-y-** between two vowels.

leí	leímos	creí	creímos	construí	contruimos
leíste	leísteis	creíste	creísteis	construiste	construisteis
le**y**ó	le**y**eron	cre**y**ó	cre**y**eron	constru**y**ó	constru**y**eron

caer, distribuir, huir, proveer

Stem Changes in the Preterit

There are a number of **-ir** verbs that undergo a vowel change in the stem of the third-person singular and the third-person plural of the preterit. The change may cause **o** to become **u**, or **e** to become **i**. There is no rule to predict what verbs feature this change. You need to learn them. The vocabulary at the end of your textbook flags this type of verb as follows: **dormir (ue, u), sentir (ie, i), repetir (i, i)**.

dormí	dormimos	sentí	sentimos
dormiste	dormisteis	sentiste	sentisteis
d**u**rmió	d**u**rmieron	s**i**ntió	s**i**ntieron

The Preterit of *andar*

The verb **andar**, while regular in most of the tenses, is irregular in the preterit. It is a common error, even among native speakers of Spanish, to conjugate the preterit of **andar** as if it were regular. Below are the preterit forms.

anduve	anduvimos
anduviste	anduvisteis
anduvo	anduvieron

Personal *a*

You need to use the personal **a** when the direct object refers to nouns that refer to specific people.

Los estudiantes conocen **a** una profesora mexicana. — *The students know a Mexican professor.*

However, when **tener** has a direct object that refers to a nonspecific person, the personal **a** is not used.

Tengo una profesora mexicana. — *I have a Mexican professor.*

When pronouns that refer to people are direct objects, they take a personal **a**.

¿**A** quién conoces en México? — *Who do you know in Mexico?*
No conozco **a** nadie en México. — *I don't know anybody in Mexico.*

Personal-Direct Object Pronoun + a + Prepositional Pronoun

When the direct-object pronoun refers to a person, it can be emphasized or clarified by adding **a** + prepositional pronoun **(mí, ti, usted, él/ella, nosotros/as, vosotros/as, ustedes)**.

¿Visitaste a tu abuelo y a tu tía el fin de semana pasado?
Did you visit your grandfather and your aunt last weekend?

Sí, **lo** visité **a él** y **la** llamé **a ella** por teléfono.
Yes, I visited him and called her on the telephone.

Note that **visité a él** and **llamé a ella** are incorrect, you need to add **lo** before the first verb and **la** before the second verb.

Ser and *Estar*

Ser is used to:

- establish the essence or identity of a person or thing
  Yo **soy** estudiante de español.
  I am a student of Spanish.
- express origin
  Yo **soy** de EE. UU.
  I am from the U.S.

- express time
  Son las 3:00 de la tarde.
  It's three o'clock in the afternoon.
- express possession
  Este libro **es** de mi compañera de clase.
  This book belongs to my classmate.
- express when and where an event takes place
  La fiesta del departamento de español **es** en diciembre.
  The Spanish department's party is in December.
  ¿Dónde **es** la fiesta? —En el laboratorio de lenguas.
  Where is the party? "In the language lab."

Estar is used to:

- express the location of a person or object
  Mi casa **está** cerca de la biblioteca.
  My house is near the library.
- form the progressive tenses
  Este semestre **estoy** tomando muchas clases.
  This semester I am taking many classes.

Ser and *Estar* with Adjectives

Ser is used with adjectives:

- to express an essential characteristic of a person or object
  Yo **soy** simpática.
  I am friendly.
  Este libro **es** fácil.
  This book is easy.

Estar with adjectives is used to:

- express the state or condition of a person or object
  Estoy contenta porque recibí una beca.
  I am happy because I received a scholarship.
- note a change in the person or object
  Violeta es guapa y hoy **está** más guapa todavía con su nuevo corte de pelo.
  Violeta is pretty and today she is even prettier with her new haircut.

Some adjectives can never be used with **estar**. Below is a partial list.

crónico	chronic
efímero	ephemeral
eterno	eternal
inteligente	intelligent

Some adjectives can never be used with **ser**. Below is a partial list.

ausente	*absent*
contento	*happy*
enfermo	*sick*
muerto	*dead*
presente	*present*
satisfecho	*satisfied*

Some adjectives have different meanings when combined with **ser** or **estar**.

	ser	**estar**
aburrido	*boring*	*bored*
bueno	*good (personality)*	*in good health*
interesado	*selfish*	*interested*
listo	*clever*	*ready*
malo	*bad (personality)*	*in poor health*
molesto	*bothersome*	*bothered*
nuevo	*brand new*	*unused*
seguro	*safe*	*sure*
vivo	*lively*	*alive*

Grammar Reference Chapter 7

Predictable Spelling Changes in the Present Subjunctive

Some verbs experience predictable spelling changes in the present subjunctive as well as in other tenses. These changes can be predicted by applying the spelling/pronunciation rules that are used for any word in Spanish.

- Infinitive ending in **-car c** changes to **qu** before **e**

dedi**qu**e	dedi**qu**emos
dedi**qu**es	dedi**qué**is
dedi**qu**e	dedi**qu**en

acercar, calificar, colocar, criticar, destacar, educar, embarcar, erradicar, indicar, masticar, modificar, pescar, practicar, sacrificar, tocar, unificar

- Infinitive ending in **-gar g** changes to **gu** before **e**

pa**gu**e	pa**gu**emos
pa**gu**es	pa**gué**is
pa**gu**e	pa**gu**en

apagar, colgar, castigar, delegar, desligar, divulgar, entregar, fregar, investigar, jugar, juzgar, llegar, madrugar, negar, obligar, plagar, prolongar, rasgar, rogar, tragar

- Infinitive ending in **-guar gu** changes to **gü** before **e**

averi**gü**e	averi**gü**emos
averi**gü**es	averi**gü**éis
averi**gü**e	averi**gü**en

aguar, fraguar

- Infinitive ending in **-zar z** changes to **c** before **e**

memori**c**e	memori**c**emos
memori**c**es	memori**c**éis
memori**c**e	memori**c**en

alcanzar, amenazar, analizar, avanzar, cazar, comenzar, destrozar, empezar, gozar, localizar, memorizar, mobilizar, paralizar, rezar, rechazar, rizar

Other Spelling Changes in the Present Subjunctive

Infinitive ending in **-uir**

Unstressed **-i-** becomes **-y-** between two vowels.

contribu**y**a	contribu**y**amos
contribu**y**as	contribu**y**áis
contribu**y**a	contribu**y**an

construir, distribuir, huir, restituir

Spelling Changes in the Imperfect Subjunctive

Infinitive ending in **-aer, -eer, -uir**

Unstressed **-i-** becomes **-y-** between two vowels. Since this change occurs in the preterit (*leyeron*), which is the base for the imperfect subjunctive, it is carried over to the imperfect subjunctive.

le**y**era/le**y**ese	le**y**éramos/le**y**ésemos
le**y**eras/le**y**eses	le**y**erais/le**y**eseis
le**y**era/le**y**ese	le**y**eran/le**y**esen

caer, construir, creer, distribuir, huir, proveer

Stem Changes in the Present Subjunctive

Stem-changing **-ar** and **-er** verbs undergo the change **e → ie** or **o → ue** in the **yo, tú, él/ella** and **ellos/as** forms.

ci**e**rre ci**e**rres ci**e**rre	cu**e**nte cu**e**ntes cu**e**nte
cerremos cerréis ci**e**rren	contemos contéis cu**e**nten

Stem-changing **-ir** verbs undergo the change **e ➔ ie** or **i** and **o ➔ ue** or **u** in all persons.

convertir (ie, i):

conv**ie**rta	conv**i**rtamos
conv**ie**rtas	conv**i**rtáis
conv**ie**rta	conv**ie**rtan

servir (i, i):

s**i**rva	s**i**rvamos
s**i**rvas	s**i**rváis
s**i**rva	s**i**rvan

dormir (ue, u):

d**ue**rma	d**u**rmamos
d**ue**rmas	d**u**rmáis
d**ue**rma	d**ue**rman

The Imperfect Subjunctive of *andar*

The verb **andar**, while regular in most of the tenses, is irregular in the preterit. That irregularity is carried over to the imperfect subjunctive (as the third-person plural of the preterit is used as the base to conjugate the imperfect subjunctive). It is a common error, even among native speakers of Spanish, to conjugate the imperfect subjunctive of **andar** as if it were regular.

anduviera/anduviese	anduviéramos/anduviésemos
anduvieras/anduvieses	anduvierais/anduvieseis
anduviera/anduviese	anduvieran/anduviesen

Grammar Reference Chapter 8

Irregular Verbs in the Future and Conditional

The irregular verbs shown below take the same endings as the regular verbs.

Future endings	Conditional endings
-é	-ía
-ás	-ías
-á	-ía
-emos	-íamos
-éis	-íais
-án	-ían

Irregular verbs

Note that these verb stems are used in the formation of both the future and the conditional.

Drop last vowel in the infinitive	Replace last vowel in the infinitive with d	Other
hab**er** ➔ **habr-**	pon**er** ➔ **pondr -**	decir ➔ **dir-**
pod**er** ➔ **podr-**	sal**ir** ➔ **saldr-**	hacer ➔ **har-**
quer**er** ➔ **querr-**	ten**er** ➔ **tendr-**	
sab**er** ➔ **sabr-**	val**er** ➔ **valdr-**	
	ven**ir** ➔ **vendr-**	

Limitations to the Use of the Conditional

Although in many instances the English would and should correspond to the conditional tense in Spanish, there are a few contexts where other tenses need to be used.

1. Would, conveying habitual actions in relation to the past, is rendered in Spanish with the imperfect tense.
   Cada verano **visitábamos** a nuestros abuelos.
   Every summer we would visit our grandparents.
2. Would is rendered by the present or the imperfect subjunctive, depending on the context, when preceded by wish. Wish can be expressed by **ojalá** or a verb indicating wish or desire.
   Ojalá que **venga/viniera** a Nicaragua.
   Espero que **venga** a Nicaragua.
   I wish she would come to Nicaragua.
3. Should, conveying obligation, is rendered in Spanish with **deber** in the conditional.
   Deberíamos hacer ecoturismo en Honduras.
   We should do ecotourism in Honduras.

Contrary-to-Fact si Clauses Describing the Past

1. When a **si** clause introduces a contrary-to-fact situation or condition, that is, a situation unlikely to take place in the present or future time, the imperfect subjunctive is used. When the situation or condition refers to a past time, Spanish, like English, uses the past perfect subjunctive in the *si* clause and conditional perfect for the result clause. (See verb charts for past perfect subjunctive and conditional perfect in Appendix B.)
   Si los españoles **no hubieran colonizado** Costa Rica, la población indígena **no habría desaparecido**.
   If the Spaniards hadn't colonized Costa Rica, the indigenous population wouldn't have disappeared.

2. The phrase *como si* (*as if*) always presents a contrary-to-fact situation and it takes either the imperfect or the past perfect subjunctive. The imperfect is used when the action of the *si* clause takes place at the same time as the main verb. The past perfect subjunctive is used to refer to an action that happened in the past.

   Isabel me vio ayer y actuó **como si no me conociera**.
   Isabel saw me yesterday and she acted as if she didn't know me.
   En la ceremonia del Premio Nobel, el presidente Arias actuó con humildad, como si no **hubiera hecho** algo importante.
   At the Nobel Prize Award ceremony, President Arias showed humility, as if he had not done anything important.

Grammar Reference Chapter 9

Como (since) as a Close Synonym of *puesto que/ya que (since)*

In a broad sense, **como** is a synonym of **puesto que/ya que**, but there are two differences.

1. While **como** can be used when the topic and context are either formal or informal, the use of **ya que** is restricted to formal topics and contexts.

   Como no estudias, no sacas buenas notas. (*informal topic/context*)
   Since you don't study, you don't get good grades.
   Puesto que (ya que) Cartagena lucha heroicamente durante la guerra de la independencia, Simón Bolívar la llama "La Ciudad Heroica". (*formal topic/context*)
   Since Cartagena fights heroically during the independence war, Simón Bolívar calls her "The Heroic City."

2. While the clause (dependent clause) introduced **by puesto que/ya que** can appear before or after the independent clause, **como** requires that the dependent clause be used only before the independent clause.

   Como no estudias, no sacas buenas notas.
   Since you don't study, you don't get good grades.
   Puesto que (ya que) Cartagena lucha heroicamente durante la guerra de la independencia, Simón Bolívar la llama "La Ciudad Heroica". (*formal topic/context*)
   Simón Bolívar la llama "La Ciudad Heroica" **puesto que (ya que)** Cartagena lucha heroicamente durante la guerra de la independencia.
   Simón Bolívar calls her "The Heroic City" since Cartagena fights heroically during the Independence war.

Como also means *if*

When **como** means *if,* it always requires the use of subjunctive. The clause with **como** must be placed before the independent clause.

Como no estudies, no sacarás buenas notas.
If you don't study, you won't get good grades.
Compare the previous example to the next one, where **como** means *since.*
Como no estudias, no sacas buenas notas.
Since you don't study, you don't get good grades.

Use of Infinitive Instead of Subjunctive in Adverbial Clauses

The following adverbial expressions always require the use of subjunctive in the dependent clause.

a fin (de) que
antes (de) que
después (de) que
hasta que
para que

However, when the subject of the action in the independent clause is the same for the verb in the adverbial clause, an infinitive is used instead of the subjunctive. When this structure occurs, the adverbial expressions become plain prepositions (**a fin de, antes de, después de, hasta, para**) by dropping **que**.

El gobierno colombiano tiene que negociar la paz **para aumentar** el turismo.
The Colombian government has to negotiate the peace in order to increase tourism.

Grammar Reference Chapter 10

Ya and *Todavía*

Ya means *already* when the sentence is affirmative, whether the sentence is a statement or a question.

Ya habíamos estudiado para el examen de español cuando empezó nuestro programa de televisión favorito.
We had already studied for the Spanish test when our favorite TV show began.
¿**Ya** habías estudiado para el examen de español cuando empezó tu programa de televisión favorito?
Had you already studied for the Spanish test when your favorite TV show began?

Todavía is used instead of **ya** if the sentence is negative, whether the sentence is a statement or a question.

Todavía no habíamos estudiado para el examen de español cuando empezó nuestro programa de televisión favorito.

We had not yet studied for the Spanish test when our favorite TV show began.

¿**Todavía** no habías estudiado para el examen de español cuando empezó tu programa de televisión favorito?

Hadn't you studied yet for the Spanish test when your favorite TV show began?

Present Perfect Subjunctive

The present perfect subjunctive is the counterpart of the present perfect indicative. To conjugate this tense, you need the verb **haber** in the present subjunctive plus the past participle of another verb.

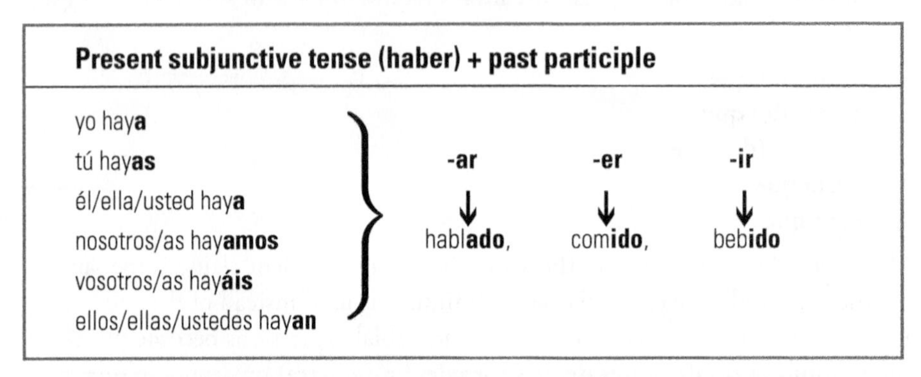

Present subjunctive tense (haber) + past participle			
yo hay**a**	**-ar**	**-er**	**-ir**
tú hay**as**	↓	↓	↓
él/ella/usted hay**a**	habl**ado**,	com**ido**,	beb**ido**
nosotros/as hay**amos**			
vosotros/as hay**áis**			
ellos/ellas/ustedes hay**an**			

You need to use the present perfect subjunctive to describe a completed event in the past or in the future when the speaker's point of reference is the present. As any other subjunctive tense, this tense appears in the dependent clause as a result of the independent clause bearing an element that calls for subjunctive in the dependent clause, e. g., expression of desire or persuasion, doubt, feelings, or reference to an unknown thing, person, or event.

Espero que los estudiantes **hayan estudiado** mucho para el examen de hoy sobre Chile.

I hope the students have studied a lot for today's test on Chile.

No creo que los estudiantes **hayan llegado** a Chile todavía.

I don't think the students have yet arrived in Chile.

Past Perfect Subjunctive

The past perfect subjunctive is the counterpart of the past perfect indicative.

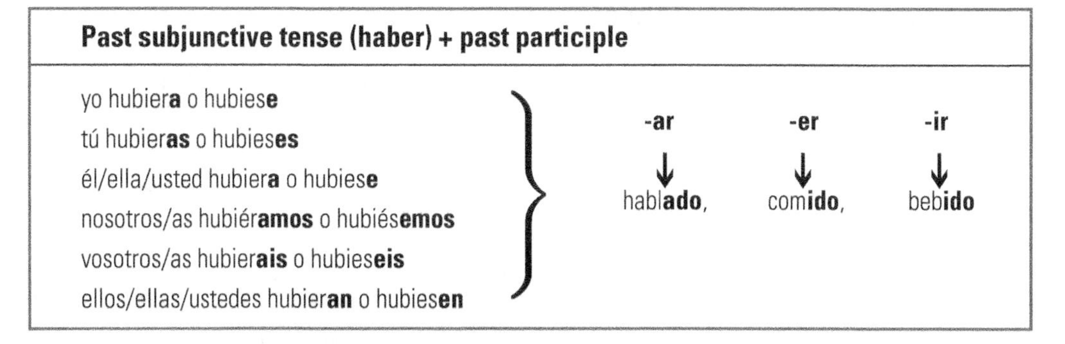

Past subjunctive tense (haber) + past participle			
yo hubier**a** o hubies**e** tú hubier**as** o hubies**es** él/ella/usted hubier**a** o hubies**e** nosotros/as hubiér**amos** o hubiés**emos** vosotros/as hubier**ais** o hubies**eis** ellos/ellas/ustedes hubier**an** o hubies**en**	**-ar** ↓ habl**ado**,	**-er** ↓ com**ido**,	**-ir** ↓ beb**ido**

You need to use the past perfect subjunctive to describe a completed event in the past that took place prior to another past action or event. As any other subjunctive tense, this tense appears in the dependent clause as a result of the independent clause bearing an element that calls for subjunctive in the dependent clause, e. g., expression of desire or persuasion, doubt, feelings; reference to an unknown thing, person, or event; and contrary-to-fact conditional sentences.

Era dudoso que los estudiantes **hubieran hablado** con muchos chilenos en sólo dos semanas de visita al país.
It was doubtful that the students had talked to many Chileans in just a two-week visit to the country.
Yo habría ido a Chile el verano pasado si no **hubiera trabajado**.
I would have gone to Chile last summer if I had not worked.

Pronouns, Possessives, and Demonstratives

Pronouns

Subject	Direct Object		Indirect Object*		Reflexive	
yo	me	*me*	me	*me*	me	*myself*
tú	te	*you*	te	*you*	te	*yourself*
él/Ud.	lo	*him*	le	*him*	se	*himself*
ella/Ud.	la	*her*	le	*her*	se	*herself*
nosotros/as	nos	*us*	nos	*us*	nos	*ourselves*
vosotros/as	os	*you*	os	*you*	os	*yourselves*
ellos/Uds.	los	*them*	les	*them*	se	*themselves*
ellas/Uds.	las	*them*	les	*them*	se	*themselves*

*NOTE: **Le/Les** become **se** when they occur along with the direct objects **lo/s, la/s**: —¿**Le** diste el libro a tu compañera? —Sí, **se** lo di.

Possessive Adjectives and Pronouns

Short Form Adjectives		Long Form Adjectives and Pronouns	
mi(s)	*my*	mío(s), mía(s)	*mine*
tu(s)	*your*	tuyo(s), tuya(s)	*yours*
su(s)	*his/her*	suyo(s), suya(s)	*his/hers*
nuestro(s), nuestra(s)	*our*	nuestro(s), nuestra(s)	*ours*
vuestro(s), vuestra(s)	*your*	vuestro(s), vuestra(s)	*yours*
su(s)	*their*	suyo(s), suya(s)	*theirs*

Demonstrative Adjectives

	singular	plural	singular	plural	singular	plural
masculine	este *this*	estos *these*	ese *that*	esos *those*	aquel *that*	aquellos *those*
feminine	esta *this*	estas *these*	esa *that*	esas *those*	aquella *that*	aquellas *those*

Demonstrative Pronouns*

	singular	plural	singular	plural	singular	plural
masculine	éste *this (one)*	éstos *these (ones)*	ése *that (one)*	ésos *those (ones)*	aquél *that (one)*	aquéllos *those (ones)*
feminine	ésta *this (one)*	éstas *these (ones)*	ésa *that (one)*	ésas *those (ones)*	aquélla *that (one)*	aquéllas *those (ones)*
neuter	esto *this (one)*	—	eso *that (one)*	—	aquello *that (one)*	—

*NOTE: According to the latest spelling rules published by the Real Academia Española, demonstrative pronouns should not carry an accent mark unless the sentence is ambiguous, such as: **¿Por qué compraron aquéllos libros usados?,** where **aquéllos** (those students/people) is the subject but could be interpreted as demonstrative adjective accompanying **libros** if it did not have an accent mark. Otherwise, by default, demonstrative pronouns do not carry an accent mark. As time goes on the acceptance of this new rule will become more widespread.

APPENDIX B: VERB TABLES

Regular Verbs

Infinitive: Simple Forms		
habl **ar** *(to speak)*	com **er** *(to eat)*	viv **ir** *(to live)*
Present Participle: Simple Forms		
habl **ando** *(speaking)*	com **iendo** *(eating)*	viv **iendo** *(living)*
Past Participle		
habl **ado** *(spoken)*	com **ido** *(eaten)*	viv **ido** *(lived)*
Infinitive: Perfect Forms		
hab **er** habl **ado** *(to have spoken)*	hab **er** com **ido** *(to have eaten)*	hab **er** viv **ido** *(to have lived)*
Present Participle: Perfect Forms		
hab **iendo** habl **ado** *(having spoken)*		
hab **iendo** com **ido** *(having spoken)*		
hab **iendo** viv **ido** *(having lived)*		

Indicative: Simple Tenses

Present		
(I speak, am speaking, do speak, will speak)	*(I eat, am eating, do eat, will eat)*	*(I live, am living, do live, will live)*
habl **o**	com **o**	viv **o**
habl **as**	com **es**	viv **es**
habl **a**	com **e**	viv **e**
habl **amos**	com **emos**	viv **imos**
habl **áis**	com **éis**	viv **ís**
habl **an**	com **en**	viv **en**

Imperfect		
(*I was speaking, used to speak, spoke*)	(*I was eating, used to eat, ate*)	(*I was living, used to live, lived*)
habl **aba**	com **ía**	viv **ía**
habl **abas**	com **ías**	viv **ías**
habl **aba**	com **ía**	viv **ía**
habl **ábamos**	com **íamos**	viv **íamos**
habl **abais**	com **íais**	viv **íais**
habl **aban**	com **ían**	viv **ían**

Preterit		
(*I spoke, did speak*)	(*I ate, did eat*)	(*I lived, did live*)
habl **é**	com **í**	viv **í**
habl **aste**	com **iste**	viv **iste**
habl **ó**	com **ió**	viv **ió**
habl **amos**	com **imos**	viv **imos**
habl **asteis**	com **isteis**	viv **isteis**
habl **aron**	com **ieron**	viv **ieron**

Future		
(*I shall/will speak*)	(*I shall/will eat*)	(*I shall/will live*)
hablar **é**	comer **é**	vivir **é**
hablar **ás**	comer **ás**	vivir **ás**
hablar **á**	comer **á**	vivir **á**
hablar **emos**	comer **emos**	vivir **emos**
hablar **éis**	comer **éis**	vivir **éis**
hablar **án**	comer **án**	vivir **án**

Indicative: Simple Tenses (continued)

Conditional		
(*I would speak*)	(*I would eat*)	(*I would live*)
hablar **ía**	comer **ía**	vivir **ía**
hablar **ías**	comer **ías**	vivir **ías**
hablar **ía**	comer **ía**	vivir **ía**
hablar **íamos**	comer **íamos**	vivir **íamos**
hablar **íais**	comer **íais**	vivir **íais**
hablar **ían**	comer **ían**	vivir **ían**

Subjunctive: Simple Tenses

Present		
(*that I [may] speak*)	(*that I [may] eat*)	(*that I [may] live*)
habl **e**	com **a**	viv **a**
habl **es**	com **as**	viv **as**
habl **e**	com **a**	viv **a**
habl **emos**	com **amos**	viv **amos**
habl **éis**	com **áis**	viv **áis**
habl **en**	com **an**	viv **an**

Imperfect					
(*that I [might] speak*)		(*that I [might] eat*)		(*that I [might] live*)	
habl **ar a**	habl **as e**	com **ier a**	com **ies e**	viv **ier a**	viv **ies e**
habl **ar as**	habl **as es**	com **ier as**	com **ies es**	viv **ier as**	viv **ies es**
habl **ar a**	habl **as e**	com **ier a**	com **ies e**	viv **ier a**	viv **ies e**
habl **ár amos**	habl **ás emos**	com **iér amos**	com **iés emos**	viv **iér amos**	viv **iés emos**
habl **ar ais**	habl **as eis**	com **ier ais**	com **ies eis**	viv **ier ais**	viv **ies eis**
habl **ar an**	habl **as en**	com **ier an**	com **ies en**	viv **ier an**	viv **ies en**

Affirmative Commands		
(*speak*)	(*eat*)	(*live*)
habl **a** (tú)	com **e** (tú)	viv **e** (tú)
habl **ad** (vosotros)	com **ed** (vosotros)	viv **id** (vosotros)
habl **e** (Ud.)	com **a** (Ud.)	viv **a** (Ud.)
habl **en** (Uds.)	com **an** (Uds.)	viv **an** (Uds.)

Negative Commands		
(*don't speak*)	(*don't eat*)	(*don't live*)
No habl **es** (tú)	No com **as** (tú)	No viv **as** (tú)
No habl **eis** (vosotros)	No com **ais** (vosotros)	No viv **áis** (vosotros)
No habl **e** (Ud.)	No com **a** (Ud.)	No viv **a** (Ud.)
No habl **en** (Uds.)	No com **an** (Uds.)	No viv **an** (Uds.)

Indicative: Perfect Tenses

Present Perfect		
(*I have spoken*)	(*I have eaten*)	(*I have lived*)
h **e** h **as** h **a** h **emos** h **abéis** h **an** } habl **ado**	h **e** h **as** h **a** h **emos** h **abéis** h **an** } com **ido**	h **e** h **as** h **a** h **emos** h **abéis** h **an** } viv **ido**

Past Perfect		
(*I had spoken*)	(*I had eaten*)	(*I had lived*)
hab **ía** habl **ado**	hab **ía** com **ido**	hab **ía** viv **ido**
hab **ías** habl **ado**	hab **ías** com **ido**	hab **ías** viv **ido**
hab **ía** habl **ado**	hab **ía** com **ido**	hab **ía** viv **ido**
hab **íamos** habl **ado**	hab **íamos** com **ido**	hab **íamos** viv **ido**
hab **íais** habl **ado**	hab **íais** com **ido**	hab **íais** viv **ido**
hab **ían** habl **ado**	hab **ían** com **ido**	hab **ían** viv **ido**

Future Perfect		
(*I will have spoken*)	(*I will have eaten*)	(*I will have lived*)
habr **é** habl **ado**	habr **é** com **ido**	habr **é** viv **ido**
habr **ás** habl **ado**	habr **ás** com **ido**	habr **ás** viv **ido**
habr **á** habl **ado**	habr **á** com **ido**	habr **á** viv **ido**
habr **emos** habl **ado**	habr **emos** com **ido**	habr **emos** viv **ido**
habr **éis** habl **ado**	habr **éis** com **ido**	habr **éis** viv **ido**
habr **án** habl **ado**	habr **án** com **ido**	habr **án** viv **ido**

Conditional Perfect		
(*I would have spoken*)	(*I would have eaten*)	(*I would have lived*)
habr **ía** habl **ado**	habr **ía** com **ido**	habr **ía** viv **ido**
habr **ías** habl **ado**	habr **ías** com **ido**	habr **ías** viv **ido**
habr **ía** habl **ado**	habr **ía** com **ido**	habr **ía** viv **ido**
habr **íamos** habl **ado**	habr **íamos** com **ido**	habr **íamos** viv **ido**
habr **íais** habl **ado**	habr **íais** com **ido**	habr **íais** viv **ido**
habr **ían** habl **ado**	habr **ían** com **ido**	habr **ían** viv **ido**

Present Perfect					
(that I [may] have spoken)		*(that I [may] have eaten)*		*(that I [may] have lived)*	
hay **a**		hay **a**		hay **a**	
hay **as**		hay **as**		hay **as**	
hay **a**	habl **ado**	hay **a**	com **ido**	hay **a**	viv **ido**
hay **amos**		hay **amos**		hay **amos**	
hay **áis**		hay **áis**		hay **áis**	
hay **an**		hay **an**		hay **an**	

Past Perfect					
(that I had [might] have spoken)		*(that I had [might] have eaten)*		*(that I had [might] have lived)*	
hub **ier a**		hub **ier a**		hub **ier a**	
hub **ier as**		hub **ier as**		hub **ier as**	
hub **ier a**	habl **ado**	hub **ier a**	com **ido**	hub **ier a**	viv **ido**
hub **iér amos**		hub **iér amos**		hub **iér amos**	
hub **ier ais**		hub **ier ais**		hub **ier ais**	
hub **ier an**		hub **ier an**		hub **ier an**	
OR		OR		OR	
hub **ies e**		hub **ies e**		hub **ies e**	
hub **ies es**		hub **ies es**		hub **ies es**	
hub **ies e**	habl **ado**	hub **ies e**	com **ido**	hub **ies e**	viv **ido**
hub **iés emos**		hub **iés emos**		hub **iés emos**	
hub **ies eis**		hub **ies eis**		hub **ies eis**	
hub **ies en**		hub **ies en**		hub **ies en**	

Irregular Verbs

(Only the irregular tenses are included.)

andar (*to walk, to go*)

PRETERIT: anduve, anduviste, anduvo, anduvimos, anduvisteis, anduvieron

caber (*to fit*)

PRESENT INDICATIVE: quepo, cabes, cabe, cabemos, cabéis, caben

PRETERIT: cupe, cupiste, cupo, cupimos, cupisteis, cupieron

FUTURE: cabré, cabrás, cabrá, cabremos, cabréis, cabrán

IMPERFECT SUBJUNCTIVE: cupiera (cupiese), cupieras, cupiera, cupiéramos, cupierais, cupieran

caer (*to fall, to drop*)

PRESENT INDICATIVE: caigo, caes, cae, caemos, caéis, caen

PRETERIT: caí, caíste, cayó, caímos, caísteis, cayeron

conducir (*to drive, to conduct*)

PRESENT INDICATIVE: conduzco, conduces, conduce, conducimos, conducís, conducen

PRETERIT: conduje, condujiste, condujo, condujimos, condujisteis, condujeron

IMPERATIVE: conduce (tú), no conduzcas (tú), conducid (vosotros), no conduzcáis (vosotros), conduzca (Ud.), conduzcan (Uds.)

conocer (*to know, to be acquainted with*)

PRESENT INDICATIVE: conozco, conoces, conoce, conocemos, conocéis, conocen

construir (*to build, to construct*)

PRESENT INDICATIVE: construyo, construyes, construye, construimos, construís, construyen

PRETERIT: construí, construiste, construyó, construimos, construisteis, construyeron

IMPERATIVE: construye (tú), no construyas (tú), construid (vosotros), no construyáis (vosotros), construya (Ud.), construyan (Uds.)

dar (*to give*)

PRESENT INDICATIVE: doy, das, da, damos, dais, dan

PRETERIT: di, diste, dio, dimos, disteis, dieron

decir (***to say, to tell***)

PRESENT INDICATIVE: digo, dices, dice, decimos, decís, dicen

PRETERIT: dije, dijiste, dijo, dijimos, dijisteis, dijeron

FUTURE: diré, dirás, dirá, diremos, diréis, dirán

IMPERATIVE: di (tú), no digas (tú), decid (vosotros), no digáis (vosotros), diga (Ud.), digan (Uds.)

PRESENT PARTICIPLE: diciendo

PAST PARTICIPLE: dicho

estar (***to be***)

PRESENT INDICATIVE: estoy, estás, está, estamos, estáis, están

PRETERIT: estuve, estuviste, estuvo, estuvimos, estuvisteis, estuvieron

PRESENT SUBJUNCTIVE: esté, estés, esté, estemos, estéis, estén

haber (***to have [auxiliary]***)

PRESENT INDICATIVE: he, has, ha, hemos, habéis, han

PRETERIT: hube, hubiste, hubo, hubimos, hubisteis, hubieron

FUTURE: habré, habrás, habrá, habremos, habréis, habrán

PRESENT SUBJUNCTIVE: haya, hayas, haya, hayamos, hayáis, hayan

hacer (***to do, to make***)

PRESENT INDICATIVE: hago, haces, hace, hacemos, hacéis, hacen

PRETERIT: hice, hiciste, hizo, hicimos, hicisteis, hicieron

FUTURE: haré, harás, hará, haremos, haréis, harán

IMPERATIVE: haz (tú), no hagas (tú), haced (vosotros), no hagáis (vosotros), haga (Ud.), hagan (Uds.)

PAST PARTICIPLE: hecho

ir (***to go***)

PRESENT INDICATIVE: voy, vas, va, vamos, vais, van

IMPERFECT INDICATIVE: iba, ibas, iba, íbamos, ibais, iban

PRETERIT: fui, fuiste, fue, fuimos, fuisteis, fueron

PRESENT SUBJUNCTIVE: vaya, vayas, vaya, vayamos, vayáis, vayan

IMPERATIVE: ve (tú), no vayas (tú), id (vosotros), no vayáis (vosotros), vaya (Ud.), vayan (Uds.)

PRESENT PARTICIPLE: yendo

oír (***to hear, to listen***)

PRESENT INDICATIVE: oigo, oyes, oye, oímos, oís, oyen

PRETERIT: oí, oíste, oyó, oímos, oísteis, oyeron

IMPERATIVE: oye (tú), no oigas (tú), oíd (vosotros), no oigáis (vosotros), oiga (Ud.), oigan (Uds.)

PRESENT PARTICIPLE: oyendo

poder (***to be able to, can***)

PRESENT INDICATIVE: puedo, puedes, puede, podemos, podéis, pueden

PRETERIT: pude, pudiste, pudo, pudimos, pudisteis, pudieron

FUTURE: podré, podrás, podrá, podremos, podréis, podrán

PRESENT PARTICIPLE: pudiendo

poner (***to put, to place, to set***)

PRESENT INDICATIVE: pongo, pones, pone, ponemos, ponéis, ponen

PRETERIT: puse, pusiste, puso, pusimos, pusisteis, pusieron

FUTURE: pondré, pondrás, pondrá, pondremos, pondréis, pondrán

IMPERATIVE: pon (tú), no pongas (tú), poned (vosotros), no pongáis (vosotros), ponga (Ud.), pongan (Uds.)

PAST PARTICIPLE: puesto

querer (***to wish, to want, to love***)

PRESENT INDICATIVE: quiero, quieres, quiere, queremos, queréis, quieren

PRETERIT: quise, quisiste, quiso, quisimos, quisisteis, quisieron

FUTURE: querré, querrás, querrá, querremos, querréis, querrán

saber (***to know***)

PRESENT INDICATIVE: sé, sabes, sabe, sabemos, sabéis, saben

PRETERIT: supe, supiste, supo, supimos, supisteis, supieron

FUTURE: sabré, sabrás, sabrá, sabremos, sabréis, sabrán

PRESENT SUBJUNCTIVE: sepa, sepas, sepa, sepamos, sepáis, sepan

IMPERATIVE: sabe (tú), no sepas (tú), sabed (vosotros), no sepáis (vosotros), sepa (Ud.), sepan (Uds.)

salir (***to go out, to leave***)

PRESENT INDICATIVE: salgo, sales, sale, salimos, salís, salen

FUTURE: saldré, saldrás, saldrá, saldremos, saldréis, saldrán

IMPERATIVE: sal (tú), no salgas (tú), salid (vosotros), no salgáis (vosotros), salga (Ud.), salgan (Uds.)

ser (***to be***)

PRESENT INDICATIVE: soy, eres, es, somos, sois, son

IMPERFECT INDICATIVE: era, eras, era, éramos, erais, eran

PRETERIT: fui, fuiste, fue, fuimos, fuisteis, fueron

PRESENT SUBJUNCTIVE: sea, seas, sea, seamos, seáis, sean

tener (***to have***)

PRESENT INDICATIVE: tengo, tienes, tiene, tenemos, tenéis, tienen

PRETERIT: tuve, tuviste, tuvo, tuvimos, tuvisteis, tuvieron

FUTURE: tendré, tendrás, tendrá, tendremos, tendréis, tendrán

IMPERATIVE: ten (tú), no tengas (tú), tened (vosotros), no tengáis (vosotros), tenga (Ud.), tengan (Uds.)

traer (*to bring*)

PRESENT INDICATIVE: traigo, traes, trae, traemos, traéis, traen

PRETERIT: traje, trajiste, trajo, trajimos, trajisteis, trajeron

IMPERATIVE: trae (tú), no traigas (tú), traed (vosotros), no traigáis (vosotros), traiga (Ud.), traigan (Uds.)

valer (*to be worth, to cost*)

PRESENT INDICATIVE: valgo, vales, vale, valemos, valéis, valen

FUTURE: valdré, valdrás, valdrá, valdremos, valdréis, valdrán

venir (*to come; to go*)

PRESENT INDICATIVE: vengo, vienes, viene, venimos, venís, vienen

PRETERIT: vine, viniste, vino, vinimos, vinisteis, vinieron

FUTURE: vendré, vendrás, vendrá, vendremos, vendréis, vendrán

IMPERATIVE: ven (tú), no vengas (tú), venid (vosotros), no vengáis (vosotros), venga (Ud.), vengan (Uds.)

ver (*to see, to watch*)

PRESENT INDICATIVE: veo, ves, ve, vemos, veis, ven

IMPERFECT INDICATIVE: veía, veías, veía, veíamos, veíais, veían

PRESENT SUBJUNTIVE: vea, veas, vea, veamos, veáis, vean

PAST PARTICIPLE: visto

Stem-changing Verbs

1. One change: e → ie / o → ue

pensar (*to think, to plan*)

PRESENT INDICATIVE: pienso, piensas, piensa, pensamos, pensáis, piensan

PRESENT SUBJUNCTIVE: piense, pienses, piense, pensemos, penséis, piensen

volver (*to return*)

PRESENT INDICATIVE: vuelvo, vuelves, vuelve, volvemos, volvéis, vuelven

PRESENT SUBJUNCTIVE: vuelva, vuelvas, vuelva, volvamos, volváis, vuelvan

IMPERATIVE: vuelve (tú), no vuelvas (tú), volved (vosotros), no volváis (vosotros), vuelva (Ud.), vuelvan (Uds.)

The following verbs show similar patterns:

acordarse (ue) *to remember*
acostarse (ue) *to go to bed*
cerrar (ie) *to close*
jugar (ue) *to play*
llover (ue) *to rain*
mostrar (ue) *to show*

comenzar (ie) *to start, to begin*
contar (ue) *to count, to tell*
costar (ue) *to cost*
despertarse (ie) *to wake up*
doler (ue) *to hurt*
empezar (ie) *to start, to begin*
encontrar (ue) *to find*
entender (ie) *to understand*
negar (ie) *to deny*
nevar (ie) *to snow*
perder (ie) *to miss, to lose*
querer (ie) *to wish, to love*
recordar (ue) *to remember, to remind*
sentar (ie) *to sit down*
tener (ie) *to have*
volar (ue) *to fly*

2. **Double change: e → ie, i / o → ue, u**

preferir (*to prefer*)

PRESENT INDICATIVE: prefiero, prefieres, prefiere, preferimos, preferís, prefieren

PRETERIT: preferí, preferiste, prefirió, preferimos, preferisteis, prefirieron

PRESENT SUBJUNCTIVE: prefiera, prefieras, prefiera, prefiramos, prefiráis, prefieran

IMPERFECT SUBJUNCTIVE: prefiriera (prefiriese), prefirieras, prefiriera, prefiriéramos, prefirierais, prefirieran

PRESENT PARTICIPLE: prefiriendo

dormir (*to sleep*)

PRESENT INDICATIVE: duermo, duermes, duerme, dormimos, dormís, duermen

PRETERIT: dormí, dormiste, durmió, dormimos, dormisteis, durmieron

PRESENT SUBJUNCTIVE: duerma, duermas, duerma, durmamos, durmáis, duerman

IMPERFECT SUBJUNCTIVE: durmiera (durmiese), durmieras, durmiera, durmiéramos, durmierais, durmieran

IMPERATIVE: duerme (tú), no duermas (tú), dormid (vosotros), no durmáis (vosotros), duerma (Ud.), duerman (Uds.)

PRESENT PARTICIPLE: durmiendo

The following verbs show similar patterns:

advertir (ie, i) *to advise, to warn*
convertir (ie, i) *to convert*
divertirse (ie, i) *to enjoy oneself*
invertir (ie, i) *to invest; to reverse*
mentir (ie, i) *to lie*
morir (ue, u) *to die*
sentir (ie, i) *to feel, to sense*

3. Change from e → i

pedir (*to ask for*)

PRESENT INDICATIVE: pido, pides, pide, pedimos, pedís, piden

PRETERIT: pedí, pediste, pidió, pedimos, pedisteis, pidieron

PRESENT SUBJUNCTIVE: pida, pidas, pida, pidamos, pidáis, pidan

IMPERFECT SUBJUNCTIVE: pidiera (pidiese), pidieras, pidiera, pidiéramos, pidierais, pidieran

IMPERATIVE: pide (tú), no pidas (tú), pidáis (vosotros), no pidáis (vosotros), pida (Ud.), pidan (Uds.)

PRESENT PARTICIPLE: pidiendo

The following verbs show a similar pattern:

competir (i) *to compete*
conseguir (i) *to obtain*
corregir (i) *to correct*
despedir (i) *to say good-bye, to fire*
elegir (i) *to elect, to choose*
freír (i) *to fry*
impedir (i) *to prevent*
medir (i) *to measure*
perseguir (i) *to pursue, to follow*
proseguir (i) *to follow, to continue*
reír (i) *to laugh*
repetir (i) *to repeat*
seguir (i) *to follow*
servir (i) *to serve*
sonreír (i) *to smile*
vestirse (i) *to get dressed*

Verbs with Spelling Changes

1. Verbs ending in *-zar* change *z* to *c* before *e*

empezar (*to begin*)

PRETERIT: empecé, empezaste, empezó, empezamos, empezasteis, empezaron

PRESENT SUBJUNCTIVE: empiece, empieces, empiece, empecemos, empecéis, empiecen

IMPERATIVE: empieza (tú), no empieces (tú), empezad (vosotros), no empecéis (vosotros), empiece (Ud.), empiecen (Uds.)

The following verbs show a similar pattern:

alunizar *to land on the moon*
atemorizar *to scare*
aterrizar *to land*
cazar *to hunt*
caracterizar *to characterize*
comenzar *to start, to begin*
especializar *to specialize*
memorizar *to memorize*
organizar *to organize*
rezar *to pray*

2. Verbs ending in *–cer* change *c* to *z* before *o* and *a*

vencer (*to defeat, to conquer*)

PRESENT INDICATIVE: venzo, vences, vence, vencemos, vencéis, vencen

PRESENT SUBJUNCTIVE: venza, venzas, venza, venzamos, venzáis, venzan

IMPERATIVE: vence (tú), no venzas (tú), venced (vosotros), no venzáis (vosotros), venza (Ud.), venzan (Uds.)

convencer (*to convince*) shows the same pattern as **vencer**

3. Verbs ending in *-car* change *c* to *qu* before *e*

buscar (*to look for*)

PRETERIT: busqué, buscaste, buscó, buscamos, buscasteis, buscaron

PRESENT SUBJUNCTIVE: busque, busques, busque, busquemos, busquéis, busquen

IMPERATIVE: busca (tú), no busques (tú), buscad (vosotros), no busquéis (vosotros), busque (Ud.), busquen (Uds.)

The following verbs show a similar pattern:

explicar *to explain*

practicar *to practice*

sacar *to take out*

tocar *to touch, to play*

4. Verbs ending in *-gar* change *g* to *gu* before *e*

llegar (*to arrive*)

PRETERIT: llegué, llegaste, llegó, llegamos, llegasteis, llegaron

PRESENT SUBJUNCTIVE: llegue, llegues, llegue, lleguemos, lleguéis, lleguen

IMPERATIVE: llega (tú), no llegues (tú), llegad (vosotros), no lleguéis (vosotros), llegue (Ud.), lleguen (Uds.)

pagar (to pay) follows the pattern of **llegar**

5. Verbs ending in *-guir* change *gu* to *g* before *o, a*

seguir (*to follow*)

PRESENT INDICATIVE: sigo, sigues, sigue, seguimos, seguís, siguen

PRESENT SUBJUNCTIVE: siga, sigas, siga, sigamos, sigáis, sigan

IMPERATIVE: sigue (tú), no seguid (tú), sigáis (vosotros), no sigáis (vosotros), siga (Ud.), sigan (Uds.)

conseguir (*to obtain*) and **distinguir (*to distinguish*)** follow the pattern of **seguir**

6. Verbs ending in *-ger, -gir,* change *g* to *j* before *o, a*

coger (*to take, to seize*)

PRESENT INDICATIVE: cojo, coges, coge, cogemos, cogéis, cogen

PRESENT SUBJUNCTIVE: coja, cojas, coja, cojamos, cojáis, cojan

IMPERATIVE: coge (tú), no cogas (tú), coged (vosotros), no cojáis (vosotros), coja (Ud.), cojan (Uds.)

The following verbs show a similar pattern:

corregir *to correct*	encoger *to shrink*
dirigir *to direct*	escoger *to choose*
dirigirse *to go to*	recoger *to pick up*
elegir *to elect*	regir *to rule, to command*

7. Verbs ending in *-aer, -eer, -uir,* change *i* to *y* when *i* is unstressed and is between two vowels

leer (*to read*)

PRETERIT: leí, leíste, leyó, leímos, leísteis, leyeron

IMPERFECT SUBJUNCTIVE: leyera (leyese), leyeras, leyera, leyéramos, leyerais, leyeran

PRESENT PARTICIPLE: leyendo

The following verbs show a similar pattern:

caer *to fall*
construir *to build*
creer *to believe*
destruir *to destroy*
excluir *to exclude*
huir *to flee*
incluir *to include*
influir *to influence*
recluir *to send to jail*

APPENDIX C: REVISION GUIDE

Writing is a circular process that requires repeated revisions. This is the reason why several drafts of the same composition usually precede the final version that you will turn in. As you compose the different drafts, revise what you write periodically according to this guide.

Content

1. If you followed the "Redacción" instructions at the end of the chapter, the content of your paper should need little revision. Does your paper's content reflect those instructions?

Organization

1. Do your ideas flow logically from beginning to end?
2. Does each paragraph contain a theme sentence?
3. Is your paper framed by an introduction and conclusion?
4. Are transitions between paragraphs smooth and logical?

Grammar

As you write in Spanish, you must consciously apply the rules of grammar such as word order, verb conjugations, adjective agreement, etc. Grammar comes much more naturally to us in our native language. After drafting, proofread for the following:

1. Identify each adjective and compare it to the noun it modifies. Do, for example, feminine nouns have feminine adjectives to match?
2. Study each conjugated verb form. Consult the verb tables for any forms you suspect may be misspelled or inaccurately conjugated.
3. When writing of past events, be sure you have applied the rules for preterit/imperfect usage.
4. Search your paper for missed opportunities to use the subjunctive ("Dudo que...", "No creo que...", "Me gusta que...", etc.)
5. Identify each use of *ser* and *estar*. Compare your use of these verbs to the rules in *Capítulo 1* to insure accuracy.
6. Double-check accuracy in the use of the verb *gustar*.

Vocabulary

1. Make sure you have incorporated a rich selection of vocabulary from the textbook and *Activities Manual.* Avoid repetitious vocabulary.
2. Look through your paper for any phrases that use idiomatic or non-literal language. If you suspect that a phrase represents an unsuccessful word-for-word translation from English, change it.
3. Double-check the use of problematic pairs such as *saber/conocer, por/para, ir/venir*, etc.

Tone and style

1. Read through your paper paying attention to the sound and rhythm. Make sure you have varied the structure of your sentences to avoid choppiness in your prose. If choppiness is a problem, combine short, simple sentences into longer, more complex ones using "y," "pero," "que," "cuando," or some other conjunction. Alternate sentence structure to achieve variety in rhythm.

Mechanics

Double-check the following:

1. Spelling. The Microsoft Word spell-check can help with this. (Change the default language to "Spanish.")
2. Accents.
3. Capitalization. Remember that the rules are different for Spanish.
4. Punctuation.

GLOSSARY: SPANISH-ENGLISH

The boldface number following each entry corresponds to the chapter (or chapters) in which the word appears. In addition, **v** stands for verb, **f** stands for feminine and **m** stands for masculine.

a la medianoche at midnight **1**

a la orilla on the margins, on the shore **3**

a lo largo de throughout **6**

a menudo often **1**, **3**, **6**

a tiempo on time **9**

abogar *v* defend **3**

abordar *v* deal with, address **6**

abrazarse *v* hug **2**

abrigo ***m*** coat **8**

aburrido/a bored **1**

abuso ***m*** abuse **7**

acaparar *v* hoard **9**

acariciar *v* caress **6**

aconsejar *v* advise **3**

acordarse *v* **(ue) de** remember **10**

acostumbrarse *v* **a** get used to **10**

actual present **3**

acudir en masa *v* flock to **4**

adicción ***f*** addiction **5**

adivina ***f*** fortune teller **4**

adivinación ***f*** prediction **4**

adivinar *v* predict, tell the future **4**

afición ***f*** hobby **2**

agarrar *v* hold **4**

agarrarse de la mano *v* hold hands **2**

agravio ***m*** grievances **5**

aguacate ***m*** avocado tree **6**

al alcance within reach **3**

al cuello around the neck **1**

al igual que same as **2**

al mando de in charge of **6**

al mediodía at noon **1**

al menos at least **3**

al nacer a newborn **8**

alboroto ***m*** uproar **6**

alcanzar *v* reach **6**

alegrarse *v* become happy **8**

alegrarse *v* **de** be happy about **3, 10**

alfabetización ***f*** literacy **8**

alfarero/a potter **2**

almorzar *v* have lunch **1**

alta calidad ***f*** high quality **9**

alternar *v* socialize **4**

Altezas Their Highnesses **5**

altivo/a proud **1**

ama de casa ***f*** housewife **2**

amanecer ***m*** dawn **4**

amargo unsweetened, bitter **6**

amistad ***f*** friendship **2**

añadir *v* add **4**

anillo de compromiso ***m*** engagement ring **2**

animado/a in high spirits **1**

aniquilar *v* destroy **3**

ante before, in front of **3**

apagar *v* **(la luz)** put out (the light) **4**

apagar *v* **(velas)** put out (candles) **2**

apareamiento ***m*** mating **9**

apogeo ***m*** high point **1**

apoyado/a en leaning against **1**

apoyar *v* support **6**, **7**

apoyarse *v* be based on, to be **6**

aprender a *v* learn how to **10**

aprender a *v* learn to do something **10**
apresado/a trapped **8**
apuntarse *v* sign up **8**
armas *f* weapons **5**
arrancar *v* start **10**
arreglar *v* **mi cuarto** straighten up my room **1**
arrodillarse *v* kneel down **6**
arruga *f* wrinkle **1**
artesanía *f* handicrafts **4**
asar roast **4**
asistente assistant **10**
asistir a *v* attend **4, 9**
aspaviento *m* fuss **1**
aspirar a *v* aspire to **10**
astrología *f* astrology **4**
atacar *v* attack **5**
atender *v* **a los clientes** attend to/help clients **10**
atlético/a athletic **1**
atracar *v* mug someone **10**
atravesar *v* **(ie)** experience **10**
atuendo *m* outfit **8**
aumentar *v* increase **5**
aumento *m* increase **2**
aureola *f* round glow **2**
auriculares *m* headphones **8**
ausente absent **1**
automovilista driver **10**
autonomía *f* autonomy **7**
autónomo/a autonomous **7**
avanzado/a advanced **5**
bailable danceable **7**
baja calidad *f* low quality **9**
bajar *v* download **7**
bajar *v* **(el precio)** lower **9**
bajo *m* upright base/base guitar **7**
bandera *f* flag **4**
bando side (of a cause) **6**
barato/a cheap **9**
barca *f* small boat **7**
barilla *f* little bar **9**
barrer *v* **el suelo** sweep the floor **1**
barrio *m* neighborhood **7**
bastón *m* cane **1**
basura *f* garbage **8**
batería *f* drums **7**
belicoso/a prone to warfare **9**
beneficiar *v* benefit **8**
beneficio *m* benefit **8**
besarse *v* kiss **2**
bienvenida *f* welcome **6**
bizco/a cross-eyed **8**
boina *f* beret **1**
bragas *f* panties **8**
bravo/a rough, wild **7**
breñal *m* scrub **9**
broma *f*, **truco** *m* trick **4**
brújula *f* compass **5**
bruto/a raw, unrefined **9**
buscar *v* look for **10**
cada día every day **1**
cada semana each week **1**
cadáver *m* cadaver, dead body **4**
caerle *v* **un rayo** get struck by lightning **1**
caerse *v* fall down **1**
caja *f* soundbox **9**
calcular *v* estimate **9**
calentar (ie) heat **4**
calumniar *v* slander **3**
calzoncillos *m* briefs, boxers **8**
cambiar *v* change **7**
camiseta *f* t-shirt **8**
campesino/a peasant **4**
canción *f* song **7**
cañón *m* cannon **5**
canonizar *v* canonize **4**
cansado/a tired, worn out **1**
cantante singer **7**
cantar *v* sing **8**

capaz capable **1**
cariño ***m*** affection **10**
carne de cerdo ***f*** pork **6**
carne de res ***f*** beef **6**
carnes ***f*** **9**
carnet de identidad ***m*** ID card **2, 8**
caro/a expensive **9**
casarse *v* get married **2, 10**
cavernoso/a spooky **10**
cebolla ***f*** onion **6**
ceja ***f*** eye brow **1**
celebración ***f*** celebration **5**
centenario ***m*** centennial **5**
cepillo de dientes ***m*** toothbrush **8**
cercano/a close, nearby **5**
cerebro ***m*** brain **8**
ceremonia ***f*** ceremony **2**
champú y suavizante ***m*** shampoo and conditioner **8**
chile ***m*** chile pepper **6**
chiste ***m*** joke **4**
chocar *v* **con el carro** crash the car **1**
chorizo ***m*** sausage **6**
chorrear *v* gush **8**
cineasta ***m/f*** filmmaker **6**
ciudadano/a citizen **7**
clínica ***f*** **/ hospital** ***m*** clinic/hospital **8**
colaborar *v* collaborate **8**
colega ***m*** colleagues **10**
collar ***m*** necklace **5**
colonia ***f*** colony **5**
colonizar *v* colonize **5**
comenzar *v* **a trabajar** start work **1**
comisura ***f*** corner **1**
compaginar *v* fit, combine **1**
compañeros de clase ***m*** classmates **8**
compañeros de trabajo co-worker **10**
compartir *v* share **1, 4**
complejidad ***f*** complexity **9**
complejo/a complex **5**
comprar *v* buy **9, 10**
comprender *v* comprise **5**
compromiso ***m*** engagement **9**
computador /ordenador portátil ***m*** laptop **8**
concierto ***m*** concert **4, 9**
concurrencia ***f*** gathering **3**
conferir *v* give **8**
conmemoración ***f*** commemoration **5**
conocer *v* meet **10**
conocidos ***m*** acquaintances **8**
conquistador ***m*** conqueror **5**
conquistar *v* to conquer **5**
conseguir *v* achieve **7**
consejo ***m*** council, meeting **8**
conservación ***f*** preservation, protection **8**
conservar *v* preserve, to protect **8**
consolidar *v* consolidate, strengthen **7**
constitución ***f*** constitution **7**
construir *v* construct **8**
consumir *v* consume, to use **8**
consumo ***m*** consumption, use **8**
contador/contable ***m*** accountant **10**
contaminación ***f*** pollution **8**
contaminar *v* pollute **8**
contento/a happy **1**
controversia ***f*** controversy **5**
cooperación ***f*** cooperation **5**
coronar *v* crown **2**
corrida ***f*** bullfight **4**
cortar *v* **el rollo** end the conversation (col.) **1**
costero/a on the coast **1**
costumbre ***f*** custom **4, 9**
cotizado/a valued, sought-after **1**
cráneo ***m*** skull **8**
crear *v* create **3**
creciente growing **8**
creer *v* believe **3**
criar *v* **los ganados** breed **9**
crimen ***m*** crime **5**

cronista ***m/f*** chronicler **9**
cuando menos at least **3**
cuello ***m*** neck **5**
cuenco ***m*** basin **2**
cuenta ***f*** bead **5**
cuerda, de ***f*** string (of) **9**
cuerpo celeste ***m*** celestial object **5**
cuestionar *v* question **3**
cuidar *v* take care of **8**
cumplir *v* **con las responsabilidades** fulfill responsibilities **10**
dañino/a harmful **8**
dar *v* **un paseo** take a walk **2**
dar *v* **un regalo** give a gift **2**
dar *v* **una vuelta** go around **9**
de mal gusto bad taste **4**
de repente suddenly **6**
debilitar *v* weaken **7**
decidirse a *v* make up one's mind to **10**
decir *v* **"te quiero"** to say "I love you" **2**
decir *v* **(i)** tell **3**
dedicarse a *v* devote one's self to **10**
defenderse *v* defend oneself/selves **5**
dejar *v* **atrás** leave behind **10**
dejar *v* **de + infinitive** stop doing something **1**
dejar *v* **las llaves en el auto** leave the keys in the car **1**
delgado/a thin **1**
deprimido/a depressed **1**
derechos humanos ***m*** human rights **7**
derechos ***m*** rights **5, 7**
derramamiento de sangre ***m*** bloodshed **7**
derrotar *v* defeat **6**
desarrollo ***m*** development **1**
desayunar *v* have breakfast **1**
desbarrancarse *v* go over a sheer drop **10**
desconocido/a unknown, unfamiliar **8**
descubrimiento ***m*** discovery **5**
descubrir *v* discover **5**
desear/querer *v* **(ie)** want **3**
desempleo ***m*** unemployment **5, 7**
desfile ***m*** parade **2, 4**
deshabitado/a uninhabited **10**
desigualdad ***f*** inequality **7**
desmesurado/a uncontrolled, boundless **9**
despedirse *v* **(i) de** say goodbye to **10**
despertarse *v* wake up **1**
despiadado/a merciless **6**
despojo civil mundane refuse **4**
destruir *v* destroy **5**
día festivo holiday **4**
diadema ***f*** jeweled crown **2**
dictador/a dictator **7**
difusión ***f*** dissemination **9**
dinero en efectivo ***m*** cash **8**
dinero ***m*** money **8**
discriminación ***f*** discrimination **5, 7**
disfraz ***m*** costume **4**
disfrutar *v* enjoy **8, 9**
disminuir *v* diminish **5**
disponer *v* decide **8**
dispuesto/a be ready **8**
distribuir *v* **(el trabajo)** distribute (the work) **9**
divertido/a fun **1**
doquiera wherever **9**
dormirse *v* fall asleep **1**
dudar *v* doubt **3**
dueño/a owner **10**
duradero/a lasting **2**
echar *v* put in **4**
echar *v* **de menos** miss **2**
echar *v* **una mano** give a hand, to help **3, 8**
edificio ***m*** building **1**
ejército ***m*** army **5**
el que the fact that **3**
elecciones ***f*** elections **7**
elegir *v* choose **6**
eliminar *v* eliminate **7**
embarazada ***f*** pregnant **4**

embarcación *f* ship **5**
emparejamiento *m* matching **9**
empleado/a employee **10**
empleo *m* employment **5**
en cueros naked **9**
en este sentido in this respect **10**
en gran medida in great part **2**
en lugar de instead of **10**
en mis verdades in my values **4**
en voz alta out loud **8**
enamorarse *v* fall in love **2**
encajar *v* fit **1**
encantado/a haunted **4**
encargarse *v* **de la supervisión** take charge of supervision **10**
encender *v* **(ie) (la luz)** turn on (the light **4**
encender *v* **(velas)** light (candles) **2**
encuesta *f* survey or inquiry **10**
enfadarse/ enojarse *v* get angry **8**
enfermedades *f* illnesses, diseases **8**
engañar *v* deceive **8**
engaño *m* trickery, deception **8**
enseñanza *f* teaching, education **5**, **7**
entendimiento thoughts, mind **4**
entradas *f* tickets **9**
entrenamiento *m* training **5**
entristecerle *v* sadden one **3**
entristecerse *v* become sad **8**
enviar *v* send **2**, **3**
equivocado/a wrong, mistaken **7**
equivocarse *v* be mistaken; to make a mistake **10**
erróneo/a erroneous **3**
es decir *v* that is **10**
escapar *v* escape **5**
escasamente scarcely **10**
escenario *m* stage **9**
esclavitud *f* slavery **5**
escuela *f* school **8**
espacio exterior *m* outer space **5**
espectáculo *m* performance **4**, **9**
esperanza *f* hope **2**
esperar *v* hope for **10**
esqueleto *m* skeleton **4**
estabilidad *f* stability **5**
establecer *v* establish **5**
estado *m* state **7**
estadounidense United States citizen **3**
estar *v* **claro** be clear **3**
estar *v* **contento/a (de)** be happy **3**
estar *v* **disgustado/a** be displeased **8**
estar *v* **enojado/a** be angry **8**
estar *v* **escandalizado/a** be shocked **8**
estar *v* **feliz** be joyful **8**
estar *v* **furioso/a** be furious **8**
estar *v* **gozoso/a** be delighted **8**
estar *v* **seguro/a** be sure **3**
estimar *v* estimate **3**
estudioso/a studious **1**
evitarse *v* avoid **4**
extraterrestre *m* alien **5**
factura *f* bill **1**
falta *f* offense **5**
fantasma *m* ghost **4**, **6**
fauna *f* fauna **8**
fementido/a deceiving **4**
feria *f* festival **4**
fiesta *f* holiday, celebration **4**
fingir *v* fake **10**
firmar *v* sign **1**
flechas *f* arrows **5**
flora *f* flora **8**
fracaso *m* failure **8**
frágil fragile **1**
fray friar, brother **8**
freír *v* **(i)** fry **6**
frontera *f* border **6**
fuegos artificiales *m* fireworks **4**
fuente *f* source; fountain **1**
fuerte strong **1**

gafas de sol *f* sunglasses **8**
galaxia *f* galaxy **5**
ganado *m* cattle **9**
ganar *v* **(una competición)** win **10**
garganta *f* throat **6**
genocidio *m* genocide **5**
gerente manager **10**
gobernador/a *v* governor **7**
gobernar *v* **(ie)** govern **7**
golpe de estado *m* coup d'état **1**
gorra *f* hat, cap **8**
gozar *v* enjoy **9**
grabar *v* record **9**
gracioso/a funny, comical **3**
grado de *m* level of **8**
guantes *m* gloves **8**
guardería infantil *f* daycare center **8**
guerra *f* war **5**
guerrero *m* warrior **5, 6**
guitarra *f* guitar **7**
gustarle *v* please one **3**
haber *v* **lástima** have pity **9**
habitantes *m* inhabitants **5**
habitar *v* inhabit **5**
hacer *v* **las tareas domésticas** do housework **1**
hacer *v* **publicidad de** publicize **9**
hacerse *v* **daño** hurt oneself **1**
hallarse *v* find oneself **3**
hecho *m* fact **3**
hermanastro/a stepbrother/stepsister **2**
hermosura *f* beauty **4**
hervir *v* **(ie)** boil **4**
híbrido/a hybrid **10**
hilo *m* thread, line **2**
hip hop *m* hip hop **7**
hogar *v* **de ancianos** *m* nursing home/ retirement community **8**
hogareño/a home-loving, domestic **1**
hondo/a deep **7**
honrado/a honest **1**
hornear to *v* bake **6**
hueco *m* concavity, hollow **2**
huir *v* run away, flee **1**
hundirse *v* go deep into **9**
identidad *f* identity **7**
idioma *m* language **3**
idiosincrasia *f* idiosyncrasy **4**
igualdad *f* equality **7**
ilustración *f* enlightenment **3**
impaciente impatient **1**
impactar *v* impact **4**
imponer *v* impose **2**
impuestos *m* taxes **7**
inalterado/a undisturbed **8**
incendio forestal forest fire **8**
incluir *v* include **3**
incluso even **10**
incómodo uncomfortable **4**
incredulidad *f* disbelief **8**
inculta uncultivated **9**
independencia (*f*) independence **7**
índice *m* rate **2**
inestabilidad *f* instability **3**
informática *f* computer science **3**
ingenioso/a witty, clever **1**
ingresos *m* income **10**
injusticia injustice **9**
insatisfecho dissatisfied **6**
insistir *v* **en** insist **3**
insoportable unbearable **1**
integral ***m/f*** essential integral **4**
intentar *v* try **8**
intercambiar *v* exchange **9**
invadir *v* invade **5**
inverso/a reverse **10**
invertir *v* invest **7**
invitación *f* invitation **2**
invitar *v* invite **2, 9**
iPod *m* iPod **8**

ir *v* **al mercado** go to the market **1**
ir *v* **de vacaciones** go on vacation **8**
jefe/a boss **10**
jerarquía ***f*** hierarchy **9**
jeroglífico ***m*** hieroglyphic **5**
joyas ***f*** jewelry **8**
joyas ***f*** jewels **1**
jubilado/a retired, retiree **1**, **2**
jubilarse *v* jubilarse **10**
jugar *v* **al fútbol** play soccer **1**
la tarjeta de cumpleaños ***f*** birthday card **2**
labor ***f*** *v* work **2**
labor redentora ***f*** redeeming work **8**
labrar *v* weave **9**
lanzador *v* ***m*** pitcher **1**
lanzar to *v* launch **6**
lavar *v* wash **1**
lazo ***m*** tie **3**
lecho ***m*** bed **6**
lechuga ***f*** lettuce **6**
lector/a *v* reader **3**
leguas ***f*** leagues **9**
lengua ***f*** language **3**
letra ***f*** lyrics **7**
levantar *v* pick someone up **10**
levantar *v* **en hombros** carry on someone's shoulders **6**
libertad ***f*** freedom **7**
limpiar *v* clean **1**
límpido pure, smooth **10**
llamar *v* **a la puerta** knock on the door **4**
llegar *v* **a** arrive at/in **10**
llegar *v* **puntualmente** arrive on time **10**
llevarse *v* **bien** get along **9**
lograr *v* achieve **7**
luchar *v* fight **5**
luchar por *v* fight for **7**
madrastra ***f*** stepmother **2**
madrugada ***f*** dawn, daybreak **2**, **4**
maíz ***m*** corn **8**
malabarismo ***m*** juggling **1**
maleta ***f*** suitcase **8**
manantial ***m*** spring, source, flowing water **2**
mandar *v* command **3**
mansedumbre ***f*** gentleness **9**
mantener senderos *v* maintain trails **8**
mantequilla ***f*** butter **6**
maquillaje ***m*** makeup **8**
marcharse *v* go away, leave **10**
mariscos ***m*** shellfish **6**
más allá ***m*** the beyond **4**
más bien rather **10**
masa ***f*** dough **6**
mástil ***m*** mast **5**
matar *v* kill **5**
matrimonio de ensayo ***m*** trial marriage **9**
mayonesa ***f*** mayonnaise **6**
mayoría ***f*** majority **7**
mecer rock **7**
medio ambiente ***m*** environment **8**
mejilla ***f*** cheek **4**
melena ***f*** head of hair **1**
melodía ***f*** melody **7**
mezcla ***f*** mixture **5**
mezclar *v* mix **4**, **6**
minoría ***f*** minority **7**
mitad ***f*** half **3**
mito ***m*** myth **3**
mohín ***m*** grimace **10**
molestarle bother one **3**
monstruo ***m*** monster **4**
montura ***f*** frames **1**
moreno/a dark skin **1**
morir *v* **(ue)** die **5**
mover *v* **(ue)** stir **4**
muerte ***f*** death **5**
muerto/a dead person **5**
mundial worldwide **3**
música alternativa ***f*** alternative music **7**

nacer *v* be born **10**
nación ***f*** nation **7**
nave espacial ***f*** space ship **5**
nave ***f*** vessel (maritime) **5**
negar (ie) *v* deny negar (ie) **3**
nene simpleton, child **3**
nervioso/a nervous **1**
nido de abeja ***m*** beehive **1**
no creer *v* disbelieve **3**
no dejar de haber *v* be no lack of **3**
no estar *v* **seguro/a** be unsure **3**
no ha mucho not long ago **3**
no pensar *v* **(ie)** not think **3**
nocivo/a harmful **1**
noviazgo ***m*** courtship **2**
novio/a boyfriend/girlfriend **8**
numerología ***f*** numerology **4**
nunca never **1**
obras ***f*** deeds **9**
obsequiar *v* give (as a present) **5**
observar la naturaleza *v* observe nature **8**
ocio ***m*** free time **1**
odiar/detestar *v* hate **3**
olvidarse de *v* forget **10**
oposición ***f*** opposition **5**
orfanato ***m*** orphanage **8**
orgullo ***m*** pride **9**
orgulloso/a proud **3**
orientación sexual ***f*** sexual orientation **5**
oscuridad ***f*** darkness **4**
padrastro ***m*** stepfather **2**
padrísimo/a fantastic **1**
pagar *v* pay **9**
pagar *v* **el alquiler/ la renta** pay the rent **1**
pagar *v* **la entrada** pay for a ticket **2**
pagar *v* **las facturas** pay the bills **10**
paisaje ***m*** landscape **8**
pantalones largos/cortos ***m*** pants/shorts **8**
para bien o para mal for better or for worse **6**
para colmo make matters worse **6**
para siempre forever **6**
para variar for a change **6**
pareja ***f*** couple, partner **2**
parque nacional ***m*** national park **8**
pasaporte ***m*** passport **8**
pasarlo *v* **bien** have a good time **2**
pastos ***m*** **y sementeras** ***f*** pasture and sown land **9**
pavo ***m*** turkey **2**
paz ***f*** peace **5**
pedir (i) *v* ask **3**
pedir (i) *v* **un bis** ask for an encore **9**
pedir un *v* **compromiso** ask for a commitment **2**
pelirrojo/a red haired **1**
pensar (ie) en *v* think about **10**
percusión ***f*** percussion **9**
perdedor/a *v* loser **8**
perder *v* lose **1**
permitir *v* permit **3**
perseguir *v* hound **4**
personaje ***m*** fictional character **1**
pieles ***f*** hides **9**
planear *v* **el próximo proyecto** plan the next project **10**
planeta ***m*** planet **5**
platicar *v* talk, chat (Mex.) **1**
plato ***m*** dish (food) **4**
pletórico/a full, brimming over **2**
población ***f*** population **5**
poblar *v* **(ue)** populate **10**
pobres ***m*** poor people **7**
pobreza ***f*** poverty **7**
polémico/a polemical, controversial **3**
policía ***f*** manners **9**
poner *v* put **4**
ponerle *v* **triste** make one sad **3**
ponerse enfermo/a get sick **1**
por ahora for the time being **6**
por casualidad by chance **6**
por do quisiesen anywhere **9**

por ejemplo for example **6**
por eso for this reason **6**
por fin at last/finally **6**
por la mañana in the morning **1**
por la noche at night **1**
por la tarde in the afternoon **1**
por lo menos at least **6**
por ruego de at the request of **5**
por si acaso just in case **6**
por su cuenta on his/her own **4**
precio ***m*** price **9**
precolombino/a pre-columbian **5**
preferir (ie) *v* prefer **3**
prejuicio ***m*** prejudice **5**
preocuparle *v* worry one **3**
primera fila ***f*** front row **9**
primera mirada ***f*** first sight **6**
probar (ue) *v* try (food) **4**
procurar *v* **hincar** try to stick into **9**
prohibir *v* prohibit **3**
propósito ***m*** purpose **3**
proteger/dañar *v* protect/harm **8**
proveer *v* provide **8**
público ***m*** audience **9**
puente nasal ***m*** nasal bridge **8**
puestos ***m*** commercial stands **4**
puro/a pure **9**
quedarse *v* **(en un lugar)** stay (in a place) **8**
quemar *v* burn **1**
querer *v* want **3**
queso ***m*** cheese **6**
quiromántica ***f*** palm reader **4**
racial racial **3**
raíces ***f*** roots **7**
rama ***f*** branch **1**
rango ***m*** rank, status **9**
rap ***m*** rap **7**
raras veces infrequently **1**
rasgo ***m*** trait **3**
rebanada (de pan) ***f*** slice (of bread) **6**
recepcionista ***m/f*** receptionist **10**
rechoncho/a stout **1**
reciclaje ***m*** recycling **8**
reciclar *v* recycle **8**
reclamar *v* demand **5**
reclutar *v* **(voluntarios)** recruit (volunteers) **9**
recomendar *v* **(ie)** recommend **3**
reconocimiento ***m*** recognition **1**
recuerdos ***m*** memories **10**
red ***f*** network **2**
reforma ***f*** reform **7**
refugiarse *v* take refuge **6**
regalar *v* **una sortija** give a ring as a gift **2**
regresar *v* return (to a place) **10**
relajado/a *v* relaxed **1**
relámpago ***m*** flash of lightning **10**
reloj de arena ***m*** hourglass **5**
reloj de sol ***m*** sundial **5**
rendirse *v* **(i) to** surrender **5**
reservar *v* reserve **9**
retorcido/a twisted **1**
retrasar *v* delay **2**
reunirse *v* **con** get together with **2**, **4**
rezar *v* pray **1**
ritmo ***m*** beat **7**
ritualizar *v* make into a ritual **4**
roble ***m*** oak **1**
rock ***m*** rock **7**
rogar *v* **(ue)** beg **3**
romperse *v* **la pierna** break a leg **1**
rostro ***m*** face **6**, **8**
rubio/a light (skin, hair, eyes) **1**
rugido ***m*** roar **6**
sabiduría ***f*** knowledge **3**
sabor ***m*** flavor **6**
sabroso/a delicious **6**
sacar *v* **la basura** take out the garbage **1**
salir *v* **con (alguien)** date **2**

salir *v* **del trabajo** leave work **1**
salsa *f* sauce **6**
salud *f* health **2, 8**
saludar *v* greet **4**
sano/a healthy **1, 6**
santo patrón *m* patron saint **4**
se habían behaved **9**
secretario/a *m/f* secretary **10**
según according to **9**
sembrar *v* sow **9**
semilla *f* seed **3, 6**
sentir *v* **(ie)** regret **3**
sentirse *v* **mal** feel bad **1**
ser *v* **(im)posible** be (im)possible **3**
ser *v* **(im)probable** be (im)probable **3**
ser *v* **aconsejable** be advisable **3**
ser *v* **bueno** be good **3**
ser *v* **cierto/verdad** be true **3**
ser *v* **de lamentarse** be regrettable **3**
ser *v* **dudoso** be doubtful **3**
ser *v* **evidente** be evident **3**
ser *v* **fantástico** be great **3**
ser *v* **importante** be important **3**
ser *v* **increíble** be unbelievable **3**
ser *v* **interesante** be interesting **3**
ser *v* **lamentable** be lamentable **3**
ser *v* **malo** be bad **3**
ser *v* **necesario** be necessary **3**
ser *v* **obvio** be obvious **3**
ser *v* **seguro** be certain **3**
ser *v* **una lástima** be a shame **3**
seres humanos *m* human beings **2**
servicios médicos *m* health care **7**
servir (i) *v* serve **4**
servir *v* **una cena elegante** serve an elegant dinner **2**
siempre always **1**
sinfín *m* endless **8**
sino but (instead) **5**
siquiera if anything; at least **3**
sistema solar *m* solar system **5**
soberanía *f* sovereignty **6**
sociedad *f* society **5**
socorrer *v* assist **9**
soledad *f* solitude, loneliness **2**
soler *v* **(hacer algo)** usually do something **1**
sollozar *v* **to** sob **6**
sonrisa *f* smile **8**
sorprender *v* catch **8**
sorprender *v* **a alguien** surprise **4**
sorprenderle *v* surprise one **3**
subir *v* get in **10**
subir *v* upload **7**
subir *v* **(el precio)** raise **9**
suerte *f* luck **4**
sugerir *v* **(ie)** suggest **3**
superar *v* overcome **1**
surgir *v* emerge **6**
suspirar *v* sigh **6**
susurrar *v* whisper **6**
taínos *m* native group of the Caribbean islands **1**
tamal *m* tamale **4**
tapas *f* snacks, appetizers **4**
tarea doméstica *f* household chore **2**
tarjeta de crédito *f* credit card **8**
tarjeta de embarque *f* boarding pass **8**
tatuaje *m* tattoo **8**
teatro *m* theatre **9**
teclado *m* keyboard **9**
teléfono móvil *m* cell phone **8**
telón *m* curtain **9**
tema *m* theme, topic **3**
temer *v* fear **3**
tener *v* **miedo (de)** be afraid **3**
tener *v* **una cita** have a date /appointment **1, 2**
tener *v* **vergüenza** be embarrassed, ashamed **8**
teñido/a tinged **6**
tenso/a tense **1**
terminar *v* finish **10**

territorio *m* territory **5**
tez *f* complexion **10**
tío/a uncle/aunt **2**
tiro con arco *m* archery **1**
título *m* diploma **5**
tocar *v* play **9**
toda vez que given that **3**
todavía yet **10**
torta *f* cake **2**
trabajador/a hard-working **1**
trabajar *v* **horas extra** to work overtime **10**
traductor/a *v* translator **3**
traje de baño *m* swimming suit/trunks **8**
tranquilo/a calm, mellow **1**
transcurrir *v* pass, go **7**
trono *m* throne **6**
tropezar *v* **con** encounter **3**
truco *m* tricks **4**
tumba *f* grave, tomb **4**
uña postiza *f* fake finger nail **8**
untar *v* spread **6**
vacío/a empty **2**
valer *v* **la pena** be worthwhile **8**
valerse *v* **de** make use of **8**
valor *m* value **3**
vara *f* yard **9**
variedad *f* variety **5**
varón *m* male **10**
vasija *f* vessel **2**
vela *f* sail **5**
velas *f* candles **2**
velo *m* veil **7**
venados *m* **y salvajinas** *f* deers and savages **9**
vencer *v* win **6**
vencido/a defeated **4, 8**
vendedor ambulante *m* street vendor **1**
vender *v* sell **9**
veracidad *f* truthfulness, veracity **3**
verduras *f* vegetables **6**
vertir *v* shed **7**
vestirse *v* get dressed **1**
violencia *f* violence **5**
virtud *f* virtue **3**
voluntad *f* will **5**
voluntario/a volunteer **9**
votar *v* to vote **7**
voto *m* vote **7**
voz baja low voice **4**
ya already **10**
ya que since, because **7**

GLOSSARY: ENGLISH-SPANISH

The **boldface** number following each entry corresponds to the chapter (or chapters) in which the word appears. In addition,**v** stands for verb, **f** stands for feminine and **m** stands for masculine.

a newborn *al nacer* **8**

absent *ausente* **1**

abuse *abuso* ***m*** **7**

according to *según* **9**

accountant *contador/contable* ***m*** **10**

achieve *conseguir v* **7**

achieve *lograr v* **7**

acquaintances *conocidos* ***m*** **8**

add *añadir v* **4**

addiction *adicción* ***f*** **5**

advanced *avanzado/a* **5**

advise *aconsejar v* **3**

affection *cariño* ***m*** **10**

alien *extraterrestre* ***m*** **5**

already *ya* **10**

alternative music *música alternativa* ***f*** **7**

always *siempre* **1**

anywhere *por do quisiesen* **9**

archery *tiro con arco* ***m*** **1**

army *ejército* ***m*** **5**

around the neck *al cuello* **1**

arrive at/in *llegar a v* **10**

arrive on time *llegar puntualmente v* **10**

arrows *flechas* ***f*** **5**

ask *pedir v (i)* **3**

ask for a commitment *pedir un compromiso v* **2**

ask for an encore *pedir (i) un bis v* **9**

aspire to *aspirar a v* **10**

assist *socorrer v* **9**

assistant *asistente* **10**

astrology *astrología* ***f*** **4**

at last/finally *por fin* **6**

at least *al menos* **3**

at least *cuando menos* **3**

at least *por lo menos* **6**

at midnight *a la medianoche* **1**

at night *por la noche* **1**

at noon *al mediodía* **1**

at the request of *por ruego de* **5**

athletic *atlético/a* **1**

attack *atacar* **5**

attend *asistir a v* **4, 9**

attend to/help clients *atender a v los clientes* **10**

audience *público* ***m*** **9**

autonomous *autónomo/a* **7**

autonomy *autonomía* ***f*** **7**

avocado tree *aguacate* ***m*** **6**

avoid *evitarse v* **4**

bad taste *de mal gusto* **4**

bake *hornear to v* **6**

basin *cuenco* ***m*** **2**

be (im)possible *ser v (im)posible* **3**

be (im)probable *ser (im) v probable* **3**

be a shame *ser v una lástima* **3**

be advisable *ser v aconsejable* **3**

be afraid *tener v miedo (de)* **3**

be angry *estar v enojado/a* **8**

be bad *ser v malo* **3**

be based on, to be *apoyarse v* **6**

be born *nacer v* **10**

be certain *ser v seguro* **3**

be clear *estar v claro* **3**

be delighted *estar v gozoso/a* **8**
be displeased *estar v disgustado/a* **8**
be doubtful *ser dudoso v* **3**
be embarrassed, ashamed *v tener vergüenza* **8**
be evident *ser v evidente* **3**
be furious *estar v furioso/a* **8**
be glad *alegrarse v (de)* **3**
be good *ser v bueno* **3**
be great *ser v fantástico* **3**
be happy *estar v contento/a (de)* **3**
be happy about *alegrarse v de* **10**
be important *ser v importante* **3**
be interesting *ser v interesante* **3**
be joyful *estar v feliz* **8**
be lamentable *es lamentable* **3**
be mistaken; to make a mistake *equivocarse v* **10**
be necessary *ser v necesario* **3**
be no lack of *no dejar v de haber* **3**
be obvious *ser obvio v* **3**
be ready *dispuesto/a* **8**
be regrettable *es de lamentarse v* **3**
be shocked *estar v escandalizado/a* **8**
be sure *estar v seguro/a* **3**
be true *ser cierto/verdad* **3**
be unbelievable *ser v increíble* **3**
be unsure *no estar v seguro/a* **3**
be worthwhile *valer la pena v* **8**
bead *cuenta* ***f*** **5**
beat *ritmo* ***m*** **7**
beauty *hermosura* ***f*** **4**
become happy *alegrarse v* **8**
become sad *entristecerse v* **8**
bed *lecho* ***m*** **6**
beef *carne de res* ***f*** **6**
beehive *nido de abeja* ***m*** **1**
before, in front *of ante* **3**
beg *rogar v (ue)* **3**
behaved *se habían v* **9**
believe *creer v* **3**
benefit *beneficiar v* **8**
benefit *beneficio* ***m*** **8**
beret *boina* ***f*** **1**
bill *factura* ***f*** **1**
birthday card *la tarjeta de cumpleaños* ***f*** **2**
bloodshed *derramamiento de sangre* ***m*** **7**
boarding pass *tarjeta de embarque* ***f*** **8**
boil *hervir v (ie)* **4**
border *frontera* ***f*** **6**
bored *aburrido/a* **1**
boss *jefe/a* **10**
bother one *molestarle v* **3**
boyfriend/girlfriend *novio/a* **8**
brain *cerebro* ***m*** **8**
branch *rama* ***f*** **1**
break a leg *romperse v la pierna* **1**
breed *criar v los ganados* **9**
briefs, boxers *calzoncillos* ***m*** **8**
building *edificio* ***m*** **1**
bullfight *corrida* ***f*** **4**
burn *quemar v* **1**
but (instead) *sino* **5**
butter *mantequilla* ***f*** **6**
buy *comprar v* **9, 10**
by chance *por casualidad* **6**
cadaver, dead body *cadáver* ***m*** **4**
cake *torta* ***f*** **2**
calm, mellow *tranquilo/a* **1**
candles *velas* ***f*** **2**
cane *bastón* ***m*** **1**
cannon *cañón* ***m*** **5**
canonize *canonizar v* **4**
capable *capaz* **1**
caress *acariciar v* **6**
carry on someone's shoulders *levantar v en hombros* **6**
cash *dinero en efectivo* ***m*** **8**
catch *sorprender v* **8**
cattle *ganado* ***m*** **9**
celebration *celebración* ***f*** **5**

celestial object *cuerpo celeste* **m 5**
cell phone *teléfono móvil* **m 8**
centennial *centenario* **m 5**
ceremony *ceremonia* **f 2**
change *cambiar v* **7**
cheap *barato/a* **9**
cheek *mejilla* **f 4**
cheese *queso* **m 6**
chile pepper *chile* **m 6**
choose *elegir v* **6**
chronicler *cronista* **m/f 9**
citizen *ciudadano/a* **7**
classmates *compañeros de clase* **m 8**
clean *limpiar v* **1**
clinic/hospital *clínica* **f** */ hospital* **m 8**
close, nearby *cercano/a* **5**
co-worker *compañeros de trabajo* **10**
coat *abrigo* **m 8**
collaborate *colaborar v* **8**
colleagues *colega* **m 10**
colonize *colonizar v* **5**
colony *colonia* **f 5**
command *mandar v* **3**
commemoration *conmemoración* **f 5**
commercial stands *puestos* **m 4**
compass *brújula* **f 5**
complex *complejo/a* **5**
complexion *tez* **f 10**
complexity *complejidad* **f 9**
comprise *comprender v* **5**
computer science *informática* **f 3**
concavity, hollow *hueco* **m 2**
concert *concierto* **m 4, 9**
conquer *conquistar v to* **5**
conqueror *conquistador* **m 5**
consolidate, strengthen *consolidar v* **7**
constitution *constitución* **f 7**
construct *construir v* **8**
consume, to use *consumir v* **8**
consumption, use *consumo* **m 8**
controversy *controversia* **f 5**
cooperation *cooperación* **f 5**
corn *maíz* **m 8**
corner *comisura* **f 1**
costume *disfraz* **m 4**
council, meeting *consejo* **m 8**
coup d'état *golpe de estado* **m 1**
couple, partner *pareja* **f 2**
courtship *noviazgo* **m 2**
crash the car *chocar v con el carro* **1**
create *crear v* **3**
credit card *tarjeta de crédito* **f 8**
crime *crimen* **m 5**
cross-eyed *bizco/a* **8**
crown *coronar v* **2**
curtain *telón* **m 9**
custom *costumbre* **f 4, 9**
danceable *bailable* **7**
dark skin *moreno/a* **1**
darkness *oscuridad* **f 4**
date *salir v con (alguien)* **2**
dawn *amanecer v* **m 4**
dawn, daybreak *madrugada* **f 2, 4**
daycare center *guardería infantil* **f 8**
dead person *muerto/a* **m 5**
deal with, address *abordar v* **6**
death *muerte* **f 5**
deceive *engañar v* **8**
deceiving *fementido/a* **4**
decide *disponer v* **8**
deeds *obras* **f 9**
deep *hondo/a* **7**
deers and savages *venados* **m** *y salvajinas* **f 9**
defeat *derrotar v* **6**
defeated *vencido/a* **4, 8**
defend *abogar v* **3**
defend oneself/selves *defenderse v* **5**
delay *retrasar v* **2**

delicious *sabroso/a* **6**
demand *reclamar v* **5**
deny negar (ie) *negar v (ie)* **3**
depressed *deprimido/a* **1**
destroy *aniquilar v* **3**
destroy *destruir v* **5**
development *desarrollo* ***m*** **1**
devote one's self to *dedicarse v* **a 10**
dictator *dictador/a* **7**
die *morir v (ue)* **5**
diminish *disminuir v* **5**
diploma *título* ***m*** **5**
disbelief *incredulidad* ***f*** **8**
disbelieve *no creer v* **3**
discover *descubrir v* **5**
discovery *descubrimiento* ***m*** **5**
discrimination *discriminación* ***f*** **5, 7**
dish (food) *plato* ***m*** **4**
dissatisfied *insatisfecho* **6**
dissemination *difusión* ***f*** **9**
distribute (the work) *distribuir v (el trabajo)* **9**
do housework *hacer v las tareas domésticas* **1**
doubt *dudar v* **3**
dough *masa* ***f*** **6**
download *bajar v* **7**
driver *automovilista* **10**
drums *batería* ***f*** **7**
each week *cada semana* **1**
elections *elecciones* ***f*** **7**
eliminate *eliminar v* **7**
emerge *surgir v* **6**
employee *empleado/a* **10**
employment *empleo* ***m*** **5**
empty *vacío/a* **2**
encounter *tropezar v con* **3**
end the conversation *(col.) cortar v el rollo* **1**
endless *sinfín* ***m*** **8**
engagement *compromiso* ***m*** **9**
engagement ring *anillo de compromiso* ***m*** **2**
enjoy *disfrutar v* **8, 9**
enjoy *gozar v* **9**
enlightenment *ilustración* ***f*** **3**
environment *medio ambiente* **8**
equality *igualdad* ***f*** **7**
erroneous *erróneo/a* **3**
escape *escapar v* **5**
essential integral *integral* ***m/f*** **4**
establish *establecer v* **5**
estimate *calcular v* **9**
estimate *estimar v* **3**
even *incluso* **10**
every day *cada día* **1**
exchange *intercambiar* **9**
expensive *caro/a* **9**
experience *atravesar v (ie)* **10**
eye brow *ceja* ***f*** **1**
face *rostro* ***m*** **6, 8**
fact *hecho* ***m*** **3**
failure *fracaso* ***m*** **8**
fake *fingir v* **10**
fake finger nail *uña postiza* ***f*** **8**
fall asleep *dormirse v* **1**
fall down *caerse v* **1**
fall in love *enamorarse v* **2**
fantastic *padrísimo/a* **1**
fauna *fauna* ***f*** **8**
fear *temer v* **3**
feel bad *sentirse v mal* **1**
festival *feria* ***f*** **4**
fictional character *personaje* ***m*** **1**
fight *luchar v* **5**
fight for *luchar v por* **7**
filmmaker *cineasta* ***m/f*** **6**
find oneself *hallarse v* **3**
finish *terminar v* **10**
fireworks *fuegos artificiales* ***m*** **4**
first sight *primera mirada* ***f*** **6**
fit *encajar v* **1**

fit, combine *compaginar v* **1**

flag *bandera* ***f*** **4**

flash of lightning *relámpago* ***m*** **10**

flavor *sabor* ***m*** **6**

flesh *carnes* ***f*** **9**

flock to *acudir v en masa* **4**

flora *flora* ***f*** **8**

for a change *para variar* **6**

for better or for worse *para bien o para mal* **6**

for example *por ejemplo* **6**

for the time being *por ahora* **6**

for this reason *por eso* **6**

forest fire *incendio forestal* **8**

forever *para siempre* **6**

forget *olvidarse v de* **10**

fortune teller *adivina* ***f*** **4**

fragile *frágil* **1**

frames *montura* ***f*** **1**

free time *ocio* ***m*** **1**

freedom *libertad* ***f*** **7**

friar, brother *fray* ***m*** **8**

friendship *amistad* ***f*** **2**

front row *primera fila* ***f*** **9**

fry *freír (i) v* **6**

fulfill responsibilities *cumplir v con las responsabilidades* **10**

full, brimming over *pletórico/a* **2**

fun *divertido/a* **1**

funny, comical *gracioso/a* **3**

fuss *aspaviento* ***m*** **1**

galaxy *galaxia* ***f*** **5**

garbage *basura* ***f*** **8**

gathering *concurrencia* ***f*** **3**

genocide *genocidio* ***m*** **5**

gentleness *mansedumbre* ***f*** **9**

get along *llevarse v bien* **9**

get angry *enfadarse/ enojarse v* **8**

get dressed *vestirse v* **1**

get in *subir v* **10**

get married *casarse v* **2, 10**

get sick *ponerse v enfermo/a* **1**

get struck by lightning *caerle v un rayo* **1**

get together with *reunirse v con* **2, 4**

get used to *acostumbrarse v a* **10**

ghost *fantasma* ***m*** **4, 6**

give *conferir v* **8**

give (as a present) *obsequiar v* **5**

give a gift *dar v un regalo* **2**

give a hand, to help *echar una v mano* **3, 8**

give a ring as a gift *regalar v una sortija* **2**

given that *toda vez que* **3**

gloves *guantes* ***m*** **8**

go around *dar una vuelta v* **9**

go away, leave *marcharse v* **10**

go deep into *hundirse v* **9**

go on vacation *ir de vacaciones v* **8**

go over a sheer drop *desbarrancarse v* **10**

go to the market *ir al mercado v* **1**

govern *gobernar v (ie)* **7**

governor *gobernador/a* **7**

grave, tomb *tumba* ***f*** **4**

greet *saludar v* **4**

grievances *agravio* ***m*** **5**

grimace *mohín* ***m*** **10**

growing *creciente* **8**

guitar *guitarra* ***f*** **7**

gush *chorrear v* **8**

half *mitad* ***f*** **3**

handicrafts *artesanía* ***f*** **4**

happy *contento/a* **1**

hard-working *trabajador/a* **1**

harmful *dañino/a* **8**

harmful *nocivo/a* **1**

hat, cap *gorra* ***f*** **8**

hate *odiar/detestar v* **3**

haunted *encantado/a* **4**

have a date /appointment *tener v una cita* **1, 2**

have a good time *pasarlo v bien* **2**

have breakfast *desayunar v* **1**

have lunch *almorzar v* **1**
have pity *tener, sentir lástima* **9**
head of hair *melena* ***f*** **1**
headphones *auriculares* ***m*** **8**
health *salud* ***f*** **2, 8**
health care *servicios médicos* ***m*** **7**
healthy *sano/a* **1, 6**
heat *calentar v (ie)* **4**
hides *pieles* ***f*** **9**
hierarchy *jerarquía* **9**
hieroglyphic *jeroglífico/a* **5**
high point *apogeo* ***m*** **1**
high quality *alta calidad* ***f*** **9**
hip hop *hip hop* ***m*** **7**
hoard *acaparar v* **9**
hobby *afición* ***f*** **2**
hold *agarrar v* **4**
hold hands *agarrarse v de la mano* **2**
holiday *día festivo* **4**
holiday, celebration *fiesta* ***f*** **4**
home-loving, domestic *hogareño/a* **1**
honest *honrado/a* **1**
hope *esperanza* ***f*** **2**
hope for *esperar v* **10**
hound *perseguir v* **4**
hourglass *reloj de arena* ***m*** **5**
household chore *tarea doméstica* ***f*** **2**
housewife *ama de casa* ***f*** **2**
hug *abrazarse v* **2**
human beings *seres humanos* ***m*** **2**
human rights *derechos humanos* ***m*** **7**
hurt oneself *hacerse daño v* **1**
hybrid *híbrido/a* **10**
ID card *carnet de identidad* ***m*** **2, 8**
identity *identidad* ***f*** **7**
idiosyncrasy *idiosincrasia* ***f*** **4**
if anything; at leas*t siquiera* **3**
illnesses, diseases *enfermedades* ***f*** **8**
impact *impactar v* **4**
impatient *impaciente* **1**
impose *imponer* **2**
in charge of *al mando de* **6**
in great part *en gran medida* **2**
in high spirits *animado/a* **1**
in my values *en mis verdades* **4**
in the afternoon *por la tarde* **1**
in the morning *por la mañana* **1**
in this respect *en este sentido* **10**
include *incluir v* **3**
income *ingresos* ***m*** **10**
increase *aumentar v* **5**
increase *aumento* ***m*** **2**
independence *independencia (**f**)* **7**
inequality *desigualdad* ***f*** **7**
infrequently *raras veces* **1**
inhabit *habitar v* **5**
inhabitants *habitantes* ***m*** **5**
injustice *injusticia* **9**
insist *insistir v en* **3**
instability *inestabilidad* ***f*** **3**
instead of *en lugar de* **10**
invade *invadir v* **5**
invest *invertir v* **7**
invitation *invitación* ***f*** **2**
invite *invitar v* **2, 9**
iPod *iPod* ***m*** **8**
jeweled crown *diadema* ***f*** **2**
jewelry *joyas* ***f*** **8**
jewels *joyas* ***f*** **1**
joke *chiste* ***m*** **4**
jubilarse *jubilarse v* **10**
juggling *malabarismo* ***m*** **1**
just in case *por si acaso* **6**
keyboard *teclado* ***m*** **9**
kill *matar v* **5**
kiss *besarse v* **2**
kneel down *arrodillarse v* **6**
knock on the door *llamar v a la puerta* **4**

knowledge *sabiduría* ***f*** **3**
landscape *paisaje* ***m*** **8**
language *idioma* ***m*** **3**
language *lengua* ***f*** **3**
laptop *computador /ordenador portátil* ***m*** **8**
lasting *duradero/a* **2**
launch *lanzar to v* **6**
leagues *leguas* ***f*** **9**
leaning against *apoyado/a en* **1**
learn how to *aprender v a* **10**
learn to do something *aprender a v* **10**
leave behind *dejar v atrás* **10**
leave the keys in the car *dejar las llaves en el auto* **1**
leave work *salir v del trabajo* **1**
lettuce *lechuga* ***f*** **6**
level of *grado de* ***m*** **8**
light (candles) *encender v (velas)* **2**
light (skin, hair, eyes) *rubio/a* **1**
literacy *alfabetización* ***f*** **8**
little bar *barilla* ***f*** **9**
look for *buscar v* **10**
lose *perder v* **1**
loser *perdedor/a v* **8**
low quality *baja calidad* ***f*** **9**
low voice *voz baja* **4**
lower *bajar v (el precio)* **9**
luck *suerte* ***f*** **4**
lyrics *letra* ***f*** **7**
maintain trails *mantener v senderos* **8**
majority *mayoría* ***f*** **7**
make into a ritual *ritualizar* **4**
make matters worse *para colmo* **6**
make one sad *ponerle triste v* **3**
make up one's mind to *decidirse v a* **10**
make use of *valerse de v* **8**
makeup *maquillaje* ***m*** **8**
male *varón* ***m*** **10**
manager *gerente* **10**
manners *policía* ***f*** **9**
mast *mástil* ***m*** **5**
matching *emparejamiento* ***m*** **9**
mating *apareamiento* ***m*** **9**
mayonnaise *mayonesa* ***f*** **6**
meet *conocer v* **10**
melody *melodía* ***f*** **7**
memories *recuerdos* ***m*** **10**
merciless *despiadado/a* **6**
minority *minoría* ***f*** **7**
miss *echar de v menos* **2**
mix *mezclar v* **4, 6**
mixture *mezcla* ***f*** **5**
money *dinero* ***m*** **8**
monster *monstruo* ***m*** **4**
mug someone *atracar v* **10**
mundane refuse *despojo civil* **4**
myth *mito* ***m*** **3**
naked *en cueros* **9**
nasal bridge *puente nasal* ***m*** **8**
nation *nación* ***f*** **7**
national park *parque nacional* ***m*** **8**
native group of the Caribbean islands *taínos* ***m*** **1**
neck *cuello* ***m*** **5**
necklace *collar* ***m*** **5**
neighborhood *barrio* ***m*** **7**
nervous *nervioso/a* **1**
network *red* ***f*** **2**
never *nunca* **1**
not long ago *no ha mucho* **3**
not think *no pensar v (ie)* **3**
numerology *numerología* ***f*** **4**
nursing home, retirement community *hogar de ancianos* ***m*** **8**
oak *roble* ***m*** **1**
observe nature *observar v la naturaleza* **8**
offense *falta* ***f*** **5**
often *a menudo* **1, 3, 6**
on his/her own *por su cuenta* **4**
on the coast *costero/a* **1**
on the margins, on the shore *a la orilla* **3**

on time *a tiempo* **9**
onion *cebolla* ***f*** **6**
opposition *oposición* ***f*** **5**
orphanage *orfanato* ***m*** **8**
out loud *en voz alta* **8**
outer space *espacio exterior* ***m*** **5**
outfit *atuendo* ***m*** **8**
overcome *superar v* **1**
owner *dueño/a* **10**
palm reader *quiromántica* ***f*** **4**
panties *bragas* ***f*** **8**
pants/shorts *pantalones largos/cortos* ***m*** **8**
parade *desfile* ***m*** **2, 4**
pass, go *transcurrir v* **7**
passport *pasaporte* ***m*** **8**
pasture and sown land *pastos* ***m*** *y sementeras* ***f*** **9**
patron saint *santo patrón* ***m*** **4**
pay *pagar v* **9**
pay for a ticket *pagar la v entrada* **2**
pay the bills *pagar v las facturas* **10**
pay the rent *pagar v el alquiler/ la renta* **1**
peace *paz* ***f*** **5**
peasant *campesino/a* **4**
percussion *percusión* ***f*** **9**
performance *espectáculo* ***m*** **4, 9**
permit *permitir v* **3**
pick someone up *levantar v* **10**
pitcher *lanzador v* ***m*** **1**
plan the next project *planear v el próximo proyecto* **10**
planet *planeta* ***m*** **5**
play *tocar v* **9**
play soccer *jugar al v fútbol* **1**
please one *gustarle v* **3**
polemical, controversial *polémico/a* **3**
pollute *contaminar v* **8**
pollution *contaminación* ***f*** **8**
poor people *pobres* ***m*** **7**
populate *poblar v (ue)* **10**
population *población* ***f*** **5**
pork *carne de cerdo* ***f*** **6**
potter *alfarero/a* **2**
poverty *pobreza* ***f*** **7**
pray *rezar v* **1**
pre-columbian *precolombino/a* **5**
price *precio* ***m*** **9**
predict, tell the future *adivinar v* **4**
prediction *adivinación* ***f*** **4**
prefer *preferir v (ie)* **3**
pregnant *embarazada* ***f*** **4**
prejudice *prejuicio* ***m*** **5**
present *actual* **3**
preservation, protection *conservación* ***f*** **8**
preserve, to protect *conservar v* **8**
pride *orgullo* ***m*** **9**
prohibit *prohibir v* **3**
prone to warfare *belicoso/a* **9**
protect/harm *proteger/dañar v* **8**
proud *altivo/a* **1**
proud *orgulloso/a* **3**
provide *proveer v* **8**
publicize *hacer v publicidad de* **9**
pure *puro/a* **9**
pure, smooth *límpido* **10**
purpose *propósito* ***m*** **3**
put *poner v* **4**
put in *echar v* **4**
put out (candles) *apagar v (velas)* **2**
put out (the light) *apagar v (la luz)* **4**
question *cuestionar v* **3**
racial *racial* **3**
raise *subir v (el precio)* **9**
rank, status *rango* ***m*** **9**
rap *rap* ***m*** **7**
rate *índice* ***m*** **2**
rather *más bien* **10**
raw, unrefined *bruto/a* **9**
reach *alcanzar v* **6**
reader *lector/a* **3**

receptionist *recepcionista* ***m/f*** **10**
recognition *reconocimiento* ***m*** **1**
recommend *recomendar v (ie)* **3**
record *grabar v* **9**
recruit (volunteers) *reclutar v (voluntarios)* **9**
recycle *reciclar v* **8**
recycling *reciclaje* ***m*** **8**
red haired *pelirrojo/a* **1**
redeeming work *labor redentora* ***f*** **8**
reform *reforma* ***f*** **7**
regret *sentir v (ie)* **3**
relaxed *relajado/a* **1**
remember *acordarse v (ue) de* **10**
reserve *reservar v* **9**
retired, retiree *jubilado/a* **1, 2**
return (to a place) *regresar v* **10**
reverse *inverso/a* **10**
rights *derechos* ***m*** **5, 7**
roar *rugido* ***m*** **6**
roast *asar v* **4**
rock *mecer v* **7**
rock *roca* ***m*** **7**
roots *raíces* ***f*** **7**
rough, wild *bravo/a* **7**
round glow *aureola* ***f*** **2**
run away, flee *huir v* **1**
sadden one *entristecerle v* **3**
sail *vela* ***f*** **5**
same as *al igual que* **2**
sauce *salsa* ***f*** **6**
sausage *chorizo* ***m*** **6**
say goodbye to *despedirse (i) v de* **10**
scarcely *escasamente* **10**
school *escuela* ***f*** **8**
scrub *breñal* ***m*** **9**
secretary *secretario/a* **10**
seed *semilla* ***f*** **3, 6**
sell *vender v* **9**
send *enviar v* **2, 3**
serve *servir v (i)* **4**
serve an elegant dinner *servir v una cena elegante* **2**
sexual orientation *orientación sexual* ***f*** **5**
shampoo and conditioner *champú y suavizante* ***m*** **8**
share *compartir* **1, 4**
shed *vertir v* **7**
shellfish *mariscos* ***m*** **6**
ship *embarcación* ***f*** **5**
side (of a cause) *bando* **6**
sigh *suspirar v* **6**
sign *firmar* **1**
sign up *apuntarse v* **8**
simpleton, child *nene* **3**
since, because *ya que* **7**
sing *cantar v* **8**
singer *cantante* **7**
skeleton *esqueleto* ***m*** **4**
skull *cráneo* ***m*** **8**
slander *calumniar* **3**
slavery *esclavitud* ***f*** **5**
slice (of bread) *rebanada (de pan)* ***f*** **6**
small boat *barca* ***f*** **7**
smile *sonrisa* ***f*** **8**
snacks, appetizers *tapas* ***f*** **4**
sob *sollozar to v* **6**
socialize *alternar v* **4**
society *sociedad* ***f*** **5**
solar system *sistema solar* ***m*** **5**
solitude, loneliness *soledad* ***f*** **2**
song *canción* ***f*** **7**
soundbox *caja* ***f*** **9**
source; fountain *fuente* ***f*** **1**
sovereignty *soberanía* ***f*** **6**
sow *sembrar v* **9**
space ship *nave espacial* ***f*** **5**
spooky *cavernoso/a* **10**
spread *untar v* **6**
spring, source, flowing water *manantial* ***m 2***
stability *estabilidad* ***f*** **5**

stage *escenario* ***m*** **9**

start *arrancar v* **10**

start work *comenzar v a trabajar* **1**

state *estado* ***m*** **7**

stay (in a place) *quedarse v (en un lugar)* **8**

stepbrother/stepsister *hermanastro/a* **2**

stepfather *padrastro* ***m*** **2**

stepmother *madrastra* ***f*** **2**

stir *mover (ue) v* **4**

stop doing something *dejar de v + infinitive* **1**

stout *rechoncho/a* **1**

straighten up my room *arreglar v mi cuarto* **1**

street vendor *vendedor v ambulante* ***m*** **1**

string (of) *cuerda, de* ***f*** **9**

strong *fuerte* **1**

studious *estudioso/a* **1**

suddenly *de repente* **6**

suggest *sugerir (ie) v* **3**

suitcase *maleta* ***f*** **8**

sundial *reloj de sol* ***m*** **5**

sunglasses *gafas de sol* ***f*** **8**

support *apoyar v* **6, 7**

surprise *sorprender v a alguien* **4**

surprise one *sorprenderle v* **3**

surrender *rendirse (i) v to* **5**

survey or inquiry *encuesta* ***f*** **10**

sweep the floor *barrer v el suelo* **1**

swimming suit, trunks *traje de baño* ***m*** **8**

t-shirt *camiseta* ***f*** **8**

take a walk *dar v un paseo* **2**

take care of *cuidar v* **8**

take charge of supervision *encargarse v de la supervisión* **10**

take out the garbage *sacar la v basura* **1**

take refuge *refugiarse v* **6**

talk, chat (Mex.) *platicar v* **1**

tamale *tamal* ***m*** **4**

tattoo *tatuaje* ***m*** **8**

taxes *impuestos* ***m*** **7**

teaching, education *enseñanza* ***f*** **5, 7**

tell *decir v (i)* **3**

tense *tenso/a* **1**

territory *territorio* ***m*** **5**

that is *es decir* **10**

the beyond *más allá* ***m*** **4**

the fact that *el que* **3**

theatre *teatro* ***m*** **9**

Their Highnesses *Altezas* **5**

theme, topic *tema* ***m*** **3**

thin *delgado/a* **1**

think about *pensar v (ie) en* **10**

thoughts, mind *entendimiento* **4**

thread, line *hilo* ***m*** **2**

throat *garganta* ***f*** **6**

throne *trono* ***m*** **6**

throughout *a lo largo de* **6**

tickets *entradas* ***f*** **9**

tie *lazo* ***m*** **3**

tinged *teñido/a* **6**

tired, worn out *cansado/a* **1**

to say "I love you" *decir v "te quiero"* **2**

to work overtime *trabajar v horas extra* **10**

toothbrush *cepillo de dientes* ***m*** **8**

training *entrenamiento* ***m*** **5**

trait *rasgo* ***m*** **3**

translator *traductor/a* **3**

trapped *apresado/a* **8**

trial marriage *matrimonio de ensayo* ***m*** **9**

trick *broma* ***f****, truco* ***m*** **4**

trickery, deception *engaño* ***m*** **8**

tricks *truco* ***m*** **4**

truthfulness, veracity *veracidad* ***f*** **3**

try *intentar v* **8**

try (food) *probar (ue) v* **4**

try to stick into *procurar hincar v* **9**

turkey *pavo* ***m*** **2**

turn on (the light *encender v (ie) (la luz)* **4**

twisted *retorcido/a* **1**

unbearable *insoportable* **1**

uncle/aunt *tío/a* **2**
uncomfortable *incómodo* **4**
uncontrolled, boundless *desmesurado/a* **9**
uncultivated *inculta* **9**
undisturbed *inalterado/a* **8**
unemployment *desempleo* ***m*** **5, 7**
uninhabited *deshabitado/a* **10**
United States citizen *estadounidense* **3**
unknown, unfamiliar *desconocido/a* **8**
unsweetened, bitter *amargo/a* **6**
upload *subir v* **7**
upright base/base guitar *bajo* ***m*** **7**
uproar *alboroto* ***m*** **6**
usually do something *soler v (hacer algo)* **1**
value *valor* ***m*** **3**
valued, sought-after *cotizado/a* **1**
variety *variedad* ***f*** **5**
vegetables *verduras* ***f*** **6**
veil *velo* ***m*** **7**
vessel *vasija* ***f*** **2**
vessel (maritime) *nave* ***f*** **5**
violence *violencia* ***f*** **5**
virtue *virtud* ***f*** **3**
volunteer *voluntario/a* **9**
vote *votar* **7**
vote *voto* ***m*** **7**
wake up *despertarse v* **1**
want *desear/querer v (ie)* **3**
war *guerra* ***f*** **5**
warrior *guerrero* ***m*** **5, 6**
wash *lavar v* **1**
weaken *debilitar v* **7**
weapons *armas* ***f*** **5**
weave *labrar v* **9**
welcome *bienvenida* ***f*** **6**
wherever *doquiera* **9**
whisper *susurrar v* **6**
will *voluntad* ***f*** **5**
win *ganar v (una competición)* **10**
win *vencer v* **6**
within reach *al alcance* **3**
witty, clever *ingenioso/a* **1**
work *labor* ***f*** **2**
worldwide *mundial* **3**
worry one *preocuparle v* **3**
wrinkle *arruga* ***f*** **1**
wrong, mistaken *equivocado/a* **7**
yard *vara* ***f*** **9**
yet *todavía* **10**

INDEX

A

a, 225, 288, 405, 414
abrir, 214
accusing and defending, 179
adjective clauses, 256–257, 269
  defined, 256
adjectives
  demonstrative, 399, 424
  descriptive, 7, 9, 60
  possessive, 400, 424
  ser and *estar* with, 7–8, 415–416
adverbial clauses, 326–327, 421
  with past tense, 337
adverbs, adverbial connecting phrases, 354
affirmative commands, 428
Africans, 183
agreement and disagreement, expressing
  convincing others, 179, 302
  emphatically, 143
  vocabulary for, 347
aimara (idioma), 183, 356
algún*/o/a,* 402
Alicea, José, 273
Allende, Isabel, 25, 38–39, 366
Allende, Salvador, 25, 366
almorzar, 18
America, early beginnings, 167–168
andar, 27, 414, 418, 431
Anderson Imbert, Enrique, 396
Antillas, 240
Apóstol Santiago, 233
Argentina, 374, 382, 395
arguing pros and cons, 371
Arias Sánchez, Óscar, 305
arqueología, 349
arquitectura, 78, 192–193, 232
art, 25, 34, 75, 85–86, 115, 154, 190, 230, 273, 313, 352, 391
Asunción, 395
aztecas, 171, 202, 215, 234–235

B

Bahía Mosquito, 37
baile, 378, 382
bar versus pub, 128
Batista, Fulgencio, 241–242
beber, 185
Belice, 383
bilingual community in USA, 101–102
Bogotá, 324
Bolívar, Simón, 121
Bolivia, 183, 356
borrowed words, (préstamos léxicos), 105
Botero, Fernando, 25, 34
Brasil, 332
Buenos Aires, 374
buscar, 27, 256–257, 437

C

caber, 28, 431
cacao, 78–79
caciques, 202
caer(se), 18, 27, 431
caminar, 27, 89, 139
Canaima, 275–276
Canal de Panamá, 315
Caribe, 316
Casañas, Betsy, 86
Castro, Fidel, 24, 241, 246
Castro, Raúl, 240
Catherwood, Frederick, 289
cerrar, 18, 90
Chaco, 395
chamanes kallahuayas, 356
chibcha, 183
Chile, 364, 366, 369
chocolate, 216
Ciudad de Guatemala, 282
Ciudad del Este, 395
clarification, asking for, 21, 380
coffee, 332
coger, 438
cognates, 55, 183
colloquialisms, 228–229, 278
Colombia, 183, 322, 325, 332
colombianos, dieta de los, 181
Colón (ciudad en Panamá), 316
Colón, Bartolomé, 258
Colón, Cristóbal (Christopher Columbus), 167, 176, 181, 194, 195, 322
Comentarios reales (Garcilaso de la Vega), 358–359

comenzar, 18, 27
comer, 27, 89, 139
commands/imperatives
  affirmative and negative, 428
  formal, 151–152
  informal, 151–152
  of irregular verbs, 152
  of regular verbs, 151
como, 420–421
como si, 308
comparatives
  of equality, 60
  of inequality, 60–61
compassion, surprise and happiness, expressing, 154–155
con, 377
conditional perfect tense, 429
conditional tense, 298–299
  to indicate probability in the past, 412
  of irregular verbs, 185, 418–419
  of regular verbs, 185, 427
  uses, 185–186, 419
conducir, 431
conectores adverbiales (lista), 354
conmigo/contigo, 377
conocer, 408, 431
Conquista, 206, 324, 342
conseguir, 18, 437
construir, 431
contar, 90
contrary-to-fact clauses/conditions, 308, 339, 419–420
convencer, 437
convincing, 302
  persuading or, 172, 302
  vocabulary for, 337
Copacabana, 356
correcting someone politely, 390
corrido mexicano, 25
Cortés, Hernán, 202, 205, 206
Costa Rica, 304–305, 306–307
Cruz, Celia, 248
Cruz, Juana Inés de la, 162
cual, 411
Cuautémoc, 121
Cuba, 183, 241–242, 246, 248, 278
customs, 127–128, 134
Cuzco, 357

D

dar, 18, 28, 90, 431
Darwin, Charles, 333
de, 224, 225
decir, 18, 28, 89, 152, 170, 185, 215, 432
  infinitive *versus* subjunctive following, 410
defender, 90
Del Toro, Guillermo, 222–223
demonstrative adjectives, 399, 424
demonstrative pronouns, 399–400, 424
despertar, 18
direct object
  and indirect object pronoun placement, 409
  personal + *a* + prepositional pronoun, 405
  personal pronoun + *a* + prepositional pronoun, 414
direct object pronouns, 10, 68–69
direct speech *versus* indirect speech, 299
discovery of America, 167–168
discussion, initiating and maintaining, 188–189, 372
divorce, 46
dormir, 17, 27, 90, 139, 435

E

"El eclipse" (Monterroso), 318
ecoturismo, 297
Ecuador, 183, 333, 342
EE. UU./Estados Unidos, 242, 248, 270, 386
El Álamo, San Antonio (Texas), 118–119
elderly, the, 46
El Dorado, 324
El Greco, 156
el/la/los/las cuales, 411
el/la/los/las que, 411
El Salvador, 295–296, 300
emeralds, 332
empezar, 436
en, 224, 225
Encarnación, 395
encontrar, 18
entender, 18
escribir, 27, 89, 139, 185, 214
España, 220, 222–223, 324, 325, 385
  camino a Compostela, 233
  cineastas, 222–223
  colloquialisms, 228
  colonias, 183
espanglish, 107–109
Estado Libre Asociado, 37, 264
estar
  with adjectives, 7–8
  forms, 7, 18, 28, 90, 139, 432
  progressive tenses with, 387
  ser versus, 7–8, 403, 414–416

F

family life, 45–46, 49
festivals, 149, 153–154, 159–160
Fiesta del Sol, 336
formal and informal registers, 350–351
formal commands, 151–152
Francia, 382
Franco, Francisco, 222
freír, 214
future perfect tense, 429
future progressive tense, 388
future tense, 288–289
  forms, 169–170, 288–289
  of irregular verbs, 170, 418–419
  of regular verbs, 169, 426
  with *si* clauses, 177
  uses, 170, 288–289

G

Gardel, Carlos, 382
gender, noun-adjective agreement and, 404–405
gerund *versus* infinitive, 218, 371, 388
gestures and words, using, 259–260
González Iñárritu, Alejandro, 231
Grammy, 248
Gran Colombia, 121
greetings, 127
Guatavita, Lago, 324
Guatemala, 183, 282, 283
Guerra, Juan Luis, 261
Guerra Civil española, 222, 223
Guillén, Nicolás, 248, 278–279
gustar, 401

H

haber, 28, 90, 170, 185, 432
  in past perfect, 408
  in present perfect, 214
hablar, 185
hacer, forms, 18, 28, 89, 139, 152, 170, 185, 215, 432
hacer in time expressions, 408
Haiti, 252
Hemingway, Ernest, 160
heritage, 183–184
Hernández, Orlando "El Duque," 24
Hidalgo, Miguel, 84, 121, 122, 230
Hispanics, 87
Hispanoamérica, 183–184
Honduras, 295–296, 300, 303
huipil, 284
huir, 27
Huracán Mitch, 300

I

Iguazú, cataratas de, 395
imperatives/commands. *See* commands/imperatives
imperfect indicative tense
  different meanings in preterit, 205
  of irregular verbs, 30
  preterit *versus,* 28, 57, 204–205, 408–409
  of regular verbs, 30, 426
  uses, 28, 30–31, 204–205
imperfect/past subjunctive tense
  adverbial clauses with, 337
  in conditional sentences, 185
  of irregular verbs, 139
  of regular verbs, 139, 427
  of spelling-change verbs, 139
  of stem-changing verbs, 139
  uses, 139–140, 308
imperfect subjunctive tense
  alternative spellings, 244n
  of *andar,* 418
  in noun clauses, 139–140, 244
  present subjunctive *versus,* 257
  spelling changes in, 417
  uses, 308
incas, 342, 345, 352, 356, 357–359
indefinite words, 402
indicative *versus* subjunctive, 244, 269, 326–327, 337–339
indigenous peoples, 167–168, 176, 183. *See also by name of individual group*
indirect object
  and direct object pronoun placement, 409
indirect-object pronouns, 68–69
indirect *versus* direct speech, 299
  with past perfect, 368
infinitive
  gerund *versus,* 218, 371, 388
  subjunctive *versus,* 270, 410, 421
informal and formal registers, 350–351
informal commands, 151–152
initiating and maintaining a discussion, 188–189, 372
Inti Raymi, 336
iPhone, 371
ir, 18, 28, 30, 90, 152, 432
ir a + infinitive, 288
Isla de la Luna, 356
Isla del Sol, 356
Isla de San Blas, 315–316
Islas Galápagos, 333
Isla Suriqui, 356
Itaguá, 395
Itaipú, 395

J
job interviews, 312
jokes, 137, 303
Juárez, Benito, 121
jugar, 18

K
Kennedy, John F., 84
kuna (indígenas), 313, 315

L
Lagoa, González, 37
Lago Guatavita, 324
Lago Titicaca, 355–356
La Habana, 248
La Paz, 358
leer, 27, 438
León de la Barra, Francisco, 121
leyendas, 234–235
Lima, 343, 352
listening strategies *(antes de escuchar)*
  cognates, 55
  emphasis on certain words, 137
  linking words in speech, 99
  think about the theme, 175
  type of text, 15
literature, 25, 38–39, 79, 120–122, 234–235, 278–279, 317–318, 396
llegar, 437
lo que, 129–130
Los Lobos, 97
"Los novios" (leyenda), 234–235
lunfardo (idioma), 376

M
Malinche, 202
mam, 183
Managua, 295
maps, 86, 94, 192
mapuches (indígenas), 369
marriage and divorce, 46
Matta-Echaurren, Roberto, 391
maya (language), 183, 202
Maya, Alexandro C., 85
Mayan numbers, 173
mayas, 202, 283, 285–286, 289
Menchú Tum, Rigoberta, 294
mentir, 18
merengue, 257
México, 200, 203, 222–223
  colloquialisms, 228–229
  El Zócalo, 192–193, 199, 232 (O.)
  independence movement, 230
  lenguas indígenas, 183
  Oaxaca, 232
  revolución Mexicana, 230
Moctezuma, 170, 192
Moctezuma II, 205
moda (fashion), 293
molas, 313
Monterroso, Augusto, 317–318
Monteverde, 306
Montevideo, 383, 385
Morelos, José María, 84
morir(se), 18, 214
movies, 222–223
"La Muerte" (Anderson Imbert), 396
Museo de Oro, 324
Museo Nacional de Antropología y Arqueología (Perú), 349
música, 25, 97, 376, 382

N
náhuatl, 183, 202
Nazca, Líneas de, 352
necesitar, 256–257
negative commands, 428
negative words, 402
negotiations, vocabulary for, 325
Neruda, Pablo, 79
Nicaragua, 295–296, 300
ningun/o/a, 402
no-fault *se,* 407
noun-adjective agreement, 403–405
noun clauses, 90, 139–140, 244–246, 269
number, noun-adjective agreement and, 405
numbers, Mayan, 173
numerology, 144–145
ñandutí, 395

O
Oaxaca, México, 232
oír, 18, 27, 89, 432
oro, 324
Orozco, José Clemente, 230

P
pagar, 437
Pamplona, 159–160
Panamá, 315–316
Panamá (ciudad), 315, 316
Paraguay, 395

para versus por, 224–225
Paredes, Diana, 75
passive voice, 347–348, 406
  with se, 48–49, 348
pastimes, 66–67
past/imperfect subjunctive tense. *See* imperfect/past subjunctive tense
past perfect indicative tense, 429
past perfect subjunctive, 422–423, 430
patron saints, 149, 150, 153–154
Paula (Allende), 39
pedir, 17, 27, 436
pensar, 17, 434
Perales, Alonso S., 120–122
personal *a,* 414
persuading or convincing, 172
  vocabulary for, 337
Perú, 183, 343, 358–359
Pinochet, Augusto, 25, 366
poder, 18, 28, 170, 185, 408, 433
poner, 18, 28, 89, 152, 170, 185, 215, 433
por
  versus para, 224–225
Portobelo, 316
possessive adjectives and pronouns, 400, 424
possibilities or potential events, expressing, 177
preferir, 18, 90, 435
Premio Nobel, 294, 305
prepositional pronouns, 377, 405, 414
prepositional verbs, 378
prepositions, 224–225
present indicative tense
  adverbial clauses with, 326
  of irregular verbs, 18
  of regular verbs, 425
  with *si* clauses, 177
  of stem-changing verbs, 17–18
  subjunctive and, 244
present perfect indicative tense, 214–215, 428
  versus preterit, 215
  use of haber, 214
present perfect subjunctive, 422, 430
present subjunctive tense
  in adjective clauses, 256–257
  expressing advice and recommendation, 111–112
  expressing opinion, judgment, reaction and emotion, 101
  expressing uncertainty or doubt, 91
  imperfect subjunctive *versus,* 257
  of irregular verbs, 90
  in noun clauses, 244
  of regular verbs, 89, 427
  spelling changes in, 416–417
  of stem-changing verbs, 90, 417–418
preterit tense
  of *andar,* 414
  imperfect *versus,* 28, 57, 204–205, 408–409
  of irregular verbs, 27–28
  present perfect *versus,* 215
  of regular verbs, 27, 426
  of spelling-changing verbs, 27, 412–413
  of stem-changing verbs, 27, 413
  uses, 28, 204–205
  verbs with different meanings in, 205
probability
  with conditional tense, 299, 412
  with future tense, 308, 412
producir, 28
progressive tenses, 387–388
  future progressive tense, 388
pronouns
  demonstrative, 399–400, 424
  direct and indirect object placement, 409
  direct object, 10, 68–69, 405
  indirect object, 68–69
  personal-direct object + *a* + prepositional pronoun, 414
  possessive, 400, 424
  possessives, demonstratives and, 423–424
  relative, 129–130, 410–411
pub versus bar, 128
Puerto Rico, 183, 264, 270
  Isla de Vieques, 37
puesto que, 420

Q

que, 129, 410–411
quechua, 183, 342, 343, 357
querer, 17, 170, 185, 256–257, 409, 433
quetzal (pájaro), 286
Quetzalcóatl, 205
quiché, 183
quien/quienes, 129, 411
Quito, 333

R

racismo, 120–122
Ramón y Cajal, Santiago, 121
reading strategies *(antes de leer)*
  cognates, 183
  MisPáginas.com, social network, 3
recordar, 18

refranes (sayings), 210
relative pronouns, 129–130, 410–411
religions, 148–150
remembering old times, vocabulary for, 208
repetir, 18
República Dominicana, 252, 257–258
resolver, 214
resultant state, 406–407
revision, 439–440
Revolución Cubana, 241, 248, 278
Revolución Mexicana, 230
Reynolds, Jorge, 332
Rivera, Diego, 190
Rivera, Jenni, 25
Roig, Xosé Castro, 109
romper, 214
Ruiz, Francisco, 366
running of the bulls *(encierro),* 159–160

S

saber, 18, 27, 90, 170, 185, 409, 433
sacrificios humanos, 317–318
salir, 18, 89, 152, 170, 185, 433
Sánchez, Juan, 115
San Fermín, Feria de, 159–160
sangría, 152
San Isidro Labrador, 149, 150
San José, 304
San Juan, 149, 239, 263
San Marcos, Feria de, 153–154
San Salvador, 295
Santiago, Chile, 364, 391
Santiago de Compostela, 233
Santo Domingo, 258
Santo Tomás, 153
San Valentín, 153
se
  impersonal usage, 48
  to indicate passive voice, 48–49, 348
  no-fault, 407
seguir, 18, 437
Segunda Guerra Mundial, 391
senior citizens, 46
sentir(se), 18
ser
  with adjectives, 7–8
  estar *versus,* 7–8, 403, 414–416
  forms, 7, 18, 28, 30, 90, 152, 433
  passive voice with, 348
servir, 17
shopping and money, 331
si clauses, 308, 338
  contrary-to-fact sentences, 185, 308, 419–420
  to express possibilities or potential events, 177, 308
social networking, 3–5
soler, 18
speaking strategies
  accusing and defending, 179
  asking for and giving advice, 114
  asking for clarification, 21
  breaking the ice, 341
  buying time, 21
  circumlocution, 12
  clarifying misunderstandings, 271–272
  comparing experiences, 73
  controlling rhythm, 20–21
  convincing and expressing agreement/disagreement, 179
  convincing or persuading, 172, 302
  expressing agreement and disagreement, 143
  expressing compassion, surprise, and happiness, 154–155
  expressing feelings, 103–104
  expressing opinions, 95, 143
  fashion, 293
  giving explanations, 132
  heated discussions, 249
  how to request and provide information, 51–52
  how to tell anecdotes, 62–63, 71
  informal and formal registers, 350–351
  initiating and maintaining a discussion, 188–189, 372
  interrupting to ask for clarification, 380
  job interviews, 312
  nonverbal communication, 259–260
  planning vacations, 302
  polite corrections, 390
  presenting pros and cons of an argument, 371
  remembering old times, 208
  shopping and money, 331
  talking about what you just did, 217–218
  telephone conversation, 33
  using gestures and words, 259–260
spelling change verbs, 27, 412–413, 416–417, 436–438
sports, 24
stem-changing verbs, 17–18, 27, 90, 139, 413, 417–418, 434–436
Stephens, John Lloyd, 289
subjunctive tense
  in adjective clauses, 256–257, 269
  after adverbial clauses, 326–327
  imperfect, 139–140, 308
  imperfect/past, 139–140, 185

indicative *versus,* 244, 269, 325, 326–327, 337–339
infinitive *versus,* 270, 410, 421
introduction, 89
in noun clauses, 90, 139–140, 244–246, 269
past/imperfect, 139–140, 420, 422–423, 427
present, 89–91, 101, 111–112, 422, 427, 430

T
Tabasco, México, 78–79
taínos (indígenas), 252
talking about what you just did, 217–218
tango, 378, 382
tareas domésticas, 11
Tegucigalpa, 295
telephone conversations, 33
Tello, Julio César, 349
tener, 18, 28, 89, 152, 170, 185, 433–434
Tenochtitlán, 192
Tesoro Quimbaya, 324, 325
Theoteokopoulos, Domenikos, 156
Tiahuanaco, 356
tiempo/frecuencia, vocabulario de, 11
Tikal, 291
time expressions
hacer in, 408
used with subjunctive, 327
Titicaca, Lago, 355–356
todavía, 422
totora, 356
trabalenguas, 373
traer, 18, 28, 434
Trinidad, 395
Trujillo, Leónidas, 254, 257
tupu, 345

U
UNESCO, 232, 395
Unión Soviética, 247
uros (indígenas), 356
Uruguay, 382, 383, 385
ustedes, 151

V
vacation, vocabulary for, 302
valer, 170, 185, 434
Valle de Antón, 316
V Centenario, 184
Vega, Garcilaso de la, 357–359
vencer, 437
Venezuela, 325
venir, 18, 28, 89, 152, 170, 185, 434
ver, 30, 89, 215, 434
verbs
commands/imperative, 151–152
conditional tense, 185–186, 298–299, 427
forms, 425–438
future tense, 169–170, 177, 288–289
imperfect indicative tense, 28, 30–31, 57
imperfect/past subjunctive tense, 139–140, 185
irregular, 18, 27–28, 30, 90, 139, 170, 185, 418–419, 431–434
past perfect indicative tense, 214–215
prepositional, 378
present indicative tense, 17–18, 177, 244, 425
present subjunctive, 89–91, 90–91, 101, 111–112
preterit tense, 27–28, 57
spelling change, 27, 436–438
stem-changing, 17–18, 27, 90, 139, 434–436
vestir(se), 18
Virgen de la Candelaria (de Bolivia), 356
volver, 90, 214, 434
"Volver" (Gardel), 382
vosotros/as, 151

W
working women, 46

Y
ya, 421
ya que, 420

Z
zapotecas (indígenas), 232

Printed in the USA
J075210SCI091714 01S29053000000000116